HET KONINGSBOEK

ARNALDUR INDRIÐASON

Het koningsboek

VERTAALD UIT HET IJSLANDS DOOR MARCEL OTTEN

AMSTERDAM · ANTWERPEN
2008

Uitspraak van þ, ð en æ

De IJslandse þ wordt ongeveer uitgesproken als de Engelse stemloze th (bijvoorbeeld in *think*).
De IJslandse ð, die nooit aan het begin van een woord voorkomt, is de stemhebbende variant: als in het Engelse *that*.
De IJslandse æ wordt uitgesproken als *ai*.

Namen
De IJslandse namen hebben hun oorspronkelijke spelwijze behouden. Voor namen die in de Nederlandse editie van de Edda voorkomen, is ervoor gekozen om de daar gebruikte spelling aan te houden.

Q is een imprint van Em. Querido's Uitgeverij BV, Amsterdam

Oorspronkelijke titel *Konungsbók*
Published by agreement with Edda Publishing, Reykjavik, www.edda.is

Omslag Wil Immink
Omslagbeeld Arctic Images/Corbis
Foto auteur Ralf Baumgarten
ISBN 978 90 214 3343 1 / NUR 305
www.uitgeverijQ.nl

Ter nagedachtenis aan mijn vader
Indriði G. Þorsteinsson

Högni lachte toen zij zijn hart eruit sneden,
de kloeke wondensmid, klagen kwam niet in hem op;
bloedend legden ze het op een schaal, brachten het Gunnar.

Uit: *Edda, De ballade van Atli*

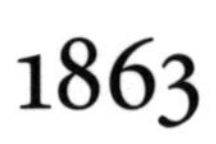

De oude boer hoorde door het geraas van de storm heen een bons en hij wist dat hij op de planken van de kist was gestuit. Hij leunde op de schop en keek omhoog naar de reiziger die aan de rand van het graf stond en die met hem was meegekomen. De man was behoorlijk geïrriteerd en zei hem op te schieten. De boer stak de schop diep in de grond en groef verder. Dat ging zwaar omdat het regenwater omlaag in het graf stroomde en hij had er moeite mee vaste voet te krijgen. De aarde zat vol kiezels, was compact en het gat was nauw. Hij had het koud, was doornat en kon nauwelijks iets zien. De man op de rand had een kaarsje in zijn hand en het doffe licht flikkerde rusteloos boven het graf. Het was in de loop van de avond bewolkt geworden en het weer werd steeds slechter, met stortbuien en stormen.

'Zie je iets?' schreeuwde de man naar hem.

'Nog steeds niks!' riep de boer.

Ze hadden illegaal het oude kerkhof betreden, maar de boer maakte zich daar niet bepaald druk over. Hij zou later het graf weer dichtgooien. Weinigen wisten überhaupt dat het kerkhof bestond. Het stond vermeld in oude boeken en het was lang geleden dat het als begraafplaats werd gebruikt. De reiziger wist van het bestaan ervan af en leek van alles te weten over wie daar lag, maar hij weigerde te verklaren waarom hij het graf wilde openmaken.

Het was het begin van de winter en je kon elk weer verwachten. De man was een paar dagen eerder in zijn eentje over de weg naar de boerderij gekomen en vroeg of hij daar de nacht kon doorbrengen. Hij zat op een goed paard en had twee lastpaarden bij zich. Meteen de eerste dag was hij naar het oude kerkhof gegaan en begon opmetingen te doen. Hij bleek een beschrijving bij zich te hebben van hoe het kerkhof vroeger eruit had gezien, hij liep met grote passen vanuit een denkbeeldige hoek, boog naar het noorden en toen naar het westen, ging zelfs in het gras liggen en legde zijn oor tegen de grond alsof hij erin naar de doden wilde luisteren.

De boer wist zelf niet wie op het kerkhof begraven lagen. Hij was veertig jaar geleden hierheen verhuisd met zijn vrouw, een seizoenwerkster en een knecht. Het land lag heel afgelegen en was moeilijk te bewerken. Zijn vrouw was vijftien jaar geleden overleden. Ze hadden geen kinderen. Het werkvolk was toen allang vertrokken. In de loop der tijd was het echtpaar de rechtmatige eigenaar van het land geworden, met alle plichten vandien. Hij vertelde de man het hele verhaal hoe de boerderij, Hallsteinsstaðir, het laatste bewoonde huis op de hoogvlakte was en dat er heel weinig bezoekers kwamen. In de winter viel veel sneeuw en kwam er niemand langs. Het was alsof de oude boer de winter met zorg tegemoet zag. Hij zei dat hij erover dacht dit armzalig bestaan eraan te geven en zijn laatste dagen als knecht bij een van zijn neven te slijten. Dat was ter sprake gekomen. Hij kon de schapen meenemen om voor zijn onderhoud te betalen. Hij wilde geen aalmoezen.

De bezoeker luisterde hoe de boer over zichzelf kletste toen ze 's avonds weer binnen zaten en gegeten hadden. De eerste avond was de man de huiskamer in gegaan toen hij vroeg of de boer soms boeken had. Het was niet veel. Psalmboeken, verder amper iets. De man vroeg toen of hij iets van boeken af wist, maar de boer gaf daar een vaag antwoord op. Hij gaf de man wat hij aan eten in huis had, hetgeen waarschijnlijk niet veel bijzonders was voor zo'n gast: 's ochtends een dikke pap van IJslands mos vermengd met kwark, 's avonds bouillon met stukjes vlees. Waarschijnlijk had hij betere kost gehad in de wereldsteden, want hij had verteld dat hij met eigen ogen de kathedraal in Keulen had gezien.

Het leek de boer dat de man een duidelijke manier van doen had van een wereldburger. Zijn kleding was die van een rijk iemand, met zilveren knopen en leren laarzen. De boer had zelf nooit gereisd. Hij had geen idee dat het oude kerkhof voor anderen interessant genoeg was om ver voor te reizen. Het was zoals elke andere vergeten begraafplaats op IJsland, amper meer dan hier en daar een grasbult aan de voet van een helling. De man vertelde hem dat Hallsteinsstaðir een oude kerkgemeente was. Zo zo, jawel, of hij zich niet het verhaal over het kerkje kon herinneren. Het was in verval geraakt en natuurlijk in vlammen opgegaan, er werd verteld dat het per ongeluk in brand was gestoken. Toen was er allang geen mis meer in opgedragen, afgezien misschien één keer in het jaar, als de dronken dominee uit Melstaðir er op dat moment zin in had.

Zo praatte de boer aan één stuk door omdat er een bezoeker was gekomen en hij zelden bezoek kreeg. Soms kwam er de hele winter niemand. De bezoeker was zelf bij uitstek weinig spraakzaam over wat hij op het kerkhof en met zijn opmetingen kwam doen. Hij wilde niet vertellen of hij uit het district kwam en hij had geen verwanten in de streek. Hij was geboren op IJsland, zei hij, en hij had in Kopenhagen rechten gestudeerd. Hij had een aantal jaren daar en in Duitsland gewoond. Dat kon je aan zijn stem horen. Hij praatte met een vreemd accent en de boer vond dat hem dat af en toe een beetje komisch maakte.

De man had twee grote hutkoffers bij zich, boeken met een prachtig omslag, kleren en ook brandewijn, koffie en tabak, dat hij aan de boer gaf.

Hij had ook proviand bij zich, stokvis en gerookt vlees en prima reuzel, die hij met de boer deelde. Meestal deed hij heel gewichtig met een of ander dagboek waar hij zich in begroef, mompelde iets binnensmonds wat de boer niet kon horen en hij ging dan steeds weer naar buiten, naar het kerkhof. De hond van de boer, goedaardig met kwispelende staart, liep de bezoeker achterna die hem stukjes gerookt vlees of een vel stokvis gaf en hem aaide.

Soms probeerde de boer een gespreksonderwerp met de reiziger aan te snijden, maar dat ging moeizaam en de boer merkte dat hij niet naar Hallsteinsstaðir was gekomen om de heer des huizes te vermaken.

'Hebben ze het nog steeds over de blikseminslagen?' vroeg de boer.

'Daar weet ik niets van.'

'Het noodweer heeft drie man het leven gekost,' zei de boer. 'Op Vatnsleysuströnd,' heb ik gehoord. 'Het gebeurde een jaar geleden.'

'Ik weet niets van een blikseminslag,' zei de man. 'Ik ben in mei met het schip gekomen.'

Zo verstreken drie dagen. Ten slotte leek het erop dat de man tot een besluit was gekomen. Hij stond diep peinzend boven een van de grasbulten aan de voet van de helling. Hij zag de boer zijn richting op komen. Het schemerde en het begon te regenen en te waaien. Hij keek naar de lucht. Waarschijnlijk zou het die nacht slecht weer worden, het hing daar in het westen.

De boer liep naar de man op het kerkhof om hem op het weer te wijzen. Hij kende de westenwind in dat jaargetijde. Hij kwam echter niet uit zijn woorden, want eer hij iets kon zeggen kwam de man met een verzoek dat hij niet meteen begreep.

'Kun je hier voor mij graven?' vroeg hij en hij wees op een grasbult.

'Wat zeg je me nou?' vroeg de boer en hij keek afwisselend naar de man en de grasbult.

'Ik moet hier graven,' zei de man. 'Ik betaal je ervoor. Twee rijksdaalders moet voldoende zijn.'

'Wilt u in dat graf gaan?' vroeg de boer met grote ogen. Zoiets had hij nog nooit gehoord. 'Waarom, als ik vragen mag?'

'Het gaat om archeologische dingen,' zei de man en hij haalde twee rijksdaalders uit zijn zak en gaf die aan de boer. 'Dat moet genoeg zijn, al kan het voor minder.'

De boer staarde naar het geld in zijn hand. Het was al behoorlijk lang geleden dat hij zo'n bedrag van dichtbij had gezien en het kostte hem een tijdje om in zijn hoofd uit te rekenen dat hij voor dit kleine klusje een heel maandloon van een goede knecht kreeg.

'Archeologische dingen?' zei de boer.

'Ik kan het ook zelf doen,' zei de man en hij strekte zijn hand weer uit naar het geld.

'U moet wel mijn toestemming hebben,' zei de boer gekwetst en hij hield de daalders stevig vast. 'Als u hier op het land wilt graven.'

Het gedrag van de man veranderde. Hij was gereserveerd maar beleefd geweest en zelfs vriendelijk als hij om ditjes of datjes vroeg, over de oude routes omhoog door de bergen naar het volgende gewest, over zijn verwanten en het bezoek, over het hoeden van schapen en de veestapel. Maar nu was een andere toon te horen, ongeduldig en zelfs brutaal.

'Het heeft geen zin hier toestanden over te maken,' zei de man.

'Toestanden maken?' zei de boer. 'Ik kan hier best wel graven als u dat wilt. Ik herinner me niks van archeolische dingen. Weet u wiens graf dat is?'

De man staarde de boer aan. Hij keek naar de bewolkte hemel in het westen, naar het weer dat op kwam zetten, en zijn blik was hard en beslist. Zijn zwarte haar reikte tot zijn schouders, hij had een hoog, intelligent voorhoofd, met eronder kleine, bruine ogen die diep lagen, onrustig en vorsend. Hij was lang en gespierd en hij droeg een gouden ring die de eerste avond de aandacht van de boer had gewekt, een dikke gouden ring met een vreemd zegel.

'Nee,' zei hij, 'daarom wil ik graven. Wil je het aannemen of niet? Ik heb haast.'

De boer keek naar de man en toen naar de twee rijksdaalders.

'Ik haal m'n spullen,' zei hij terwijl hij het geld in zijn zak stak.

'Haast je!' riep de man hem na. 'Het weer bevalt me niet.'

Nu stond hij aan de rand van het graf en spoorde de boer aan. Het weer was steeds slechter geworden. De storm huilde en de regen kletterde op hen neer. De boer stelde voor dat ze de volgende dag verder zouden gaan in de hoop dat het weer dan wat beter was en ze van het daglicht konden profiteren, maar de man wilde daar niets van weten. Hij moest op tijd het schip halen. Hij was in een vreemde gemoedstoestand geraakt, hij zei in zichzelf iets wat de boer niet verstond en vroeg constant of hij iets zag, of hij een geraamte zag of een of ander voorwerp beneden in het graf.

De interesse van de man ging duidelijk naar die voorwerpen uit. Hij wilde de boer niet vertellen wat voor voorwerpen het waren en of het er veel waren of hoe hij wist dat ze in dat oude graf lagen op het kerkhof dat al meer dan honderd jaar niet gebruikt was, als het geen tweehonderd jaar waren.

'Zie je daar iets?' riep hij naar de boer tegen het geraas van de storm in.

'Ik zie niks!' riep de boer terug. 'Kom eens wat dichterbij met dat licht.'

De man ging naar de rand en strekte de kaars verder omlaag naar de boer. Hij zag een gedeelte van de kist in het graf. De kist was door het gegraaf gebroken en stukken hout lagen overal in de aarde. Hij zag resten van linnen en peinsde dat het lijk misschien in een wade gewikkeld was geweest. De boer was moe geworden van het geschep en het ging langzamer. Er lag steeds minder op de schep naarmate hij die vaker naar de rand optilde.

'Wat ligt daar?' riep de man en hij wees. 'Graaf daar!'
De boer zuchtte.
'Kom eruit!' riep de man. 'Ik zal het afmaken. Kom!'
Hij strekte zijn hand omlaag naar de boer, die blij was uit te kunnen rusten. De man hees hem omhoog en vroeg hem de kaars vast te houden. Toen sprong hij omlaag in het graf en begon als een waanzinnige te graven. Hij gooide de gebroken stukken hout uit de kist op de rand en algauw was hij bij het gebeente. De man legde de schop naast zich neer en begon de botten met zijn handen schoon te maken. De ribben en de botten van de armen glinsterden in de aarde en ten slotte zag de boer de schedel. De rillingen liepen over zijn rug toen hij de lege oogkassen en neusgaten zag, maar tanden zag hij niet.
'Wie ligt daar?' riep hij. 'Wiens graf is dat?'
De man deed alsof hij het niet hoorde.
'Is dit wel verstandig?' fluisterde de boer. 'We willen geen spoken wakker maken! De doden moeten in vrede kunnen rusten!'
De man gaf geen antwoord en ging verder met het schoonmaken van de botten met zijn handen. De regen kletterde steeds harder op hen neer en had het graf in een modderpoel veranderd. Opeens voelde hij weerstand in de aarde. Hij ging op de tast voort en slaakte een kreetje toen hij doorhad wat het was. Hij had een kleine loden cilinder gevonden.
'Is het echt waar?!' stamelde hij en waarschijnlijk was hij alles om zich heen vergeten. Hij maakte de cilinder schoon en hield hem tegen het licht.
'Heeft u iets gevonden?' riep de boer.
De man legde de cilinder op de rand en klom omhoog uit het graf. Ze zaten beiden tot op hun hoofd onder de aarde en ze waren doornat. Het leek de man niet te deren dat de oude boer daar stond te rillen terwijl hij de kaars vasthield. Hij had een witte baard, hier en daar een tand in zijn mond, onder zijn muts was hij kaal en hij liep gebogen na een leven van hard werken. Hij had tegen zijn gast gezegd dat hij ernaar uitzag bij zijn verwanten onderdak te krijgen.
De man pakte de loden cilinder en veegde de aarde er beter af.
'We gaan naar binnen,' zei hij en hij liep in de richting van de boerderij.
'Dat is best,' zei de boer terwijl hij achter de man aan ging.
Ze gingen de boerderij binnen en de boer begon meteen het vuur in de keukenhaard op te poken. De gast ging met de cilinder zitten en na wat inspanning kreeg hij uiteindelijk een einde open. Met zijn wijsvinger viste hij de inhoud eruit en hij bekeek het nauwkeurig. Hij leek tevreden te zijn met wat hij had gevonden.
'Ze zullen het daar verderop interessant vinden als ze hierover horen,' zei de boer terwijl hij naar de inhoud staarde.

De man keek op. 'Wat zeg je?'

'Dit is het vreemdste bezoek dat ik ooit heb gekregen!' zei de boer.

De man kwam overeind. Ze stonden in de kleine huiskamer tegenover elkaar en één ogenblik lang was het alsof de man even goed moest nadenken. De boer staarde hem aan en hij zag de glans van het natte gezicht, de bruine ogen onder de hoed, en opeens schoot hem het verhaal te binnen dat hij had gehoord toen hij laatst op weg ging om inkopen te doen, over de bliksem die op Vatnsleysuströnd de mannen trof en hen ogenblikkelijk doodde.

Toen in de lente erna de sneeuw snel wegsmolt, trok men op verzoek van de neven van de boer eropuit om te zien hoe het met hem was. Het liep op niets uit. De boer was niet op de boerderij en het leek erop dat hij daar niet de hele winter was gebleven. Het was lang geleden sinds er een vuur was aangemaakt en verschillende andere aanwijzingen duidden erop dat de boerderij maandenlang niet bewoond was geweest. De keuken was netjes opgeruimd. Elk ding stond op zijn plek. De vloer in de huiskamer was schoongemaakt. De buitendeur was zorgvuldig afgesloten. De hond van de boer was nergens te vinden en hij was niet bij de boerderijen in de fjorden aan komen lopen. Zijn schapen werden gevonden toen in de herfst het vee werd opgedreven; ze waren zelfverzorgend de winter en de zomer doorgekomen.

In de streek was men nogal verwonderd toen men het nieuws hoorde dat de boer was verdwenen en hoe het op en rond de boerderij eruitzag. Nergens had men iets van hem vernomen. Hij was bij geen enkele boerderij langsgekomen. Naarmate de tijd verstreek, hield men het erop dat hij ergens in de winter met zijn hond op pad moest zijn gegaan, waarschijnlijk rond de kerst, en van de kou was omgekomen, waarschijnlijk verrast door slecht weer.

Er werd die lente helemaal niets van hen teruggevonden, niet toen de schapen de weiden werden opgedreven, en ook nooit meer daarna. Degenen die op Hallsteinsstaðir kwamen om onder elkaar de armzalige bezittingen van de boer te verdelen toen duidelijk werd dat hij was vertrokken, viel het op dat vlak bij de boerderij de grond was omgewoeld en ze namen aan dat voor hij verdween, hij begonnen was met de klus om de grasbulten aan de voet van de helling vlak bij de boerderij te egaliseren.

1955

I

Ik had geen flauw idee dat de redelijke beslissing om in het midden van de jaren vijftig een vervolgopleiding in de Oudijslandse taal aan de universiteit van Kopenhagen te gaan beginnen, mij in zo'n avontuur zou storten. Ik kan beter meteen zeggen dat ik in die jaren niet veel voor avontuur voelde als ik er zelf onderdeel van moest uitmaken, ik had er meer plezier in om erover in boeken te lezen. Om eerlijk te zijn had ik een kalm en rustig leventje daar tot ik de professor tegenkwam, en ik zag voor mezelf een tamelijk probleemloos leven weggelegd binnen de muren van een bibliotheek. Je kon zelfs zeggen dat ik verwachtte tussen de oudheid en het verleden een toevlucht te vinden. Ik hoopte dat ik mettertijd erin zou slagen mijn bijdrage te leveren tot vergroting van het begrip en de kennis van ons kostbare erfgoed. Dat was misschien mijn enigszins romantische levensdoel. Ik heb altijd een hoge dunk gehad van studie en allerlei onderzoek, en vanaf jonge leeftijd was ik vastbesloten mijn werkzame leven te slijten met het bestuderen van oude IJslandse manuscripten en hun traditie.

Maar het liep al heel snel anders nadat ik de professor in Kopenhagen leerde kennen. Mijn ideeën over de wereld ondergingen een verandering. Ideeën over mezelf. De professor zorgde ervoor dat mijn wereldbeeld gauw breder werd en anders dan ik mij ooit had kunnen voorstellen; hij veranderde mijn leven. Door hem leerde ik dat niets onmogelijk is.

Dit alles gebeurde nogal gauw voor een onschuldig iemand uit het noorden van IJsland, maar bij nader inzien geloof ik dat ik het niet anders gewild zou hebben.

Ik had naar Kopenhagen een aanbevelingsbrief bij me van mijn professor aan de universiteit van IJsland, een vriendelijke, zeergeleerde man die mij in drie jaar tijd door de magie van het Oudijslands had geloodst, en ik kan zeggen dat zijn stimulans een van de redenen is geweest dat ik het besluit heb genomen mij te wijden aan het onderzoek van Oudijslandse literatuur. Hij had een uitzonderlijk aimabele aanbevelingsbrief geschreven voor de professor in Kopenhagen, die hij kende, en ik koesterde die brief als mijn oogappel op de reis op weg naar het buitenland. Ik wist wel wat erin stond: dat ik uitblonk als student, de beste van mijn jaargang was, uitmuntende kandidaatspapieren in de Oudijslandse taal- en letterkunde had en mijn doctoraalscriptie was voortreffelijk. Ik was trots op mezelf en ik keek ernaar uit dat aan de professor in Kopenhagen te overhandigen. Ik vond dat ik de lof had verdiend. Mijn scriptie ging over de *Eyrbyggja saga* en daarin lanceerde ik een nieuw gezichtspunt aangaande het verband tussen de verschillende manuscripten die er van de saga bestaan, de datum wanneer het geschreven was, en de schrijver, waarvoor ik een sterke argumentatie aanvoerde dat het Sturla Þórðarson zelf was geweest.

In mijn jeugd ben ik waarschijnlijk iemand geweest die je een boekenworm noemt. Ik heb dat woord nooit gemogen, maar ik kan niet op een beter woord komen voor een begrip van mezelf als jongeling. Ik zat thuis bij mijn liefhebbende tante altijd te lezen, had relatief weinig vrienden, en was slecht op de hoogte van de gecompliceerde techniek die ervoor nodig is vrienden te maken. Misschien had ik simpelweg niet de moed of de wil ervoor. Maar van jongs af aan ging mijn interesse uit naar boeken en het bestuderen van boeken. Mijn tante, zaliger gedachtenis, moedigde het constant aan en gaf mij verscheidene uitstekende werken uit de wereldliteratuur. Zij was het die me in aanraking bracht met de saga's van de IJslanders en *De saga van de Sturlungen.* Ik voelde me heel sterk aangetrokken tot die prachtige verhalen over helden, wraak en liefde, eer en respect, over echte mannen en wonderlijke vrouwen, spannende heldendaden, helden die in het aangezicht van de dood zo heldhaftig waren dat ik moest huilen.

Ik groeide voornamelijk op bij de zuster van mijn moeder die ik nu eens Zus noemde, zoals mijn moeder deed, of gewoon tante, die ik steeds meer mocht en zij mij ook. Ze was ongetrouwd en kinderloos en ze nam de plaats van mijn moeder in. Ze was soms bezorgd dat, terwijl mijn leeftijdsgenoten uit de Westfjorden buiten zwaardvechtten, voetbalden of verstoppertje speelden, ik binnen zat en die grote verhalen van oude IJslanders in me opzoog. Later, toen jongens van mijn leeftijd belangstelling voor meisjes kregen en alcohol dronken, begon ik oude geschriften te lezen en maakte ik het gymnasium in drie jaar af met de hoogste cijfers voor taalkunde; Latijn werd gewoon mijn tweede moedertaal. Toen schreef ik me in op de universiteit van IJsland, waar ik prof. dr. Sigursvein leerde kennen. Het werd meteen een goede vriendschap tussen ons, met als wederzijdse interesse het bloeiende nationale erfgoed. Vele uren brachten wij samen bij hem thuis door en we praatten over de hartstocht voor ons beider interessegebied, de oude literatuur. Mijn tante werkte er hard voor dat ik een vervolgopleiding in Kopenhagen zou krijgen en we besloten in feite samen dat ik naar Denemarken zou gaan. Dr. Sigursvein steunde dat van ganser harte en hij had het erover dat, als de tijd rijp was, ik professor aan de universiteit zou worden. Toen hij me op de dag dat ik wegvoer de aanbevelingsbrief liet zien en ik deze hardop voor mezelf las in het besef dat alles wat erin stond waar was, ging een golf van dankbaarheid en deemoed door mij heen.

Ik had geen geld om te vliegen, maar ik bemachtigde een goedkoop passagebiljet voor een van onze koopvaardijschepen naar Kopenhagen en kwam daar begin september op een mooie zonnige dag vroeg in de ochtend aan. De overtocht was heel plezierig, vooral toen ik erachter kwam, hetgeen ik niet eerder wist, dat ik niet vatbaar was voor zeeziekte. De zee was tamelijk kalm, werd mij verteld, en er was iets met dat rustige gerol, misschien zelfs de geur van de zee vermengd met de lucht uit de machinekamer, dat ik heel aangenaam vond, en ik genoot van elk uur.

Aan boord was ook een jongen die heel sympathiek was. Hij heette Óskar en hij was op weg naar Kopenhagen voor een opleiding als ingenieur, een aardige knul uit het noorden die ik tijdens de reis heel goed leerde kennen. We deelden de passagiershut, waar we 's avonds in onze kooi lagen en met elkaar kletsten. Ik vertelde hem over de Oudijslandse letteren en hij vertelde mij over de vreemde vogels uit zijn dorp aan zee. Hij was een vermakelijke reiskameraad, nam het leven niet al te serieus en had een goed gevoel voor humor. Hij was eigenlijk een beetje jong om te drinken, maar hij was erachter gekomen hoe makkelijk het was om daar aan boord aan Deens bier te komen, dat hij 's avonds in ruime mate dronk. Andere passagiers waren er niet op de overtocht.

'Wat?' zei hij op een avond met een Carlsberg Hof in zijn hand. 'Je bent van plan de rest van je leven met je neus in oude manuscripten te zitten?'

'Als dat enigszins mogelijk is,' zei ik.

'Wat is daar leuk aan?'

'Wat is er leuk aan ingenieur te zijn?' was mijn wedervraag.

'Hydro-elektrische kracht, man,' zei hij. 'We gaan op IJsland gigantische dammen bouwen die ons van elektriciteit voorzien. Niet alleen voor huishoudens, maar ook voor de grootschalige industrie. We gaan fantastische fabrieken bouwen. Heb je nog nooit van creosoot gehoord?'

Ik schudde het hoofd.

'We hebben de goedkoopste energiebronnen ter wereld. We bouwen dammen op het hoogland, draineren de ravijnen, creëren meren en produceren elektriciteit voor fabrieken, die overal worden neergezet. Elektriciteit maakt ons rijk. Einar Ben, de politicus, wist dat al.'

'Wil je fabrieken op het platteland bouwen?'

'Waarom niet? Dat is de toekomst.'

'En van wie zullen die fabrieken zijn?'

'Dat weet ik niet, van Amerikanen, ongetwijfeld. Zij zijn de grootsten in creosoot. Het doet er ook niet toe. Wij bouwen de dammen en verkopen aan hen de elektriciteit. Ze kunnen dan voor mijn part eraan verdienen wat ze willen.'

'Maar maakt dat niet het hoogland kapot? Al die dammen?'

'Het hoogland? Hoe bedoel je? Wie kan dat wat schelen? Wat valt daar kapot te maken? Daar is niks! Puinhellingen en rotsen.'

'Weidegronden?'

'Wie kan die schapen nou wat schelen?'

'Ik zit meer in het verleden,' erkende ik.

'Daar ben je beslist heel erg goed in,' zei Óskar en hij nam een grote teug van zijn Carlsberg.

Ik was vol verwachtingen toen het schip twee dagen later aanmeerde aan de kade van de Strandgade bij het Asiastik Plads. Ik zag het passagiersschip de Gullfoss met al zijn pracht en praal de haven uit varen. Ik herinner me nog dat ik fantaseerde dat ik als passagier van de eerste klasse in mijn chicste kleren aan dek stond, met mannen die rookten en vrouwen in lange jurk en in de avondrust kwam pianomuziek vanuit de rooksalon. Ik had het geld niet om met zo'n prachtig schip mee te varen, niets eens in de derde klas. Mijn liefhebbende tante werkte de hele dag voor mijn studie, zowel op het postkantoor en in de namiddag, en 's avonds in de visverwerking. Zelf werkte ik 's zomers als bibliothecaris in de Westfjorden, maar ik kon aan de andere kant mijn krachten aan mijn studie wijden. Na het gymnasium kreeg ik op grond van mijn eindcijfers een beurs die de kosten van mijn universitaire studie dekte.

Ik weet niet hoe ik de ervaring moet beschrijven voor een jongeman die nooit gevaren had om voor het eerst in een vreemde grote stad te komen, en wel zo'n bijzonder prachtige, vriendelijke stad als Kopenhagen: al eeuwenlang culturele hoofdstad van IJsland. Ik had weinig reiservaring, was jong en kwam van een arme familie. Een overtocht was luxe en niet voor iedereen weggelegd. Ik had er de hele zomer naar uitgezien en ik herinner me nog goed hoe gefascineerd ik was door de spanning en de hoge verwachtingen toen ik van boord ging en door hoe de stad aan de Sond voor mijn onervaren ogen openlag met zijn massieve grote huizen, zijn oude, beroemde gebouwen, kroegen en restaurants, de brede pleinen en straten die ik kende uit verhalen van studenten en gedichten uit vroeger tijden. Ik herinner me de zware geur van de stadsbeplanting, de ratelende trams, de paardenwagens die het bier naar de kroegen brachten, de mooie auto's die langs sjeesden, de mensenmassa's en het autoverkeer op de Langebro Boulevard en op de Ny Kongengsgade. Ik merkte dat ik op de een of andere manier met de stad vertrouwd was toen ik er aankwam en de voorstelling die ik ervan had kwam wonderwel overeen met wat ik zag en beleefde op mijn eerste dag in Kopenhagen. Het was meer dan een gewone oude, gevestigde Europese stad.

Voor een geschoolde IJslander was ze een echt middelpunt van de IJslandse cultuur en beschaving van vele eeuwen. Ik keek ernaar uit haar beter te leren kennen, haar musea en haar beroemde plekken – en niet in de laatste plaats de sporen van de IJslanders – en hiervan de komende winter te genieten.

Maar ik was in de eerste plaats naar Kopenhagen gekomen vanwege mijn enige, ware hartstocht, de IJslandse manuscripten. In die tijd werden al onze kostbaarste schatten bewaard in de Koninklijke Bibliotheek van Kopenhagen en in de Árni Collectie, die gehuisvest was in de bibliotheek van de universiteit van Kopenhagen: het *Flateyarboek*, *Möðruvellaboek*, het *Koningsboek van de Edda*, *De saga van Njal* en veel, veel meer. Het was lang mijn droom geweest die oude, onschatbare perkamenten boeken te betasten die door de handen waren gegaan van bisschop Brynjólf, Hallgrím Pétursson, Árni Magnússon, Jónas Hallgrímsson en Jón Sigurðsson, om er enkel een paar te noemen. In die tijd waren wij eropuit de manuscripten op IJsland in bewaring te krijgen, daar waar ze – zoals elk redelijk mens weet – rechtmatig thuishoorden, maar de Denen hadden er moeite mee ons ons nationale erfgoed te overhandigen. Dat zou het volmaakte slot van onze onafhankelijkheidsstrijd markeren, wellicht een complete overwinning op onze oude overheersers. De weerstand hiertegen was in Denemarken aanzienlijk, of was er soms een aanleiding voor het Britse Gemenebest om alle schatten naar Egypte terug te sturen die ze uit het hete woestijnzand hadden opgegraven?

Over al deze zaken dacht ik na, een eenzame student in Kopenhagen rond het midden van de eeuw. Ik ging de toekomst tegemoet in nieuwe schoenen van mijn tante en wist niet wat mij in die grote wereld te wachten stond. Ik was zowel onzeker als energiek een studie begonnen in *Nordisk Filologi*, Oudijslandse tekstwetenschappen. Het sterkte mij dat ik wist dat ik naar de stad was gekomen uit eigen ondernemingsdrang, eigen wilskracht, en een hang naar kennis die in mij brandde als een zonnevuur.

Ik nam op de kade afscheid van Óskar met de plechtige belofte contact met hem te houden. Ik had met behulp van dr. Sigursvein een kleine zolderkamer in de Skt. Pederstræde weten te krijgen, niet ver van de laatste woning van Jónas Hallgrímsson en de oude universiteitsbuurt. Vlak daarbij lag de Øster Voldgade oftewel de Oosterweg, waar het het huis van Jón Sigurðsson staat. Ik stelde mezelf overigens als eerste taak in de stad het huis van Jón binnen te gaan en in mij op te slorpen wat ik daar zag. Ik probeerde de tijd voor mijn geest te halen dat Jón in dat huis verbleef en streed voor de zelfstandigheid van IJsland. In die dagen was het huis nog geen staatseigendom geworden en ik ging de trap op naar de vierde verdieping en zoog de geest van het huis in me op. Dat was voor mij voldoende. 's Avonds maakte ik een wandeling rond de Ny Kongengsgade, dronk een kroes bier bij de Leren Broek en keek naar de mensen. Ik ging vroeg naar bed en schreef in mijn dagboek dat ik nu in

Kopenhagen was aangekomen en ernaar uitkeek te beginnen met de spannende werkzaamheden op wetenschappelijk gebied.

Ik herinner me die eerste dag met een zoete melancholie, alles was voor mij zo nieuw, vreemd en in mysteries gehuld. De smaak van Carlsberg in de Leren Broek. De mensenmassa op de Ny Kongengsgade. De septemberzon in mijn gezicht. Gracieuze meisjes op zwarte fietsen.

De dag na mijn aankomst in de stad zou ik mijn nieuwe professor in Oudijslandse studies ontmoeten. De kennismaking met hem zou mijn leven permanent veranderen. Altijd als ik terugdenk verschijnt de professor aan mij zoals hij was toen ik deze eerste dagen in Kopenhagen met hem kennismaakte.

Niets had mij erop kunnen voorbereiden.

II

Ik was de eerste ochtend in de stad vroeg wakker en ik liep de korte afstand van mijn zolderkamer in de Skt. Pederstræde naar het universiteitsterrein bij de Vor Frue Kirke. 's Nachts had het geregend, maar nu was het mooi nazomerweer geworden met een helderblauwe hemel en sneeuwwitte wolkenbanken in het oosten. De bomen stonden nog schitterend in bloei na een zonnige zomer. Het was behoorlijk warm. Ik had iets dergelijks nog nooit meegemaakt in dit jaargetijde. Ik kan nogal slecht tegen hitte en had geen bijzondere lichte kleding bij me, slechts broeken van dikke stof, lange onderbroeken, een wollen trui en vest en een behoorlijk gekreukeld pak voor de feestdagen. Mijn tante was bezorgd dat ik het de hele winter koud zou hebben en ze zei me dat ik me warm moest kleden en ervoor moest zorgen dat in mijn kamer goed gestookt werd.

De professor had een kantoor op de tweede verdieping in een oud, slecht onderhouden gebouw aan de St. Kannikestræde, niet ver van de universiteitsbibliotheek. Ik ging de oude, houten trap omhoog en de traptreden kraakten vriendelijk. Toen klopte ik beleefd op de deur. Een kleine, koperen plaat met zijn naam was erop bevestigd. Hij verwachtte me. Het toelatingsgesprek was lang van tevoren afgesproken en het was slechts een formaliteit. Mijn inschrijving voor het college was geaccepteerd. Ik klopte weer en ditmaal resoluter. Ik keek op mijn polshorloge, dat mijn tante mij bij het afscheid had gegeven. Het was op de minuut af negen uur, want ik deed toentertijd mijn best punctueel te zijn. Ik vond dat belangrijk.

Ik voelde me niet op mijn gemak daar in de gang en de tijd verstreek. Het werd vijf over negen, kwart over negen, en zo waren vijfentwintig minuten verstreken eer ik doorhad dat de professor in geen velden of wegen te bekennen was. Ik bedacht dat hij onze afspraak zeker was vergeten en dat stemde me een beetje bitter. Maar slechts een beetje. Ik had nogal tegen deze afspraak opgezien, de reputatie van de professor was zodanig dat ik er niet bepaald op gebrand was hem te ontmoeten. Studenten die na beëindiging van hun studie van Kopenhagen naar IJsland waren teruggekomen, vertelden verhalen over hem die niet echt geschikt waren op een bidprentje te zetten. Ook al toonden ze een grenzeloos respect voor de professor, daar bestond geen twijfel over. Ik begreep dat hij er een handje van had de studenten uit een college te gooien als hij merkte dat ze afwezig waren of te weinig geconcentreerd. Hij had graag dat ze goed voorbereid kwamen, want als hij onder de studenten ook maar enigszins bemerkte dat ze onverschillig waren, weigerde hij hun verder college te geven. Hij liet ze voor een tentamen ongenadig zakken als ze van te weinig inzicht of spitsvondigheid blijk gaven, en als het tentamen mondeling was, had hij de gewoonte slecht voorbereide studenten uit balans te brengen en ze af te leiden, zoals men vertelde.

Zo filterde hij diegenen eruit die hij niet geschikt vond of geen boodschap aan de wetenschap hadden. Als hij daarentegen merkte dat iemand de oprechte wil, het doorzettingsvermogen en het talent bezat, zette hij zich ervoor in om de kwaliteiten bij de studenten te cultiveren met in gedachten dat slechts de besten ooit onze schat, de perkamenten manuscripten, mochten aanraken.

Daar stond ik in de gang en liet dit allemaal door mijn hoofd gaan terwijl de tijd verstreek en het half tien werd. Ik had verschillende malen zonder succes geklopt en ik twijfelde steeds maar weer of dit de juiste dag en het juiste uur was. Ten slotte verstoutte ik me aan de deurknop te morrelen, maar het kantoor was op slot.

Ik gaf het op, maar toen ik op het punt stond me om te draaien en de gang uit te lopen, leek het dat een zacht gekreun van binnen uit het kantoor kwam. Dat kon ik verkeerd gehoord hebben. Ik legde mijn oor tegen de deur en luisterde een tijdje, maar er gebeurde niets.

Onverrichter zake ging ik weg. Op weg door de gang kwam ik een man tegen die een kantoor binnen wilde gaan en ik vroeg of hij wist waar de professor kon zijn. Ik sprak redelijk schooldeens, maar ik had er die eerste dagen nogal moeite mee de rap sprekende Denen te verstaan. De man schudde het hoofd en zei dat de professor onvoorspelbaar was. Hij vroeg of ik een afspraak met de professor had en glimlachte naar mij toen ik dat beaamde, en hij zei dat hij waarschijnlijk niet op zijn kantoor was. Het was aan de man te horen dat dat niets nieuws was.

Ik bracht de ochtend door met het bekijken van het universiteitsterrein, liep door de Krystalgade en de Fiolstræde, bezichtigde de kerken op het terrein, de Trinitatis Kirke en de Ruudetaarn, oftewel de Ronde Toren, de Skt. Petri Kirke en de Helligåndskirken, en als laatste – maar daarom niet minder belangrijk – de Vor Frue Kirke met de discipelen van de beeldhouwer Thorvaldsen aan weerskanten. Dr. Sigursvein had mij aangeraden de Vor Frue Kirke meteen te bezichtigen als ik in Kopenhagen aankwam, en hij hield een lange speech over het interessante gegeven dat Judas niet in de groep discipelen van Thorvaldsen stond en dat de apostel Paulus in zijn plaats was gekomen. Toen ik trek had in koffie liep ik langs de achterkant van het hoofdgebouw van de universiteit aan het Frue Plads en ging in de Kleine Apotheek aan de St. Kannikestræde zitten. Van daaruit ging ik naar het beroemde park en rustte uit op een bank onder de linden. Ik liep weer omlaag naar de Skt. Pederstræde, waar ik bij het huisnummer 22 kwam, niet ver van mijn zolderkamer. Op de voorgevel naast het raam op de eerste verdieping hing een bord waarop stond dat Jónas Hallgrímsson daar had gewoond. Ik staarde naar de bovenverdieping waar Jónas zijn laatste thuis had gehad. Vanaf het moment dat ik de betoverende gedichten ontdekte, heeft Jónas een bijna goddelijke status in mijn geest gehad. Ik weet dat het vele IJslanders zo is vergaan. Toen ik op die plek kwam werd ik vervuld door een vreemde triestheid, maar ook met ontzag voor een dichter die ooit met een gebroken been onder die Deense hanenbalken lag en wachtte op wat zou komen, op een vreemde manier verzoend met zijn lot.

Ik had mezelf irreële voorstellingen over de fantastische Árni Collectie gemaakt. Het viel me vreselijk tegen toen ik die voor het eerst die dag op mijn wandeling zag. Ik liep de universiteitsbibliotheek binnen, een indrukwekkend gebouw aan de Fiolstræde, waar op de noordgevel de collectie van Árni Magnússon zo was weggemoffeld dat het amper meer dan een smalle rand langs de buitenmuur was. Voor de lol beende ik over de lengte van het gebouw en ik mat achttien meter. Lekkende ramen zaten aan beide kanten. Dr. Sigursvein had me verteld dat het 's winters daarbinnen ontzettend koud was, het kwik zakte zelfs tot veertien graden. Ongeveer twee derde van de wandruimte was bedekt met schappen met Árni's manuscripten en daar was ook de werkkamer van de rector Jón Helgason. Slechts een paar manuscripten zaten in een doos. De meeste waren in omslagen ingebonden en stof was tussen de bladzijden gevallen. Er was geen speciale beveiliging. De sleutel van het slot hing op een haakje bij de deur binnen in de bibliotheek. Een andere beveiliging was er niet.

Ik peinsde erover hoe Kopenhagen ons grote IJslandse saga-erfgoed bewaarde, en dan bedoel ik niet de oude manuscripten, maar de belangrijke IJslandse saga's die in Kopenhagen zijn opgeslagen, en ik heb het altijd een schromelijke onderwaardering gevonden. Zoveel van onze oude aandenkens zijn er in de straten en op de pleinen van deze stad zonder dat we er ons enigszins druk over maken. De huizen van onze onafhankelijkheidshelden Jónas, Baldvin, Konrað, Brynjólf Pétursson en Tomas Sæmundsson staan er nog steeds, de woning van Jón Sigurðsson staat er. De universiteit is er die al deze mannen en IJslanders door de eeuwen heen heeft geschoold. De campus waar de bloem van de IJslandse intellectuelen in de stad toevlucht zocht. De Ronde Toren en de Trinitatis Kirke zijn er, waar ooit op zolder onze manuschriptenschat werd bewaard en waar Jón Grunnvíking in al zijn armoede op paste. Er zijn gevangenissen waar wij opgesloten zaten. Er zijn kanalen waar wij in verdronken. Er zijn kroegen en restaurants waar wij aangeschoten zaten. Waar zijn ze op IJsland? Men mag niet vergeten dat de helft van de geschiedenis van IJsland in deze stad bewaard is, in de straatstenen, op de hoeken van de huizen, in de cafés en in de ramen van de huizen die nog steeds de jaren en de mensen weerspiegelen die ons tot een zelfstandig volk in een ver weg gelegen land heeft gemaakt.

Het kwam bij me op te gaan kijken of de professor rond de middagpauze op zijn kantoor was. Ik had geen hooggestemde verwachtingen toen ik weer de gang naar zijn kantoor inliep, maar ik zag tot mijn opluchting dat zijn deur half openstond. Eerst wilde ik kloppen voor ik naar binnen ging, toen ik vanuit de kamer stemmen hoorde. Ik bleef in de deuropening staan.

Het enige wat ik zag was een wand van de werkkamer die vol stond met boeken. Wat ik hoorde ging mij helemaal niet aan, ik schaamde me ervoor luistervink te spelen en ik durfde me niet te verroeren.

'...zo gaat het niet,' zei een diepe stem die ik niet eerder had gehoord, en ik merkte dat deze bij een lange man met gezag en invloed moest horen. Hij praatte Deens.

'Het is gewoon nonsens en dat weet je,' werd geantwoord, en ik vroeg me af of dat de professor was. 'Je moet niet luisteren naar dat gezwam maar je concentreren op het besturen van de faculteit.'

'Dat is precies wat ik hier doe,' zei degene met de diepe stem.

Ik dacht dat ze mijn ademhaling in de deuropening konden horen in de stilte die op zijn woorden volgde. Ik stond als aan de grond genageld en wist niet waar ik meer voor vreesde: dat men naar mij toe kwam of dat ik iets hoorde wat ik niet mocht horen en niet wilde weten. Ergens daartussenin stond ik klem in de deuropening. Ik was niet dapper genoeg om het kantoor binnen te stappen en een gesprek te verstoren dat waarschijnlijk heel open en eerlijk was geweest.

'Het is geen nonsens!' zei de man met de diepe stem. 'Denk je soms dat ik jou niet ken? Denk je dat ik geen verhalen over je te horen krijg? Iedereen klaagt over je, over je drankzucht het meest, maar ook over andere dingen: je onbeschaamdheid, je regelrechte grofheid en je onbuigzaamheid. En kijk me niet aan alsof ik je vijand ben. Dat ben ik niet. Als het niet aan mij had gelegen, had je hier op de universiteit allang afgedaan.'

Degene van wie ik dacht dat het de professor was leek hierop geen antwoord te hebben.

'De drank is het ergste,' zei degene met de diepe stem. 'Ik kan niet langer de andere kant op kijken.'

'Laat de duivel je halen!' zei de professor. 'Ik ben nog nooit op een college aangeschoten geweest. Nog nooit.'

'Je bent de hele zomer dronken geweest!'

'Dat is gewoon gelogen en wat gaat jou dat aan... het is niet jouw zaak wat ik in mijn vrije tijd doe.'

'Ben je vergeten hoe je je in het voorjaar hebt gedragen? Ik weet dat je het moeilijk hebt gehad...'

'Hou op met dat medelijden!' gromde de professor. 'Royeer me als je wilt. Dat is beter dan naar dat verdomde gejammer van je te luisteren!'

'Wanneer ben je van plan je nieuwe uitgave in te leveren?' vroeg de man.

'Dat gaat je niks aan,' zei de professor. 'Ga weg! Ga en heb met iemand anders medelijden. Ik heb jou niet nodig. En deze universiteit ook niet! Voor mijn part kunnen jullie naar de hel lopen!'

'Ze moeten het weer in de Koninklijke Bibliotheek hebben,' zei de man met de diepe stem, en het leek er niet op dat de woorden van de professor enig effect op hem hadden. 'Je kunt het niet jarenlang zo voor jezelf apart houden. Dat gaat niet, ongeacht hoe het hele onderzoek ervoor staat.'

Ik hoorde dat de stem plotseling dicht bij de deur kwam en ik rende de gang uit en was via de houten trap omlaag verdwenen voordat iemand mij zag. Mijn hart bonkte in mijn borst en ik was buiten adem toen ik uiteindelijk buiten op straat bleef staan en achterom durfde te kijken. Niemand was mij achterna gekomen. Ik kuierde kalmpjes in de Deense nazomerzon en overpeinsde het gesprek waarvan ik getuige was geweest. De plaats van de professor aan de Oudijslandse faculteit leek heel zwak en zijn drankzucht was daar schuld aan.

's Avonds at ik in mijn eentje een tartaartje met een gebakken ei in een restaurantje aan het Rådhuspladsen. Ik ging vroeg naar bed met twee pas gepubliceerde romans die ik uit IJsland had meegenomen en die *Nr. 79 van de taxicentrale* en *Het uurwerk* heetten.

De volgende dag probeerde ik het weer bij de professor en ik verscheen in de gang bij zijn kantoor op dezelfde tijd als de ochtend ervoor. Ik klopte, maar ik hoorde binnen niets bewegen. Ik klopte weer en de derde keer fanatiek. Er gebeurde niets en ik begon te geloven dat ik de man nooit zou ontmoeten.

Ik voelde me niet op mijn gemak daar in de gang en wipte ongeduldig van de ene voet op de andere tot ik moed vatte en probeerde of de deur op slot zat. Tot mijn verwondering bleek hij niet afgesloten. Ik deed hem voorzichtig open en stapte over de drempel. Er was niemand. Ik keek weer op mijn polshorloge. Het liep tegen tienen.

Ik klopte op mijn jaszak om me nogmaals ervan te vergewissen dat ik niet de aanbevelingsbrief was vergeten en ten slotte waagde ik het het kantoor binnen te gaan. Ik was van plan daar even te wachten in de hoop dat de professor zich liet zien. Het was donker daarbinnen. Zware gordijnen hielden het licht buiten en ik kon nergens een lichtknopje vinden. Toen mijn ogen aan het duister gewend raakten, ontvouwde zich voor mij een van de slonzigste werkruimtes die ik tot op de dag van vandaag heb gezien. Grote bergen papieren en boeken lagen over de vloer opgestapeld langs boekenkasten die alle wanden bedekten, tjokvol boeken en papieren en erbovenop nog meer boeken die horizontaal in elke spleet waren gepropt, helemaal tot boven aan het plafond. Stapels documenten en mappen stonden of lagen overal verspreid, de meeste op de vloer. Een kleine rooktafel was verborgen onder de boeken. Geen enkel systeem leek in deze chaos te heersen en ik kon me niet voorstellen dat het mogelijk was daarbinnen ook maar iets te vinden. Het bureau bij het raam was bedolven onder nog meer stapels documenten en nog meer boeken. Een oude typemachine stond op de tafel. Ernaast stond een halfvolle fles IJslandse brandewijn die ongetwijfeld iemand vanuit IJsland naar de professor had opgestuurd. In de werkruimte hing een zware lucht van snuiftabak en ik ontdekte op het bureau boven op een stapel documenten een keramieken schaal met meer snuiftabaksdoosjes dan ik in één oogopslag kon tellen. Sommige waren met een zilveren monogram ingelegd. In de schaal lagen ook eenvoudige blikken doosjes onder de snuif van importeurs uit IJsland. De professor leek in grote hoeveelheden IJslandse snuiftabak te gebruiken.

Toen ik beter om me heen keek, zag ik warempel achter het bureau een man op de grond liggen. Ik schrok toen ik eerst de zolen van een paar versleten bruine schoenen zag. Toen merkte ik dat ze aan twee benen vastzaten, die voor het bureau verdwenen. Ik kwam dichterbij. Ik vermoedde meteen dat dit de professor was en aanvankelijk dacht ik dat hij een hartaanval had gekregen en was overleden. Die vrees verdween toen ik zijn zware ademhaling hoorde. Ik boog voorover en voelde aan zijn voorhoofd. Het was gloeiend heet. Hij hield nog steeds een fles goedkope cognac vast. Hij was gekleed in een grijs, afgedragen pak, en over een wit overhemd en stropdas droeg hij een gebreid vest.

Ik gaf hem een zet met mijn voet, maar er gebeurde niets. Ik boog me voorover en schudde hem, maar hij wilde niet wakker worden. Ik overwoog wat ik moest doen. Het liefst wilde ik onverrichter zake weggaan en hem daar in een alcoholcoma laten liggen. Het was amper mijn taak de professor te hulp te schieten. Hij had waarschijnlijk de hele nacht gedronken en was tegen de ochtend in slaap gevallen. Misschien was hij daarbinnen in zijn werkkamer dagen achtereen aan de zwier geweest. Ik herinnerde me het gekreun dat ik meende te horen toen ik de dag ervoor op de deur bonsde. De professor had duidelijk heel wat meer bezigheden dan nieuwe studenten ontvangen.

Een versleten, wrakkige bank stond in de werkkamer en het kostte me moeite de professor daarheen te brengen. Hij was behoorlijk zwaar en zelf was ik niet zo sterk, dus ik moest hem over de vloer naar de bank slepen. Ik wist hem op de een of andere manier op de bank te proppen en daar legde ik hem zo goed als ik kon neer. Hij hield nog steeds de cognacfles vast alsof dat ding zijn enige houvast in de wereld was. Ik zocht een kleed om over hem uit te spreiden, maar vond niets. Een grote, donkerbruine leren jas hing op een haak en ik legde deze over de professor, die vanuit zijn coma iets onbegrijpelijks mompelde.

Ik keek in de werkkamer rond en mijn oog viel plotseling op een klein boekje op zijn bureau. Het lag open zodat de titelpagina was te zien. Ik wilde niet spioneren, maar ik rekte mijn kin toen ik zag wat voor boek het was. Ik las de titel: *Die Edda. Volksausgabe.* Onder de titel stond: 'Speciale editie voor de Hitlerjeugd. Niet voor de verkoop.'

Opeens was het alsof de professor weer bij zijn positieven kwam. Hij kwam overeind en staarde mij met betraande ogen aan.

'Gitte?' zei hij.

Ik bleef stilstaan en zei niets.

'Ben jij het, Gitte?' vroeg hij. 'Mijn lieve Gitte...'

Toen viel hij weer in slaap.

Ik ging stilletjes de werkkamer uit en sloot de deur achter mij.

Ik wist niet wat ik die dag met mezelf moest aanvangen. Dr. Sigursvein van de Oudijslandse faculteit thuis had mij verteld dat de professor mij goed zou ontvangen, hij had een speciale band met hem gehad, en de professor zou mij helpen me in de materie in te voeren, zoals dr. Sigursvein het uitdrukte. Hij bedoelde de studie, het universiteitsleven en de stad, als ik hem goed begreep. Ik, een eenzame student Oudijslands in de grote stad die nog nooit in het buitenland was geweest en niets anders had dan een arme tante thuis op IJsland, had daarom in behoorlijk mate mijn vertrouwen in de professor gesteld.

Zo verdeed ik min of meer mijn dag. De vrouw die de zolderkamer in de Skt. Pederstræde verhuurde stond in de deur toen ik thuiskwam na in de stad rondgezworven te hebben. Ze gaf me een brief die met de post was gekomen. Hij was van dr. Sigursvein, die zo vriendelijk was me welkom te heten in de stad in de hoop dat de studie voor mij prettig en instructief zou zijn. Hij vermeldde de professor met geen woord. Ik zette me er meteen toe hem te schrijven en bedankte hem voor de brief en ik liet alles onvermeld over de problemen waarmee ik moest worstelen. Ik wilde mijn verblijf in Kopenhagen niet beginnen met het versturen van een klaagbrief.

III

’s Middags stak ik de aanbevelingsbrief weer eens in mijn jaszak en ging op weg. Ik maakte me niet langer druk om een afspraak te maken, maar besloot de zaak op zijn beloop te laten. De deur zat zoals eerst niet op slot, maar dit keer lag er geen beneveld lijk op de vloer. Ik besloot op de professor te blijven wachten – als hij zich liet zien – en de boekenrekken te bekijken. Er viel veel te snuffelen zoals je je kunt voorstellen, boeken van overal uit de wereld, in het Latijn zowel als het Grieks. Op sommige plekken staken flessenhalsen achter de boeken op de schappen, onbetwistbaar bewijs van het verkeerde pad waarop de professor was beland. Beneden in een hoek op de grond stond een vuurbestendige kluis of archiefkast waarvan ik me voorstelde dat de professor daarin de belangrijke manuscripten bewaarde die hij op dat moment bestudeerde.

‘Wie ben jij, verdomme?!’ brulde een krachtige stem in het Deens achter mij zodat ik me lam schrok, mijn hart oversloeg en ik een sprongetje op de vloer maakte. Ik draaide me om en zag dat de professor was gekomen om te werken en het leek alsof hij van plan was mij in elkaar te slaan.

‘Ben je een dief?!’ riep hij dreigend, maar ik kon geen antwoord geven en zijn stok priemde in mijn richting. ‘Ben je van plan mij te bestelen?!’

Hij zei iets in het Duits wat ik niet goed verstond.

‘Neemt u mij niet kwalijk...’ zei ik, maar ik kwam niet verder.

‘Nou ja! Een IJslander!’ zei hij.

‘Ja,’ zei ik, ‘ik ben...’

‘Ik dacht dat je een dief was!’ zei de professor, die kalmer werd.

‘Nee,’ zei ik, ‘...ik ben geen... dief...’

‘Vervloekte wagnerianen,’ riep hij tegen mij. ‘Ken je die? Ooit van hen gehoord? Allemaal dieven!’

‘Nee,’ zei ik, hetgeen waar was. Ik had nog nooit in mijn leven dat woord gehoord en ik wist niet wat het betekende. De professor loste het probleem meteen gedeeltelijk op.

‘Het is het grootste tuig dat er bestaat! Allemaal dieven en moordenaars! Dieven en moordenaars, zeg ik en schrijf ik.’

'Ik... ik ken... ik ken ze niet.'

'Wat wil je van mij?' vroeg hij. 'Wie ben je? Kom ermee voor de draad! Sta daar niet als een zoutzak!'

'De deur was niet op slot en ik...'

Opeens kwam ik niet uit mijn woorden. Ik was geïntimideerd door dit lompe gedrag. Er zat iets ongebreidelds in, alsof de professor nooit manieren had geleerd. Hij leek ook onberekenbaar zoals hij daar stond met zijn witte, wilde haardos die alle kanten op ging en een glans in zijn ogen die aan een kolengloed deed denken. Hij had witte baardstoppels, was mager en lang en had een vitale uitstraling ondanks het feit dat hij bijna zeventig was en ondanks zijn slempgewoontes, naar wat ik ervan begreep. Hij liep hinkend met een zwarte stok die was voorzien van een fraaie zilveren knop en een stalen punt, was gekleed in een zwart pak met vest, op het vest een zilveren horloge aan een ketting die onder in het vestzakje verdween.

'Vooruit, vooruit met de praat,' zei hij en hij sprak nu IJslands. 'Wat wil je van me?'

Hij liep naar het bureau, trok de gordijnen weg en opende het raam. Toen ging hij op een gammele bureaustoel zitten en haalde een tabaksdoosje uit zijn zak. Niet dat de chaos in het kantoor er beter op werd, maar de frisse lucht was welkom. Ik overwoog hem te vertellen dat onze wegen gemeenschappelijke grenzen hadden, maar hij leek niets van dat hele verhaal af te weten en ik vermeed het de waarheid te vertellen om zijn geheugen op te frissen.

'Ik heet... Vald... emar,' stotterde ik, 'en ik wou... van de winter aan de Oudijslandse faculteit studeren.'

'Ja, dat wil zeggen?'

'Ik ben... ben hier gisteren gekomen... maar...'

'Ja, wat?'

'U kent mijn tante,' flapte ik eruit.

Mijn tante had mij gezegd hem de groeten te doen. Ik wist niet precies hoe ze elkaar kenden, maar Zus had laten doorschemeren dat ze op de een of andere manier met elkaar verwant waren. Ik vertelde hem over Zus die in de Westfjorden woonde en hij luisterde aandachtig, zei dat hij wist wie ze was maar dat hij haar nooit had ontmoet, hetgeen precies was wat mijn tante mij had verteld, namelijk dat ze elkaar nooit gesproken hadden.

'En, wat kun je me over je tante vertellen?' vroeg hij.

'Niets dan goeds, dank u, ze doet u de groeten,' zei ik verward.

'En je bent gewoon gekomen?' zei hij en hij mat mij op met zijn ogen.

'Daar ziet het naar uit,' zei ik en ik probeerde te glimlachen.

Opeens herinnerde ik me de mooie aanbevelingsbrief, haalde hem uit mijn zak en reikte hem de professor aan.

'Ik ben hier... hier met... een aanbevelingsbrief van dr. Sigursvein, die mij op IJsland op de universiteit heeft gedoceerd.'

'Een aanbevelingsbrief?'

Ik merkte opeens dat hij naar mij keek alsof ik een raar dier was dat zijn kantoor binnen was komen waaien. Misschien begreep hij mijn verlegenheid en bedeesdheid niet. De professor was een van de vooraanstaandste filologen, befaamd om zijn sprankelende genius, en op de een of andere manier was alle kracht uit mij verdwenen. Dat mooie, bruikbare zelfvertrouwen dat ik me eigen had gemaakt, uit eigen ondernemingslust voor een studie naar Kopenhagen gevaren, werd weggeblazen in weer en wind. Ik voelde me als een berkenboompje in een bosbrand. Hij nam de enveloppe van mijn voortreffelijke professor uit mijn uitgestrekte hand en zonder te kijken naar datgene wat eens zo groots leek, verfrommelde hij het en gooide het uit het raam.

'Waarom stotter je?' vroeg hij.

Ik kon mijn eigen ogen niet geloven. Hij gooide de aanbevelingsbrief weg zonder die ook maar één blik waardig te keuren. Een ogenblik lang overwoog ik of ik erachteraan zou springen. Al die fraaie woorden die dr. Sigursvein over mij had geschreven! Die man gooide ze weg alsof het vuilnis was!

'Ik... ik... stotter niet,' zei ik echter.

'Hoe zei je dat je heet?'

'Valdemar. Ik begin bij u een studie in het Oudijslands. Ik ben een paar dagen geleden in Kopenhagen aangekomen. U heeft een afspraak met mij gemaakt. U bent het misschien... misschien bent u het vergeten...?'

Hij keek me niet-begrijpend aan en ik maakte me druk over wat ik had uitgekraamd en ik begreep het zelf niet: u heeft een afspraak met mij gemaakt! Wat had ik eruit geflapt? Ik wist dat ik beter kon, maar op de een of andere manier had de professor deze uitwerking op mij. Tegenover hem stond ik met mijn mond vol tanden.

'Ik bedoel...'

'Valdemar, je moet leren je te ontspannen,' zei hij, en ik kon niet anders zien dan dat hij in zichzelf spottend glimlachte. 'Ik herken de naam. Je tante heeft mij geschreven. Zouden we elkaar treffen, zei je? Ik ben het dan straal vergeten,' zei hij.

Eindelijk begreep hij wat ik in zijn werkkamer kwam doen.

'De deur was niet op slot,' zei ik en ik keek naar het raam waardoor de aanbevelingsbrief was verdwenen. 'Neemt u mij niet kwalijk, maar ik dacht soms dat u mij niet heeft horen kloppen...'

'Wat wil je hier doen?' vroeg hij. 'En hou op met dat verdomde ge-u!'

'Ik... ben gekomen om Oudijslands te...'

'Ja, ja,' zei hij, 'dat willen ze allemaal, maar wat heeft jou ertoe gedreven?

Wat wil je met oude manuscripten aanvangen, jongeman?'

'Ik...'

'Kun je manuscripten lezen?'

'Ja,' zei ik. 'Iedereen op IJsland die Oudijslands studeerde las oude teksten en manuscripten en al zeg ik het zelf, het is me beter afgegaan dan mijn studiegenoten. Dat was een van de zaken die speciaal in de aanbevelingsbrief vermeld stonden.'

De professor stond op en ging naar de boekenkast achter het bureau en hij liet zijn handen over de oude lederen ruggen glijden. Hij haalde een groot, dik boek eruit en maakte het open.

'Ik beschouw mezelf een beetje als specialist in de *Eyrbyggja saga*,' zei ik, 'en als u de aanbevelingsbrief had ge...'

'Sven is altijd een idioot geweest,' zei de professor en het duurde eventjes voordat ik doorhad dat hij de gebruikelijke koosnaam voor dr. Sigursvein gebruikte.

'Maar u...'

'Wat zei ik over het ge-u?' zei hij scherp terwijl hij van het boek opkeek. 'Laat het helemaal achterwege.'

Hij bleef in het boek bladeren terwijl hij met me praatte.

'Je lijkt een beetje traag, Valdemar. Misschien komt dat omdat dit de eerste keer is dat je van IJsland weg bent en dat je er moeite mee hebt adem te halen in de grote stad of omdat je heimwee hebt en je tante mist. Misschien ben je van nature traag. Dat weet ik niet. Maar als je weer "u" tegen mij zegt, dan ga je dezelfde weg als het gezever dat jij een aanbeveling noemt.'

Hij zei dit heel normaal, zonder enige dreiging, en ik wist dat hij het niet letterlijk meende, maar op de een of andere manier kon ik daar toch niet zeker van zijn.

Daarmee was onze eerste ontmoeting afgelopen. Ik stond als een zoutpilaar in het midden van de werkruimte en ik kon me niet van die plek verroeren tot hij mij wegwuifde zonder van het boek op te kijken en in de richting van de deur wees. Ik liep achterwaarts de deur uit, nog meer confuus dan toen ik kwam, en sloot de deur zorgvuldig achter me. Ik liep in een soort trance de gang uit, de trap omlaag, en ging de straat op. Ik had nog nooit van mijn leven zo'n ontvangst gekregen. Ik had een dergelijk gedrag niet verwacht van een professor, een academicus, een intellectueel voor jongere studenten die een lange reis over zee achter de rug hadden, op zoek naar zijn begeleiding.

Ik zwierf over de straten zonder te weten waar ik heen ging. Ik wist niet meer of ik wilde studeren onder begeleiding van deze man die ik desondanks zo hoogachtte. Ik had het meeste gelezen wat hij over de oude IJslandse literatuur had gepubliceerd en ik bewonderde zijn briljante stijl en zijn superieure kennis op wetenschapsgebied. Ik had ernaar uitgezien mij behaaglijk te vestigen aan het voetenbankje van de meester. Zijn boeken en artikelen getuigden ervan dat een wetenschapper van het beste soort zich ermee inliet, helder, betrouwbaar, precies en accuraat en bovenal vol eerbied voor de manuscripten. Hij heeft mij met zijn onderzoek zoveel geleerd en ik had de hoop dat hij zijn interesse en enthousiasme met mij zou delen. Hij was de man die misschien de belangrijkste reden was dat ik naar Kopenhagen was gekomen, dr. Sigursvein buiten beschouwing gelaten. Maar hier kwam ik een straathond tegen, onbeschoft en arrogant, die op zijn pupillen leek neer te kijken, een minachting voor dr. Sigursvein etaleerde door diens aanbevelingsbrief uit het raam te gooien en mij feitelijk zijn kantoor uit te smijten!

Ik dwaalde van de ene straat naar de andere tot ik beneden bij de Langebro Boulevard kwam, terwijl ik dit alles overdacht en probeerde mijn positie te bepalen na die ware schok die ik had ervaren. De mensen, de restaurants en de kroegen gleden voorbij als in een droom. Ik was op het punt gekomen met dit alles op te houden en weer naar huis te verdwijnen. Waarschijnlijk was dat ook gebeurd als ik niet van onze uiterst korte kennismaking had geleerd dat het de professor koud liet of hij me ooit nog zou zien. In plaats daarvan besloot ik niet op te geven en ik bedacht dat dit een slecht gesprek was geweest; nu was het achter de rug en ik wilde gewoon weten of het mogelijk was opnieuw te beginnen. Nu wist ik wat mij te wachten stond en het zou hem niet lukken me weer uit mijn evenwicht te brengen.

Ik voelde me al wat beter tegen de tijd dat ik beneden bij d'Angleterre aan de Ny Kongengsgade kwam. Ik bestelde een biertje in de gezellige kroeg waar Óskar en ik hadden afgesproken. Ik werd kalmer toen ik het bier had opgedronken en zei tegen mezelf dat dit allemaal goed zou aflopen ondanks het schokkerige begin. Het curriculum zou over twee dagen beginnen, ik zou mijn medestudenten leren kennen en de professor was echt niet de enige docent aan de Oudijslandse faculteit.

Óskar was een beetje laat en hij verontschuldigde zich omstandig terwijl hij voor ons twee Carlsbergs bestelde. Hij zag dat ik een beetje somber was en hij haalde me over om hem mijn ervaringen te vertellen, over de aanbevelingsbrief en de ontvangst die ik bij de professor had gekregen.

'Maak je er niet druk over,' zei Óskar terwijl hij een slok van zijn bier nam. 'Zo'n aanbevelingsbrief heeft niets te betekenen.'

'Ja, maar dit is gewoon grof,' wierp ik tegen. 'Die man is gewoon grof.'

'Och, er zijn beslist veel lui erger dan hij,' zei Óskar.

'Ik ken niemand die zo met zijn studenten omgaat,' zei ik somber. 'Niemand.'

'Maak je er niet druk over,' zei Óskar. 'Ik heb met twee IJslandse meisjes afgesproken. De een is biologe en de ander is beeldend kunstenaar. Je moet wel vrolijker zijn als ze komen.'

'Meisjes?'

'Ja. Een biologe en een kunstenares. Ik weet niet meer hoe ze heten en ook niet wie wat is. Ik kwam ze tegen in de Kannibaal, ben je daar al geweest?'

'Nee.'

'Je bent een verschrikkelijke snob. Waar eet je?'

'Bij een oud mens die mijn kamer verhuurt. Bodelsen.'

'Het is trouwens niet te vreten daar in de schoolkantine,' zei Óskar, 'maar de troep is goedkoop en absoluut goed genoeg voor ons, studenten. Je zou het moeten proberen.'

Op dat moment kwamen twee jonge vrouwen de kroeg binnen die Óskar meteen herkenden. Hij stelde ze aan mij voor en hij stak de draak met mij door te doen alsof hij helemaal vergeten was hoe ze heetten: Olöf heette degene die in de kunsten zat en Margret degene die voor biologe studeerde. Ze gingen bij ons zitten en bestelden Grøn bij Óskar, die spoorslags met bierglazen aan kwam zetten.

Ik was nogal verlegen bij vrouwvolk en liet Óskar het meest aan het woord. Hij kletste vlotjes met hen, was grappig en ze lachten om hem. Na een aantal Carlsbergs en bovendien een paar Grøns was de frons op mijn voorhoofd een beetje verdwenen en we gingen naar de Leren Broek, waar Óskar een paar ingenieurstudenten kende. Ze zaten in een groepje aan een tafel en ze verwelkomden ons hartelijk. Van daaruit gingen we weer naar een andere kroeg op de weg omhoog naar de Langebro Boulevard en ik nam lichtelijk aangeschoten afscheid van de groep, kuierde naar huis, ging op bed liggen en viel in slaap.

IV

De volgende dag kwam ik weer eens opdagen in de gang van het kantoor en ik klopte zachtjes maar beslist op de deur met de kleine koperen plaat. Ik had een kater, want ik was het drinken niet gewend. Ditmaal was de professor aanwezig, maar ik moest driemaal achtereen kloppen voor ik hem van binnenuit hoorde roepen. Ik deed voorzichtig de deur open en ging naar binnen. Hij zat aan zijn bureau over documenten gebogen, keek op en taxeerde me onderzoekend.

'Ben jij het weer?' zei hij toen hij me herkende. Zijn stem klonk niet bepaald verheugd.

'Neem me niet kwalijk,' zei ik en ik lette er zorgvuldig op hem niet te vousvoyeren of te stotteren. 'Ik had op IJsland begrepen dat je er prijs op stelde een gesprek te hebben met de studenten die een studie aan de faculteit beginnen. We hadden hier op kantoor een gesprek waarvan ik niet de indruk had dat het voor ons beiden zinvol is geweest.'

De professor stond op, pakte een zilveren doosje mee, ging bij de boekenschappen achter het bureau staan en keek mij aan terwijl hij een snuif nam.

'Ik vind dat het beter kan,' zei ik beslist.

'Valdemar, nietwaar? Die met de tante?'

Ik knikte.

'Vergeef me dat ik gisteren een beetje opvliegend was,' zei hij, 'maar ik heb veel op mijn bord. Ik kan niet al mijn tijd hier op kantoor met stotterende studenten verspillen. Dat begrijp je.'

Hij haalde een rode zakdoek tevoorschijn.

'Ik wil je alleen maar zeggen dat ik uitkijk naar de studie van de winter en in het bijzonder naar jouw begeleiding. Het is boven alles jouwentwege dat ik hier naar Kopenhagen ben gekomen om te studeren, jouwentwege en de manuscripten die ik al zo lang graag beter wil leren kennen. Dat is alles. Dit wilde ik je alleen maar zeggen. Tot ziens.'

Ik draaide me om en wilde het kantoor uit lopen. Ik merkte dat de professor vreselijk in zijn zakdoek snoot en op het moment dat ik de deur achter me wilde sluiten hoorde ik dat hij me riep.

‘Valdemar,’ zei hij. ‘Er zit misschien meer pit in je dan ik dacht.’
Ik ging weer het kantoor binnen.
‘Je bent geïnteresseerd in de manuscripten, zei je?’
‘Ja,’ zei ik.
‘Misschien kun je een kleinigheid voor me doen,’ zei de professor terwijl hij het zilveren doosje tussen zijn vingers draaide.
‘Wat dan?’ vroeg ik.
‘Kun je mij uit de manuscripten voorlezen?’
‘Natuurlijk,’ zei ik.
Hij koos een map van de schappen, sloeg hem open, bladerde een beetje in wat losse brieven, maar hij legde hem weer op de schap en pakte een andere map. Hij maakte hem open en leek tevreden.
‘Hier, ga aan tafel zitten en lees me dat voor,’ zei hij en hij reikte me de opengeslagen map aan. Ik nam het document door dat voor me lag uitgespreid en herkende meteen het handschrift. Het betrof een brief uit de achttiende eeuw van Jón Espólín, een kroniekschrijver uit Skagafjörður. Ik begon te lezen en deed dat zonder te aarzelen en verbeterde het op een plek met een kleine opmerking over de haken in de s’en in het handschrift.
Hij knikte en zei me met lezen op te houden. Ik gaf hem de map weer terug. Hij zocht een andere en legde hem open voor me neer, en zonder een moment te aarzelen begon ik voor te lezen uit een oude brief. Het handschrift was dit keer onleesbaar maar geen hinderpaal voor mij, en ik ontcijferde het rap en correct tot hij mij zei te stoppen. Ik sloeg mijn ogen naar hem op. Hij vertrok geen spier toen hij de map van me aannam en een derde werkopdracht pakte. Ik ging rechtop in de stoel zitten en nam voorzichtig het document tussen mijn vingers. Gerenommeerder mannen dan ik hadden het in de loop der tijd in handen gehad. Ik herkende meteen het handschrift. Het betrof een losstaande brief van de manuscriptenverzamelaar Árni Magnússon aan Orm Daðason, geschreven in het jaar 1729. Erin stond een opsomming van het aantal manuscripten die ten prooi waren gevallen aan de grote brand in Kopenhagen in 1728, toen vele oude IJslandse literaire schatten verloren gingen.
‘Vooruit, lees!’ beval de professor.
Daar had ik geen problemen mee.
‘Alles wat ik heb verzameld in *de historia literaria Islandiæ, vitis doctiorum Islandiæ...*’ Ik las de brief zonder hapering tot de professor mij zei op te houden.
Toen ik opkeek stond hij bij de tafel en staarde me aan. Het was me gelukt hem te verrassen.
‘Wie heeft jou manuscripten leren lezen?’ vroeg hij.
‘Ik heb er nooit problemen mee gehad,’ zei ik zonder mezelf op de een of andere manier op de borst te willen kloppen.

'Je kunt de lamp daar gebruiken,' zei hij en hij wees naar de lamp die boven op een stapel boeken in de vensterbank stond. Ik had over een dergelijk apparaat gehoord. Het verspreidde een ultraviolet licht dat het makkelijker maakte oude manuscripten te ontcijferen. Het werd een kwartslamp genoemd en in Denemarken werd die door de politie gebruikt bij het onderzoek naar vingerafdrukken. Ik wist dat het wetenschappers gelukt was moeilijk leesbare letters te ontcijferen en met behulp van dit soort lampen hadden ze opmerkelijke ontdekkingen gedaan, ze hadden zelfs weggegumde obscene verzen kunnen lezen!

Ik loog niet over mijn kunde in het lezen van manuscripten. Toen ik aan mijn studie op de universiteit van IJsland begon, was professor dr. Sigursvein stomverbaasd hoe makkelijk het mij afging manuscripten te lezen. Ik vertelde hem dat ik vele uren in de Landsbibliotheek had gezeten en me door de manuscripten had geploegd. Weliswaar niet onze grote, beroemde manuscripten, die jammer genoeg allemaal in Denemarken lagen, maar allerlei soorten manuscripten, briefverzamelingen, oude kerkregisters, met de hand geschreven boeken en onder andere natuurlijk afschriften van de oude saga's. Ik werd een bekwame handschriftenspecialist. Het oude lettertype was mijn interessegebied en ik vergaarde kennis over welke verschillende schrijftechnieken bij welke tijd hoorden en ik kon aan de hand van het schrift redelijk goed raden of het van Björn van Skarðsá was, van bisschop Brynjólf, Jón Espólín of van de sprookjesverzamelaar Jón Árnason.

Het werd een soort wedstrijd tussen de professor en mij daar op kantoor. Hij gaf me de ene na de andere opdracht, zei me te lezen en ik deed mijn best de oude, hoekige letters te ontraadselen. Hij had een behoorlijke verzameling manuscripten in zijn kantoor, niet al te opmerkelijk maar toch zo bijzonder dat hij het zich niet kon veroorloven te vergeten zijn deur op slot te doen. Hij gaf me de *Mariasaga* uit de *Saga's van de Heiligen* en een fragment van *De saga van Thorlak* in het Latijn en ik merkte dat hij mij testte met steeds zwaardere teksten, maar ze waren voor mij niet ambigu, en zonder te aarzelen las ik hem voor wat hij maar wilde.

Een van degene die hij in zijn bezit had was een perkamenten manuscript dat eigendom was geweest van de kerk van Hólar. Sommige letters erin waren weggevaagd omdat een of ander vocht in het schrift was gekomen. Misschien had iemand erop gehuild of datgene gedaan waar de oude Finnur Jónsson om bekendstond: zijn vingers aflikken en in de letters wrijven als ze onleesbaar waren. Dan glinsterde de letter even op, maar op die manier was het bijna onmogelijk geworden het ooit nog te lezen. Ik deed mijn best om naar de lacunes te gissen en de professor leek tevreden.

Toen ik de professor een half uur lang dat soort fragmenten links en rechts had voorgelezen, kwam hij weer bij de schrijftafel en boog voorover naar de vloer bij de boekenschappen die in de hoek stonden. Op de onderste planken lagen stapels documenten, sommige bijeengebonden met een blauw of rood lint. Onder uit een van die stapels trok hij een dunne map en hij haalde een oud papieren manuscript eruit, één bladzijde, en gaf die aan mij. Ik nam het manuscript door. Het was een brief. Het papier was bruinkleurig en de inkt lichtbruin. Het lettertype was gotisch. Op de bladzijde stonden negenentwintig regels met een goede afstand ertussen. De kleine g had een ongebruikelijk lange poot en een nauwe ring, de spelling was inconsequent, het gebruik van de hoofdletters onregelmatig en het manuscript was voor het grootste gedeelte cursief geschreven.

Ik had het handschrift nooit eerder gezien. Ik keek naar de ondertekening en zag dat er 'Svein Jónsson' stond.

'Svein?' zei ik.

'Hij was assistent van professor Ole Worms hier aan de universiteit van Kopenhagen van 1634 tot 1637,' zei de professor. 'Later werd Svein priester in de domkerk van Hólar.'

De brief was heel goed leesbaar en ik haperde niet. Er bleek uit dat Svein zijn oude professor *Het vers van Brynhild* wilde toesturen.

Ik las de hele brief voor.

'De brievenverzameling van Svein ging waarschijnlijk verloren in de brand van 1728,' zei de professor. 'Drie jaar eerder was ze in het bezit van Árni Magnússon gekomen.'

'*Het vers van Brynhild*?' zei ik. 'Waren ze bezig met het Koningsboek?'

'Die brief komt uit de verzameling van Ole Worms die hier op de universiteit wordt bewaard,' zei de professor ernstig. 'Ik weet niet of het Worms zelf was die, zoals je ziet, daar in de marge heeft gekrabbeld, het moeilijkst leesbare commentaar waar ik ooit mee heb geworsteld.'

Hij pakte de brief, ging naar het raam, legde hem tegen de ruit en liet het daglicht erdoorheen schijnen. Het commentaar was bijna helemaal weggevaagd en ik had eroverheen gelezen en alleen de krassen in de marge opgemerkt die meer op vuil dan op letters leken. Het was niet ongewoon dat er commentaar in de marge van brieven en manuscripten werd geschreven, zoals vandaag de dag. Ik stond op, liep naar het raam en bekeek nauwkeurig door de brief heen het gekras in de marge en zag meteen twee letters, een x en een S. Het leek me waarschijnlijk dat het om twee woorden ging, maar ik kon het niet met zekerheid zeggen.

De professor nam de brief, legde hem op de schrijftafel en deed de kwartslamp aan.

'Dit is iets waarvan ik denk dat Worms zelf in het Latijn heeft geschreven,' zei hij.

'Latijn?' zei ik en ik bekeek de vochtplek nauwkeurig. 'Als dit en dit u's zijn en ertussenin staat waarschijnlijk een n.'

'Ik meen te weten wat het eerste woord is,' zei de professor. 'Ik neem aan dat er "codex" staat.'
'Codex?'
Ik bekeek het woord nauwkeurig en nu hij dit onthuld had zag ik hoe goed je de contouren van 'codex' kon zien in die besmeurde inktvlek.
'Wat kun je uit het laatste woord opmaken? Concentreer je op het laatste woord.'
'Als dit Latijn is, dan is het waarschijnlijk dat daar staat, eens kijken: S... u... n... en weer een u. Is het Sec...?'
'Ja? Wat zie je?'
'*Secundus*?' zei ik aarzelend.
'*Codex Secundus*,' zei de professor. 'Je bent tot dezelfde conclusie gekomen als ik!'
'Een tweede manuscript?' zei ik en ik keek hem vragend aan.
Hij keek me een tijdje aan, deed toen de lamp uit en zette hem op de schrijftafel. Hij haalde een zilveren snuifdoosje tevoorschijn, viste tussen zijn vingers wat snuiftabak eruit en begon het te kneden, deed wat meer tussen zijn vingers en kneedde het zorgvuldiger. Toen bracht hij de snuiftabak naar een van zijn neusgaten en snoof het op. Hij deed dit uiterst nauwgezet, heel netjes en bedachtzaam, zonder dat er één tabakskruimeltje verloren ging. Hij fatsoeneerde zijn neus met zijn vingers.
'We zijn klaar voor vandaag,' zei hij en hij wees met het doosje in de richting van de deur.
'Mag ik vragen,' waagde ik aarzelend, 'wat u... op dit moment aan het onderzoeken bent?'
'Het is net als met *De saga van Gauk Trandilsson*,' zei hij. 'We weten dat ie bestond en dat ie waarschijnlijk niet minder was dan *De saga van Njal* of *De saga van Egil*, maar hij is nooit gevonden. Niet één blad. Niet één letter.'
'Gauk Trandilsson?'
'Dit is genoeg voor vandaag,' zei hij. 'En ik meen het met dat ge-u. Hou daarmee op.'
'Neem me niet kwalijk,' zei ik en ik liep in de richting van de deur.
'Het zijn er niet veel die mij hierbinnen weten te verbazen, Valdemar,' zei de professor en hij haalde een zakdoek voor de dag toen ik op het punt stond de deur dicht te doen. 'Wie weet of men niet van je diensten gebruik kan maken.'
Hij zei dit welhaast vriendelijk, of waarschijnlijk zo vriendelijk als hij kon. Onze bijeenkomst was daarmee afgelopen. Ik liet hem en de geheimzinnige Codex Secundus achter en ging weg, nog meer in verwarring dan toen ik kwam. Dit was de eerste keer dat ik er lucht van kreeg wat de professor de laatste tien jaar aan het onderzoeken was. Ik kon niet weten hoe

dicht hij bij zijn doel was, maar ik zou daar gauw achter komen.

Toen ik aan zijn schrijftafel ging zitten om de manuscripten te ontcijferen, zag ik dat er twee recente brieven uit Moskou lagen en ik had hem gestoord bij het lezen van een boek dat ik niet kende en dat in het Duits was. Op het titelblad, dat open en bloot voor mij lag, zag ik een kleine prent van een kop van Thor en helemaal boven aan de pagina stond de titel van het boek: *De mystiek van een nazi* door Erich von Orlepp.

V

Ik heb de laatste vierentwintig uur weinig geslapen, want ik heb veel aan mijn hoofd gehad. Soms lig ik wakker en ga ik zonder een geluid te maken naar mijn stoel, zit in het donker en denk na over wat er is gebeurd. Ik weet dat ik ontzettend besluiteloos was en waarschijnlijk niet de juiste man voor de inspanningen die mij te wachten stonden. Mijn professor moet dezelfde mening zijn toegedaan als hij mij enigszins kende. Gelukkig had ik geen vermoeden wat de toekomst voor mij in petto had, en des te beter dat ik mezelf gelukkig kon prijzen voor hem een reisgenoot en kameraad te zijn nu hij met een van de moeilijkste periodes in zijn leven had te kampen.

Als ik terugkijk en nadenk over de gebeurtenissen die deze herfst zijn voorgevallen, is het alsof ik weer het vage stadsgemurmel hoor, het oude universiteitsterrein voor me zie met de Ronde Toren en de Kleine Apotheek, de lucht ruik van de gebraden worstjes op het Rådhuspladsen en met de stroom word meegedragen over de Langebro Boulevard. Ik denk dat ik nooit over de eerste enthousiaste indrukken heen ben gekomen die de stad op mij had. Ik was aangenaam beneveld door alles wat zich voor mijn ogen afspeelde en ik wist dat op de een of andere manier mijn wegen en die van Kopenhagen tot mijn dood zouden samenvallen. Misschien was het gewoon mijn onervarenheid en kinderlijke onschuld tegenover een vreemde grote stad. Een totaal nieuwe kijk op het leven had zich aan mij geopenbaard door voor een studie naar het buitenland te gaan en een kamer in Kopenhagen te huren, hetgeen beslist een grote stad was in de ogen van een jongeman die opgegroeid was in een afgelegen oord waar weinig gebeurde. In Kopenhagen was het de eerste keer in mijn leven dat ik op eigen benen stond en een oplossing moest vinden voor de problemen die op me afkwamen.

Ik herinner me niet veel van het wereldnieuws van dat jaar, 1955, en nog minder van de kleine gebeurtenissen die zich elke dag op IJsland voordeden en die door iedereen als wonderen werden beschouwd. Wat er gebeurde? Het Warschaupact werd in Polen opgericht en de IJslanders waren in de afgelopen drie decennia vijf centimeter langer geworden. Ik herinner me ook dat de zomer in Reykjavik ongewoon regenachtig was. Dat is allemaal met de wind van de tijd verdwenen, behalve één nieuwtje dat jaar dat geen IJslander ooit zal vergeten en dat ik voor het eerst zag op de lichtreclame van de krant *Politiken* toen ik totaal uitgeput met de professor op het Rådhuspladsen stond.

Maar dat komt later.

Ik was buitengewoon tevreden na de ontmoeting met de professor en 's avonds schreef ik een brief naar mijn tante en zei haar dat ze zich over mij geen zorgen hoefde te maken. Ik beschreef de overtocht op zee en mijn enthousiasme voor de stad. Ik had het met een paar woorden over het mysterie en dat ik mijn professor nogal onbeheerst vond, maar ik hoedde me ervoor hem zo te beschrijven dat mijn tante zich ongerust zou maken. Ik had het met geen woord over zijn luidruchtig commentaar over de 'vervloekte wagnerianen' tijdens onze eerste ontmoeting. Dat zou alleen maar meer uitleg kosten dan ik in staat was te geven. Ik likte de enveloppe dicht en legde hem in mijn kamer op tafel. Ik wilde hem de volgende morgen op de post doen.

Ik was niet in de stemming 's avonds de deur uit te gaan. Ik had me voorgenomen een van de komende dagen in de Witte, *Hviids Vinstue*, te gaan zitten, waar Jónas Hallgrímsson geregeld kwam, maar de ontmoeting met de professor zat me dwars en toen ik klaar was met het schrijven van de brief ging ik op bed liggen en probeerde me voor de geest te halen wat ik wist van de verloren *Saga van Gauk Trandilsson*. Ze bestonden, mensen als de professor, die zeiden dat die saga net zo goed en bijzonder kon zijn als *De saga van Njal* zelf.

Als ze dan toch goed op de hoogte zijn van de saga's van de IJslanders, dan weten ze dat Gauk Trandilsson tweemaal in *De saga van Njal* vermeld staat. Op twee plekken wordt over hem gezegd dat hij 'een van de meest onverschrokken' en 'voortreffelijkste mannen' is geweest, maar ook dat Asgrim Ellida-Grimsson Gauk heeft vermoord en dat ze pleegbroers zijn geweest. Daar lijkt een verhaal achter te zitten met alle goede kenmerken van de saga's van de IJslanders, en het is niet onwaarschijnlijk dat hij is opgetekend rond dezelfde tijd als de andere oude saga's – maar verloren is geraakt. Ik herinner me artikelen die ik op het gymnasium heb gelezen waarin uit de doeken wordt gedaan dat er weinig bekend is over deze Gauk en dat we daarom kunnen vermoeden dat zijn geschiedenis in de zogenoemde *Saga van de Thjorsdalen* heeft gestaan. De bereisde Vigfus uit het district van Skaftafel, die in de negentiende eeuw leefde, beweerde dat hij de *Saga van de Thjorsdalen* heeft gelezen, maar volgens de overlevering hechtte men slechts in beperkte mate geloof aan wat hij zei. Er bestaat ook een verhaal over een man die ooit vroeger had geleefd en die beweerde een fragment van een sagaboek te hebben gezien thuis bij Guðmundur Þorsteinsson, een boer uit

Krýsuvík, en dat hij daarin een verhaal had gelezen over de boer Stein van Steinastaðir in Þjórsárdalur, die met zijn zoon naar Bakki ging, waar ze beiden werden vermoord.

Het was nogal onwaarschijnlijk dat een onbekende saga van de IJslanders als *De saga van Gauk Trandilsson* of brokstukken ervan tot de negentiende eeuw bewaard konden zijn geweest zonder dat iemand ervan wist. Daarentegen bestonden er andere aanwijzingen over de saga van Gauk. We kennen runeninscripties op de Orkney eilanden waarover werd verteld dat ze met de bijl van Gauk waren gemaakt, waarschijnlijk door Thorhal, een nakomeling van Asgrim Ellida-Grimsson. En het manuscript is in vroeger tijden op verschillende manieren verloren geraakt, vergeten, zoekgeraakt en voorgoed verdwenen zonder dat onze saga's er melding van maken. Niet één enkele originele tekst van de Oudijslandse literatuur is bewaard gebleven, slechts afschriften en kopieën die veelal ook verloren zijn gegaan.

Maar waarom zou de professor over *De saga van Gauk Trandilsson* zijn begonnen als hij niet achter een link was gekomen, juist de saga van Gauk? De professor stond bekend om zijn onverzettelijke enthousiasme als het ging om het naar boven halen van verloren manuscripten. Hij deed in dat opzicht nog het meest aan een rechercheur denken. Hij onderzocht grondig aanwijzingen, ontleedde kritisch getuigenissen en vlooide met onverzettelijke koppigheid sporen na tot hij vond waarnaar hij op zoek was – of het spoor liep dood en hij kwam geen stap verder. Het was algemeen bekend dat hij collecties uitkamde in Duitsland, Denemarken, Groot-Brittannië, Ierland, Zweden, Noorwegen en andere plekken, overal waar hij vermoedde het kleinste fragment te kunnen vinden van IJslandse manuscripten, documenten, afschriften en zelfs stukjes van het waardevolste van alles, perkamenten boeken.

Ik wist weliswaar niet veel over de professor toen ik naar het buitenland voer, maar het weinige wat ik hoorde klonk ontzettend avontuurlijk. Dr. Sigursvein had mij een beetje over hem verteld, maar ik merkte dat hij discreet was in zijn woordkeus en misschien niet bepaald verzot was op het saga-onderwerp. Hij vertelde me dat de professor in zijn jonge jaren naar Kopenhagen was gevaren en op de universiteit werd toegelaten op grond van zijn eindexamencijfers van het gymnasium van Reykjavik en de reputatie dat hij een briljante student was. Hij was op IJsland toen de Eerste Wereldoorlog uitbrak en hij onderbrak zijn studie en monsterde aan op een schip. Men zei dat de neutraliteit van Denemarken of de Scandinavische landen hem niet aanstond.

Toen de oorlog voorbij was keerde hij terug naar Kopenhagen, vervolgde zijn studie en behaalde zijn bul met buitengewoon voortreffelijke cijfers. Maar in plaats van terug te gaan naar IJsland, bleef hij in Denemarken, waar de manuscripten waren. Hij kreeg een aanstelling als lector en algauw werd hij professor in Scandinavische studies, de jongste die deze eer ten deel viel. Hij was een van de eersten die waarschuwde tegen de opkomst van het nazisme in Duitsland in de jaren twintig en dertig. Hij reisde in die tijd wijd en zijd in Duitsland op zoek naar oude IJslandse geschriften en het stond hem absoluut niet aan wat hij daar zag. Toen de Tweede Wereldoorlog uitbrak en Denemarken werd bezet, deed het verhaal de ronde dat hij een actief lid was in de Deense ondergrondse. Hij werd tegen het einde van de bezetting door de Duitsers gevangengenomen, maar hij kwam met de schrik vrij toen de Duitsers uit Denemarken moesten verdwijnen. Er wordt op IJsland hardnekkig beweerd dat hij zijn leven heeft gered door een commandant van de Gestapo in Kopenhagen de bladen met *De saga van Njal* uit het *Boek van Mödruvellir* te geven. Velen hebben om die reden het boek doorgebladerd om de laster te staven, om tot hun schaamte te constateren dat de bladzijden voor iedereen die het wilde zien onmiskenbaar erin zaten.

Het werd er niet beter op toen de Duitsers Denemarken ontvluchtten, want toen werd de zaak vanuit een totaal andere hoek bekeken. Sommigen waren van mening dat de professor een collaborateur van de nazi's was omdat hij in de jaren twintig en dertig en zelfs tijdens de oorlog met hen had samengewerkt. Men zei dat hij door de Denen was gevangengenomen in de chaos die ontstond in de nasleep van de bevrijding van Denemarken, maar dat hij algauw zonder enige repercussie weer was vrijgelaten. Er waren nog steeds mensen, zelfs collega's van hem en oud-studenten, die geloofden dat hij in de ban was geweest van het nazisme en de aanbidding van de nazi's voor het Germaanse erfgoed, waarvan vele Duitsers vonden dat het op IJsland was opgetekend en bewaard, onder andere in de *Edda*.

De professor was waarlijk de beroemdste wetenschapper op zijn vakgebied toen ik hem voor het eerst die herfstdag leerde kennen en aan mijn studie aan de universiteit begon. Ook al had het kwaad van de drank hem bijna de das omgedaan, toch kan ik stellen dat hij helderder en meer bij zijn verstand was dan menig ander op de universiteit van Kopenhagen, ook al had diegene nooit zoiets als Engelse sherry gelebberd – een drankje dat de professor niet erg op prijs stelde.

Ik nam het dan ook heel serieus toen hij over Gauk Trandilsson begon te praten nadat hij mij het inktvlekexamen had afgenomen. Als de professor op het spoor van de saga van Gauk was gekomen, was dat een gebeurtenis die geen precedent had in de geschiedenis van IJsland.

Ik dacht over dit alles steeds maar na tot mijn gezicht gloeide, ik was rusteloos, opgewonden en ik wist dat ik de slaap niet kon vatten. Ik probeerde te lezen, maar kon mijn gedachten er niet bij houden. Ten slotte besloot ik ondanks alles de deur uit te gaan ook al was het laat, het was al ver over tienen.

De avond was mild en mooi en er waren veel mensen op de been. Kopenhagen was een grote toeristenstad en hoewel de zomer al voorbij was en de herfst voor de deur stond, zag ik nog steeds talrijke toeristen van overal uit de wereld. De mensen hingen rond op de Langebro Boulevard en bij de Ny Kongengsgade. Het was warm en sommigen liepen in een overhemd met korte mouwen. Daar zag ik voor het eerst van mijn leven Japanners. Indiërs met volle, grijze baard en tulband passeerden mij en bij de Ny Kongengsgade zag ik een groep negers, een hoogst ongebruikelijk gezicht voor een IJslander.

Uiteindelijk ging ik in de Witte zitten en bestelde bier. Om eerlijk te zijn had ik geen geld voor drank, maar iets te drinken kon ik mezelf in deze stad niet ontzeggen. Ik herinner me verhalen van arme IJslanders in Kopenhagen van vele generaties die bitter klaagden dat ze geen geld hadden om te genieten van hetgeen de stad had te bieden: musea, toneeluitvoeringen en concerten. Dat overkwam mij nu ook. Ik moest voorzichtig zijn met het geld en het niet aan nutteloze zaken verspillen. Ik proostte in gedachten op Jónas Hallgrímsson, die misschien hier 's avonds zat toen hij ziek werd, hetgeen uiteindelijk tot zijn dood leidde. Het plafond was ontzettend laag, de vloer overal min of meer ongelijk, het was donker binnen en er waren geen afgescheiden hoekjes, afgezien van een lange, smalle gang. Ik ging in mijn eentje met mijn kroes bier aan een tafel zitten en hoopte half-en-half dat mijn kameraad Óskar zijn neus naar binnen zou steken, samen met zijn vriendinnen, de biologe en de kunstenares, maar er was een andere onverwachte gast die mijn aandacht trok.

Ik had niet lang gezeten toen de professor binnenkwam. Ik schrok eerst een beetje en bedacht toen: waar anders zou de professor zijn keel smeren dan in de Witte? Hij zag mij niet en ik overwoog of ik hem zou storen. Misschien kwam het me goed gelegen hem zo buiten het universiteitsterrein tegen te komen. Ik kon hem zelfs een biertje van mijn armzalige geld aanbieden om hem mild te stemmen, als dat mogelijk was, en met hem op een persoonlijk niveau praten, hem beter leren kennen en hij mij. Ik hoopte erop dat als we elkaar kenden, ook al zou het maar oppervlakkig zijn, we de beste vrienden konden worden. Ik dacht erover hem te vragen of ik zo brutaal kon zijn de rector van de Árni Collectie lastig te vallen om naar een bijbaantje in de bibliotheek te vragen. Ik zat om geld verlegen en wist dat studenten, zowel IJslandse als Deense, hun kostje bijeen konden scharrelen door teksten uit de manuscripten over te schrijven.

Over die mogelijkheid dacht ik na terwijl ik de kroes leegdronk en merkte dat de warmte naar mijn wangen steeg en ik meer lef kreeg. Hoe meer ik erover nadacht de professor daar in de kroeg aan te spreken, hoe beter mij het idee leek. Als hij er kwaad op reageerde, dan zou ik gewoon mijn excuses aanbieden en weggaan. Wat voor kwaad kon het? Als hij me uitnodigde te gaan zitten, was de halve overwinning binnen. Onze gesprekken waren, hoe zal ik het zeggen, in het beste geval grillig geweest, maar ik merkte dat in het binnenste van de professor een warmer hart klopte dan hij wilde laten zien. Dat vertelde mij het bier dat ik toen naar binnen had gewerkt.

Ik stond op en ging naar de plek waar ik de professor heen had zien gaan. Er waren maar een paar gasten in de kroeg, die met z'n tweeën of drieën waren, en een paar op hun eentje zoals ikzelf. Ik ging vanuit de ene ruimte in het donker naar een andere. Een kelner kwam vlug op mij aflopen en vroeg of hij mij van dienst kon zijn, maar ik schudde mijn hoofd. Opeens zag ik de witte haardos van de professor. Ik liep opgewekt zijn kant op, gesterkt door het bier. Hij zat met zijn rug naar me toe en op het laatste moment zag ik dat twee mannen tegenover hem zaten. Hij was niet alleen! Ik maakte pas op de plaats en ging aan de eerste vrije tafel zitten die ik zag en draaide mijn rug naar hen toe. Ik prees mezelf gelukkig dat ik het niet had verknoeid door de professor te groeten en hem in zijn gesprek te storen. Het kwam niet bij mij op me aan zijn tafel op te dringen en ik besloot met stille trom te verdwijnen. Op hetzelfde moment meende ik te horen dat ze ruzieden, de professor en de twee mannen.

Vanuit mijn ooghoeken keek ik naar hen. De ene man leek rond de veertig, had een ontzettend strenge blik, blond haar en scherpe ogen met pure, bijna klassieke gelaatstrekken, dunne lippen, en hij was chic gekleed naar wat ik ervan kon opmaken. De andere man was ouder, had donker haar, maar hij was niet zo goed gekleed, was corpulent en had een bol gezicht dat op de een of andere manier achterbaks overkwam. Ik had ze niet de kroeg binnen zien komen en ik nam aan dat de professor daar was gekomen om hen te zien.

De professor had de grote, bruine, leren jas aan die ik op zijn kantoor had gezien, een massieve overjas die hij altijd aanhad als hij de deur uit ging. Hij was van kalfsleder. Ik vroeg hem ooit naar dat grote kledingstuk en hij vertelde me dat het speciaal was gemaakt. Het leer was op ongeveer dezelfde manier bewerkt als de huid die werd gebruikt voor de oude IJslandse manuscripten, en de jas was uit vele stukken samengenaaid die elk net zo groot waren als een blad uit het manuscript van het *Flateyarboek*.

De mannen praatten met de professor in het Duits en hoewel ik toentertijd die taal niet zo goed kende dat ik hem zonder me te schamen kon spreken, verstond ik het uitstekend en dat heb ik vooral te danken aan mijn lerares op het gymnasium, juffrouw Þorgerð, die ons onvermoeibaar stijlopdrachten gaf en ons zover kreeg dat we het fraaie ritme van de Duitse taal begrepen.

'...en dat is een uitgemaakte zaak!' hoorde ik de professor zeggen toen ik mijn hoofd zover als ik durfde in hun richting rekte.

'Niets is een uitgemaakte zaak, *Herr* professor,' zei de blonde Duitser. 'U weet meer dan u loslaat. Ik ben daarvan overtuigd.'

'Je hebt het gewoon bij het verkeerde eind,' zei de professor. 'Ik heb geen zin om daarover te bekvechten. Laat me met rust! Ik kan m'n tijd beter gebruiken.'

Ik kreeg het gevoel dat dit niet bepaald een gesprek tussen vrienden was. De man vousvoyeerde de professor, die hem op zijn beurt tutoyeerde.

'Wij kennen manieren om erachter te komen,' zei de corpulente man en er zat een kille dreiging in zijn stem.

'Bedreig je me weer?' zei de professor.

'Ach, nee!' haastte de blonde zich te zeggen. 'Maar Helmut wil graag dat we krijgen wat ons toekomt.'

'Jullie toekomt,' bauwde de professor hem na met minachting in zijn stem. 'Het zijn holle fantasieën van jullie. Jullie kunnen beter naar Berlijn teruggaan.'

'U stelt ons teleur, Herr professor,' zei de blonde met de dunne lippen. 'Wij dachten dat we tot een zekere overeenkomst met u konden komen die...'

Ik hoorde niet wat hij verder zei. Ik wilde opstaan en de man eraan herinneren dat de professor zich niet liet vousvoyeren. Dat maakte hem alleen maar kribbig en weinig geneigd mee te werken. Ik hoorde dat het stemgeluid van de professor luider werd en dat van de bolle ook, tot ze begonnen vuur te spugen. Ik stond op.

'...en u moet ervoor zorgen, Herr...' zei de blonde, maar hij zweeg toen hij mij opeens bij hen aan de tafel zag staan. Ze keken op en ik zag dat de professor mij onmiddellijk herkende. De Duitsers gaapten mij stomverbaasd aan.

'Uh... Valdemar?' zei de professor.

'Een goedenavond,' zei ik en ik knikte naar de Duitsers. Ik keek op mijn horloge en zag dat het al ruim over elven was. 'Zouden we elkaar niet hier om elf uur treffen?' zei ik in het IJslands tegen de professor.

'Ik ben het straal vergeten!' zei de professor. 'Wil je niet bij me komen zitten?' vroeg hij toen terwijl hij de Duitsers om beurten aankeek. 'Ze willen net gaan.'

'Graag,' zei ik en ik trok een stoel erbij. 'Zijn dat je vrienden?' vroeg ik.

'Had ik je al verteld over de wagnerianen?' vroeg de professor daarop.

De Duitsers keken naar ons zonder een woord te zeggen.

'Je had het er ooit over gehad,' zei ik.

'Die blonde hier is een levend voorbeeld,' zei de professor. 'Hier heb je de wagnerianen van het zuiverste soort en je weet hoe ik me over hen uitlaat.'

Ik keek naar de man met de dunne lippen. Hij keek naar mij met een minachtende blik. De bolle zag eruit alsof hij op het punt stond me aan te vallen om vervolgens de professor in elkaar te slaan. De zaak stond me niet aan, maar ik had weinig tijd om te overpeinzen in welk soort gezelschap de professor zijn bier dronk.

De blonde Duitser stond op. Hij was van mijn lengte, net boven het gemiddelde. De ander deed hetzelfde, hij was een beetje kleiner. Ze hadden even de situatie onder controle en de blonde glimlachte arrogant naar de professor.

'We zien elkaar hopelijk snel weer,' zei hij kalm.

'Het zal me een genoegen zijn,' zei de professor en hij glimlachte terug.

Hij wachtte terwijl de Duitsers zich uit de voeten maakten, sloeg het kelkje aquavit achterover en stond op. Ik zag dat zweetdruppels van zijn voorhoofd liepen.

'Waar kom jij vandaan?' vroeg hij.

'Ik zat hierbinnen,' zei ik en ik wees ergens in het luchtledige.

'Er staat iets te gebeuren,' zei hij. 'Ze hebben waarschijnlijk met de Zweden gepraat. We moeten de handen uit de mouwen steken.'

Ik stond op en staarde hem aan. Ik had geen idee waar hij het over had.

'Wij?' zei ik.

'Dat wil zeggen, als het je niks uitmaakt.'

'Ik heb geen...'

Hij keek mij aan met zijn strenge ogen en ik voelde zijn blik dwars door mij heen boren.

'Ik heb dr. Sigursvein gebeld,' zei hij. 'Hij vertelde mij over je vaardigheid in het lezen van manuscripten en je kennis van de sagamanuscripten. Ik heb met hem gesproken toen je weg was. Je hebt mij vandaag weten te verrassen. Weet je hoe vaak ik naar huis heb gebeld om over studenten uit IJsland navraag te doen?'

'Nee.'

'Nooit.'

'Heb je dr. Sigursvein gebeld? Om naar mij te informeren?'

'Wat hij me vertelde over je talent om oude runentekens te lezen gaf de doorslag. Dat zag ik ook vandaag. *Secundus*, snap je. Het is je gelukt.'

'Weet je iets over *De saga van Gauk Trandilsson*?'

'Je bent een snelle leerling,' zei de professor. 'Dat past helemaal bij jou. Altijd de kwestie Gauk Trandilsson! Altijd.'

'Hoe kan ik je van dienst zijn? Ik bedoel... je bent...'

'Mijn gezichtsvermogen is allerbelabberdst geworden,' zei hij en hij tikte lichtjes met zijn wijsvinger op zijn bril. 'Ik heb iemand zoals jij nodig. Wat zeg je ervan?'

Ik staarde hem met sprakeloze verwondering aan.

'Wil je mij helpen?' vroeg hij.

Toen ik hem geen antwoord gaf, omdat ik simpelweg niet begreep waar hij op doelde, loste hij het zelf voor me op.

'Natuurlijk wil je dat, arme jongen,' zei hij.

'Wie zijn die mannen?' vroeg ik. 'Wat wilden ze?'

'Dat zijn gevaarlijke lui, Valdemar,' zei de professor. 'Ze verzamelen alles waar ze de hand op kunnen leggen en je kunt er zeker van zijn dat we het nooit terugzien. Hun broederschap heeft me verontrust vanaf de tijd dat de nazi's aan de macht kwamen en nu geloof ik dat ze opnieuw de kop opsteken.'

'Broederschap?'

'Ja, vervloekte nazi's!'

'Hoe hebben ze opnieuw de kop opgestoken?'

'Dat is een lang verhaal.'

'Waar zijn ze naar op zoek?'

'Naar hetzelfde als ik,' zei de professor bedachtzaam. 'Ik moet erachter komen wie naar het noorden gaat.'

'Het noorden?'

'Het noorden, om een graf open te maken, Valdemar. Als ik daarachter kom, dan is het slechts een kwestie van tijd. Slechts een kwestie van tijd, Valdemar!'

Het waren deze vreemde, onbegrijpelijke woorden die mij, zo'n beetje zoals elke andere reiziger in een buitenlandse grote stad, betrokken in een van de wonderlijkste avonturen van mijn leven.

'Kom met me mee,' zei de professor na even nagedacht te hebben. 'Ik wil je iets laten zien.'

VI

Ik had geen idee waar we heen gingen. De professor sloeg rechts af toen we de Witte uit kwamen en ondanks zijn hinkende gang en het leeftijdsverschil kon ik hem amper bijbenen. Zijn kalfsleren jas fladderde en de professor sloeg met zijn stok zo hard op het trottoir dat het geluid weerkaatste. Ik verwachtte zelfs dat de vonken eraf zouden vliegen als de stalen punt tegen de straatstenen sloeg toen we in de richting van Steeneiland beenden.

Hij begon me meer over de twee Duitsers te vertellen. Het was allemaal als de ergste detective. Hij zei dat ze lid waren van een geheime broederschap die in het begin van de jaren twintig van deze eeuw in Duitsland was opgericht door de runenkenner Erich von Orlepp, die kunsthandelaar was, een overtuigd nazi en een onverbeterlijke amateur op het gebied van Scandinavische studies. Hij wilde de wetenschap gebruiken om de puurheid van het Arische ras te bewijzen. Von Orlepps broederschap hield een paar keer per jaar heidense erediensten waar uit de *Edda* werd voorgelezen.

'Er waren in Duitsland meerdere geheime broederschappen opgericht met hetzelfde doel, onder andere onder de leiding van Heinrich en Wallendorf, die de interesse opwekten van Adolf Hitler voor de *Edda*,' zei de professor.

'Hitler?'

'Ja, de nazi's waren goed op de hoogte van de stof uit *De saga van de Völsungen*, *Het Nibelungenlied* en *De saga van de Nevelingen*,' zei de professor. 'Richard Wagner heeft daar de verhaalstof voor zijn opera's gevonden, zoals je weet.'

Hij vertelde me dat de nazi's om die reden een bijzondere interesse voor IJsland hebben gehad. Ze geloofden dat de Oudgermaanse saga's, het historische erfgoed van het Germaanse ras, eeuwenlang op IJslandse schapenvellen was bewaard en uiteindelijk in de IJslandse perkamenten boeken was opgetekend. Hij beweerde dat verscheidene zaken van de geheime broederschappen later karakteristieke symbolen van de nazi's waren geworden, zoals de nazigroet en het hakenkruis, dat uit de mythologie was overgenomen en dat een verwijzing was naar de hamer van Thor, Mjölnir. Het Koningsboek van de *Edda* was voor die lui een soort handleiding en het legermaterieel van de nazi's was versierd met symbolen uit het Germaanse literaire erfgoed. Hij zei dat de nazigroet was overgenomen uit *Het lied van Sigrdrifa* uit de *Edda*: 'Heil de dag, heil de zonen van de dag' werd 'Heil Hitler'!

'Ik kwam in contact met sommige van die broederschappen en hun bijeenkomsten op mijn reizen door het Duitsland van de nazi's,' zei de professor. 'Ze waren heel verschillend, van onschuldige hallelujabijeenkomsten tot ware patriottistische ophitsende bijeenkomsten. Van de meeste walgde ik.'

Ik waagde het hem erop te wijzen dat op IJsland en ver daarbuiten mensen waren die meenden dat hijzelf partijdig was ten aanzien van het nazisme, vanwege zijn betrekkingen met die geheime broederschappen en invloedrijke personen in de nazipartij, toen de opkomst van de partij op zijn hoogtepunt was.

Onder het gekletter van zijn stok stormden we over Steeneiland langs de rand van het kanaal bij de kerk van Holm en hij bleef plotseling staan.

'Pas op, Valdemar, met mij een nazi te noemen!' zei hij.

'Dat is nooit bij me opgekomen,' zei ik panisch. 'Ik zei alleen maar wat ik heb gehoord.'

'Ik moet ermee leven dat het meeste van wat je over mij hebt horen vertellen een leugen is,' zei hij. 'Ik heb vele vijanden, vooral hier in Kopenhagen. De strijd die ik heb gevoerd om de manuscripten naar IJsland terug te krijgen staat hun niet aan. Ze willen ze met alle geweld houden. Mijn persoon in dat gevecht is niet belangrijk, maar het doet ontzettend pijn als ik op één hoop word gegooid met die vervloekte, duivelse, nazistische bende.'

'Ik zal proberen het te onthouden,' zei ik.

We liepen verder en ik besefte dat ik de volgende keer met meer tact moest opereren als ik wilde snuffelen in de geschiedenis van de professor. Hij ging verder met zijn verhaal en nog steeds moest ik alle zeilen bijzetten om hem bij te benen. Hij was vooral geïnteresseerd geweest in de broederschap van Erich von Orlepp, omdat zoals hijzelf Von Orlepp een verwoed verzamelaar was en constant op zoek was naar oude IJslandse en Noorse geschriften. Hij was tweemaal naar IJsland gereisd, samen met broeders van zijn genootschap, en hij was berucht vanwege een poging om een blad uit de enige kopie van het Koningsboek uit de achttiende eeuw te stelen.

Na de inval van de Duitsers in Denemarken was Von Orlepp van plan de schat aan oude IJslandse literatuur die in Kopenhagen werd bewaard naar Duitsland te halen, maar het lot wilde min of meer dat toen hij eindelijk de tijd nam – na al zijn andere kunstroven in Europa – om aan de manuscripten te denken, het einde van de oorlog was gekomen en de nazi's uit Denemarken werden verdreven. Met de val van het Derde Rijk verdwenen de meeste geheime broederschappen, maar de zoon van Von Orlepp, Joachim, volgde zijn vader op en hield de broederschap gaande. Het laatste wat de professor wist, was dat hij zich in Ecuador in Zuid-Amerika had gevestigd, want de familie Von Orlepp was na de oorlog daarheen gevlucht.

'Joachim is de blonde,' zei de professor. 'Hier hebben we de Beurs, de Deense effectenmarkt,' zei hij en hij wees met zijn stok naar een gebouw ergens in het donker, 'en daar is het ministerie van Financiën, met dat monster op de façade, het wapen van Fridrik IV. En hier komt in de toekomst de Árni Collectie, in hetzelfde gebouw als de Geheime Documentencollectie, die voortreffelijk is.'

'Hier?'

'Slechts tijdelijk.'

'Gaan ze de Árni Collectie verhuizen?'

'Voor de derde keer sinds de dood van Árni Magnússon.'

Hij haalde een sleutelbos uit zijn zak zodra we een kleine tuin in gingen die toegang gaf tot de toekomstige bibliotheek. Hij zei dat daar vroeger de archieven van de Deense oorlogsvloot lagen opgeslagen en dat de plek een schitterend eindstation voor de manuscripten was voor ze naar IJsland gingen. Ik begreep dat de tuin waar we doorheen liepen de Rozentuin of Proveniershof was, en het gebouw naast de Koninklijke Bibliotheek het Proviandhuis.

'Erich von Orlepp studeerde hier in Kopenhagen Oudijslands,' zei de professor met een vreemde verbittering in zijn stem. 'We studeerden gelijktijdig, dus ik ken de man een beetje. We noemden hem Erich de Kletsmajoor. Ik vond dat altijd goed bij hem passen. Hij was vreselijk arrogant en aanmatigend.'

'Is hij dood?'

'Dat weet ik niet,' zei de professor. 'Van mij mag ie dood zijn. Ik heb van mijn leven geen grotere ellendeling dan de Kletsmajoor leren kennen. Een buitengewoon onbetrouwbaar en gevaarlijk figuur. Hij zat bij de nazi's hoog in de boom en hij kon zijn eigen gang gaan. Hij was niet onintelligent en zeer belezen in het Germaans en Oudijslands, dat hij alleen maar gebruikte voor de ideeënfabriek van het nazisme.'

'Ben je hem in de oorlog tegengekomen?'

'Eén keer maar. Dat was genoeg.'

'Hoezo genoeg?'

'Doet er niet toe,' mompelde de professor.

Hij had het er altijd over dat op een dag de IJslandse manuscripten naar IJsland terug zouden gaan. Dat lag hem na aan het hart en hij was er zeker van dat het zou gebeuren, het was slechts een kwestie van tijd. Soms, als hij een opgewekte bui had, zei hij dat het binnen tien jaar zou zijn. Als hij neerslachtig was, zei hij dat het niet meer dan twee decennia kon duren. Zijn grootste wens was dat hij die gebeurtenis mee kon maken. Zijn standpunt verraste mij enigszins omdat in de jaren na de Tweede Wereldoorlog tot nu toe was gebleken hoe weinig de professor zich concentreerde op de strijd over de manuscripten. Het was alsof hij zijn enthousiasme was kwijtgeraakt. Of de zaak simpelweg de rug had toegekeerd.

'Het is tragisch dat wij niet eerder onze manuscripten onder onze hoede hebben genomen dan met de renaissance in de zeventiende eeuw,' zei hij toen hij de tweede afgesloten deur openmaakte. 'Je kunt je nauwelijks indenken hoeveel er sindsdien verdwenen of vernietigd zijn.'

'Op de universiteit leerden wij dat er voor 1600 niet minder dan zevenhonderd perkamenten manuscripten zijn geschreven,' zei ik. 'En ze zijn allemaal verloren gegaan.'

'Als er geen mensen waren geweest als de bisschop van Skálholt, Brynjólf Sveinsson, zou de schade nog groter zijn geweest,' zei de professor. 'Hij was in zijn tijd een van de weinigen die er zin in zag manuscripten te verzamelen. Hij was in het bezit van het *Flateyarboek*. Waar zou dat nu zijn als hij de waarde ervan niet had ingezien?'

'En de *Edda*, de oudste bron over de noordse mythologie en dichtkunst. Hij redde het van de ondergang,' voegde ik eraan toe.

'De nationale schat,' zei de professor. '*Het lied van de Hoge* en *Het visioen van de zieneres*, Odin en Thor, en dan die prachtige heldendichten over Sigurd de Drakendoder, Brynhild, Gunnar en Högni, het Rijngoud. Het is een kunstwerk van onschatbare waarde. Onschatbaar, Valdemar! Ons belangrijkste bezit. Het is onze bijdrage aan de wereldcultuur. Onze Acropolis!'

Ik merkte dat hij echt bitter was. Ik wist dat als wij het Koningsboek van de *Edda* niet hadden, we een hele culturele wereld armer zouden zijn. Als dat er niet geweest was, zou een groot deel van onze oude cultuur verloren zijn gegaan; onze kennis over de religie op het noordelijk halfrond zou armzalig zijn.

'Het is moeilijk je een wereldbeeld zonder de *Edda* voor te stellen,' zei ik.

'Juist een onderwerp als de wraak in de heldendichten zou nagenoeg onbekend zijn,' zei de professor. 'Zonder het Koningsboek zouden we weinig van *Het lied van de Hoge* af weten. Het boek zelf is van onschatbare waarde. We hebben andere boeken in verschillende versies, de *Proza Edda* van Snorri Sturluson, de koningssaga's, het *Landnámaboek*, maar er is slechts één uniek boek in ons bezit dat die kennis in zich draagt.'

Ik vroeg of het niet Himmler was geweest die beweerde dat de Germanen hun wortels hadden in de Noord-Europese mens en dat het mogelijk was aanwijzingen van een übermensch op IJsland te vinden.

'De Kletsmajoor had een soortgelijk standpunt,' zei de professor. 'Hij bewonderde in de gedichten het meest de oude heldencultuur en hij meende dat je daarmee de jonge soldaten de wil om te overwinnen kon inblazen.

De Kletsmajoor was een van diegenen die de idee koesterden van een wereldrijk dat niet zou zijn verrezen op het fundament van een cultuurgebied aan de Middellandse Zee en op het christendom, maar op de Germaanse oudheid. Het Koningsboek was de bijbel van dit wereldrijk. Hij wou dat de heldencultuur tot een politiek doel zou worden verheven en dat men er inspiratie in zou vinden om bij een heel volk de wil om te vechten op te bouwen! Om een oorlog te beginnen!'

Ik herinnerde me het boek dat ik de dag ervoor op de schrijftafel van de professor had zien liggen: *Die Edda*, Speciale editie voor de Hitlerjeugd.

'Wat een manier van denken,' zei ik.

'Je weet nog maar de helft,' zei de professor.

'Maar de Denen? Denk je dat ze ons ooit de manuscripten teruggeven?' vroeg ik.

'De Denen zijn erin gaan geloven dat de manuscripten niet IJslands zijn en daarom noemen ze ze "collectief noords",' zei de professor, die zijn verontwaardiging niet kon verbergen. 'Ze zeggen dat het slechts toeval is dat ze in het IJslands zijn geschreven. Toeval! Heb je ooit zoiets stoms gehoord? Ze zeggen dat wij niet de capaciteit hebben om ze te conserveren, de technische noch de wetenschappelijke kennis. Wat kun je in godsnaam op dergelijke nonsens zeggen? Alsof wij ze niet kunnen onderzoeken en net zo goed als hen of misschien beter uitgeven?! Ben je hier in de Koninklijke Bibliotheek geweest?'

Ik beaamde het.

'Er is maar een klein vonkje voor nodig en het gaat allemaal op in vuur en rook,' zei de professor. 'Allemaal houten betimmering. Maar ze kunnen wel over ons preken!'

'Ik heb begrepen dat de Denen de manuscripten als Deens erfgoed beschouwen,' zei ik. 'Zoals de objecten in het Nationale Museum en de Beeldencollectie.'

'Kletskoek! De manuscripten horen nergens anders thuis dan op IJsland. Daar komen ze vandaan, daar zijn ze geschreven en daar zijn ze oorspronkelijk bewaard. Ze zijn het eigendom van het IJslandse volk. Niemand anders kan ze bezitten. Niemand. En ik denk dat de Denen het zullen inzien. Het is slechts een kwestie van tijd wanneer dat gebeurt. Slechts een kwestie van tijd.'

'Natuurlijk,' zei ik.

'Dus we zijn niet van plan ze lang hier binnen te houden,' fluisterde de professor en hij deed de deur open van de waarschijnlijke bewaarplaats van de Árni Collectie en de laatste in Kopenhagen, als hij er enige zeggenschap over kreeg. We kwamen in een behoorlijk grote zaal met dikke muren, een gewelfd plafond en goedkoop linoleum op de vloer. De zaal was bijna leeg.

Een paar boekenkasten en kisten met boeken stonden binnen op de vloer.

'Hier komt de leeszaal,' zei de professor terwijl hij wees. 'Daar de werkkamer van de rector. Hier de werkplaats voor het herstellen van de manuscripten en het fotokopieerkamertje.'

'Dit is een compleet andere voorziening,' zei ik terwijl ik in het donker om me heen keek.

'Ik hoop dat de goede Jón er net zo over denkt,' zei de professor terwijl hij de deur naar een klein kamertje openmaakte.

Ik wist niet precies welke Jón hij bedoelde. In het kamertje was plek gevonden voor een boekenkast en een bureau, dat midden in de kamer stond. Er lagen een paar documenten op de planken, maar het bureau was leeg afgezien van een kleine bureaulamp, die de professor aandeed. In het bureau zaten twee rijen laden en hij trok aan de ene kant de onderste lade open en keerde hem op tafel om. De lade had een valse bodem, die de professor openmaakte en hij haalde er een kleine map uit. In de map zat een papier dat hij op het bureau onder de lamp legde.

'Lees je Grieks, Valdemar?' vroeg de professor.

'Een beetje,' zei ik. 'Niet zo goed.'

Ik was in feite erg in Grieks geïnteresseerd en vond het op het gymnasium leuker om te leren dan Latijn. Ik had me er op de universiteit ook ijverig mee beziggehouden, ook al was ik er verre van perfect in en dat zou ik waarschijnlijk ook nooit worden.

'Spreek jij Grieks?' vroeg ik daarop.

'De oude bisschop Brynjólf kende Grieks,' zei de professor. 'Dit is een runenblad uit de tijd dat hij op Skálholt was. Hij heeft het waarschijnlijk afgepakt van een schooljongetje dat wat aanrommelde met tovenarij en zwarte kunst. Er zijn een paar rechtszaken aan de orde geweest vanwege de zwarte kunst op Skálholt, zoals je ongetwijfeld weet, maar Brynjólf nam het niet zo zwaar op, mild als hij altijd was. Ben je in staat deze runen te ontcijferen?'

Ik boog me over het blad. Er stonden Germaanse runentekens op, die met het verstrijken van de eeuwen relatief gezien verrassend helder waren omdat de runen op hard papier waren geschreven.

'Het lijkt me dat dit een blad over een geneesmiddel is,' zei ik onzeker. 'Is dat mogelijk?'

'Wat is het probleem? Wat moeten deze runen helen?'

'Ik weet het niet zeker,' zei ik, ondanks het feit dat ik ze al had weten op te lossen. Ik aarzelde het te zeggen, want ik vond het gênant.

'Wat staat er?' vroeg de professor.

'Is dat... ik weet het niet, is dat soms ondergepist?' zei ik aarzelend.

'Dat dacht ik eerst ook, maar als je het beter bekijkt, dan zie je dat dat niet juist is. Ik weet dat dit niet zo helder is en dat er tekens ontbreken.'

Ik keek weer naar de runen en opeens zag ik wat het was.

'Dit gaat over een geslachtsziekte,' zei ik.

'Als er íéts is in dit leven dat nooit verandert, dan zijn het schooljongens,' zei de professor glimlachend. 'Je hebt het bij het juiste eind, Valdemar, maar het is niet de kern van de zaak. Als je het blad omdraait, wat zie je dan?' ging hij verder.

Ik draaide het blad om en zag dat op twee regels een vreemd rijm met gotische letters was geschreven. Ik bekeek het nauwkeurig tot ik meende het gelezen te hebben.

'Is dat van Brynjólf?' vroeg ik.

'Herken je zijn handschrift?'

'Ik geloof dat ik het van andere kan onderscheiden.'

'En?'

'Het lijkt me dat dit heel goed van hem kan zijn.'

'Wat maak je eruit op?'

Ik las van het blad:

> Ook al rits ik geen runen
> toch ratelen de rekels erover.

'Hoe kun je zeker zijn dat dit van Brynjólf Sveinsson is?' vroeg ik.

'Dat is simpel,' zei de professor. 'Hij merkte het. Kijk hier, die twee L's.'

Ik bekeek nauwkeurig de letters en ik zag een bijna weggevaagde letter L en een tweede die eronder was geschreven.

'*Loricatus Lupus*,' zei de professor.

'Natuurlijk,' zei ik. 'De gepantserde wolf, Brynjólf. Hij merkte sommige manuscripten op die manier.'

'Je ziet dat de bisschop een dichterlijke ader had,' zei de professor. 'Ik heb altijd gevonden dat het het beste zijn liefde voor boeken verklaart en de behandeling die Hallgrim de Psalmdichter bij hem kreeg. Brynjólf haalde hem uit de armoede. Draai nu het blad weer om. Die krabbel hierboven is, meen ik, ook van de bisschop. Zoals je ziet is het een commentaar in Griekse letters. Kun je het lezen?'

Ik onderzocht de letters. Ze waren klein en onduidelijk, hier en daar helemaal onleesbaar, geschreven in een Oudgrieks lettertype waar ik niet veel vanaf wist. Ik onderscheidde echter meteen twee letters van het laatste woord en het commentaar leek te eindigen met een grote letter K.

'Dat is een R,' corrigeerde de professor mij.

'Ja, is dat een R?' vroeg ik. 'Maar het commentaar begint toch met een grote K.'

'De helft van het woord ontbreekt en ook het woord ertussen. Dat is kort. De inkt is weggevaagd en het is onleesbaar, dus we moeten gissen. Ik heb altijd gedacht dat het een kort woord is en niet zo belangrijk. Het eerste woord begint met een K zoals je zei, en dit is waarschijnlijk een kleine v.'

'Is het *Kvef*, Verkouden?'

'Het is zonder problemen als Kvef, Verkouden te lezen, Valdemar, maar waarom zou hij inkt verspillen aan zijn verkoudheid?'

Ik keek weer naar het woord. Ik legde het beter onder het licht.

'Ik zou denken *Kver*, Boekje,' fluisterde de professor. 'Het woord staat er met het bepaald lidwoord, *Kverið*, Het boekje.'

'Het boekje?'

'Het woordje erna ontbreekt, dacht ik, omdat het het kleine woord is, zodat de uitkomst is: *Kverið til R*, Het boekje voor R. Denk je dat dat juist kan zijn?'

Ik knikte, maar ik vroeg me af wat de professor daarmee bedoelde. Ik had ook geen enkel idee waarom wij om middernacht in het Proviandhuis aan het rommelen waren in een lade van het bureau van een of andere Jón die runen over geslachtsziekten bewaarde.

'Wat denk je dat dit boekje is?' vroeg de professor, die zat te popelen om mijn antwoord.

'Er kunnen zoveel verklaringen zijn,' zei ik.

'Natuurlijk, natuurlijk. Maar wat is de belangrijkste?'

'Een connectie met Brynjólf?'

'Ja.'

'Dan is het heel goed mogelijk... we hadden het over het Koningsboek, is het een kwarto uit het Koningsboek?'

'Goed zo, Valdemar, goed van jou. Een kwarto, acht bladen die driehonderd jaar geleden verdwenen uit het Koningsboek. Niemand weet hoe. We weten niet eens hoe het boek in 1643 bij bisschop Brynjólf in Skálholt belandde. Het enige wat we weten is dat hij uit het hele land manuscripten verzamelde, en één ervan was het Koningsboek van de *Edda*.'

Ik herinnerde me vaag de colleges bij dr. Sigursvein over het Koningsboek en zijn speculatie of de psalmdichter Hallgrím Pétursson vermoedelijk het boek voor Brynjólf had meegebracht en er zelf mee van Suðurnes was gekomen, waar hij in Hvalsnes priester was. De psalmdichter heeft in ieder geval het Koningsboek in handen gehad. In het perkamenten manuscript is in de marge een commentaar te vinden, geschreven in het cursief van de zeventiende eeuw. 'Gij behandelt nog steeds fraai de woordkunst en ik de schrijfkunst Ja Ja'. Als je het handschrift vergelijkt met dat van Hallgrím zelf uit de *Passiepsalmen* dan zie je dat het van hem is. Het Koningsboek kan op een andere manier naar Brynjólf zijn gebracht, maar intussen weet niemand beter dan dat het verhaal van de arme psalmdichter op weg naar Skálholt met de *Edda* onder zijn arm bijna een bidprentje op het altaar van de oude literatuur is.

'Het boek was negentien jaar lang in Skálholt en het is hoogstwaarschijnlijk dat het boekje of kwarto daar verloren is gegaan,' zei de professor. 'Acht kostbare bladen die de gedichten bevatten over Sigurd de Drakendoder en een gedeelte uit *Het lied van Sigrdrifa*, en het zijn geen bladzijden maar een boek dat in zijn totaliteit van onschatbare waarde is. Onschatbaar.'

Ik staarde de professor aan.

'Heb je het kwarto gevonden?!'

'Nog steeds niet, jammer genoeg,' zei de professor.

'Is dat het kwarto dat de Duitsers willen hebben?'

'Ze hebben er jarenlang naar gezocht. De Zweden net zo. Ook de lui van de universiteit van Edinburgh.'

'Bewaar je die runen hier?'

'Nee, ik ben niet de eigenaar van dit blad,' zei de professor. 'Toen ik een jonge student was, heeft men mij verteld dat dit hier in het bureau werd bewaard. Als er sprake is van een kwarto uit het Koningsboek, dan weten we nu dat Brynjólf van het bestaan ervan afwist, hij wist wie het bezat, een zekere R. Dus het kwarto zat in het boek toen het naar Skálholt kwam, en toen Brynjólf het Koningsboek naar Fridrik III bracht was het kwarto verdwenen.'

'Wie is die R?'

'Toen ik het voor eerst las, dacht ik dat R Ragnheiður Brynjólfsdóttir moest zijn, de dochter van de bisschop, die het boekje om een of andere reden zelf heeft gehouden. En toen, veel later, realiseerde ik me dat het er twee waren.'

'Twee wat?'

'Ragnheiðurs op Skálholt.'

'Ragnheiðurs?'

'Het waren er twee, de dochters van Brynjólf die Ragnheiður heetten. De ene was de dochter van Brynjólf, Brynjólfsdóttir, en de andere de dochter van Torfi, Torfadóttir. Zij was zijn pleegdochter.'

Ik herinnerde me heel duidelijk de twee Ragnheiðurs. De dochter van Brynjólf kreeg een buitenechtelijk kind, dus dat werd een grote rechtszaak en ze stierf op haar tweeëntwintigste. Haar zoon kreeg de erfenis van Brynjólf, maar hij stierf al op zijn elfde. Ragnheiður Torfadóttir was een twistappel van twee mannen uit Skálholt, de zoon van de rechter, Jón Sigurðsson, en de priester Loft Jósepsson. Telkens als hij Ragnheiður zag, kreeg Jón een epileptische aanval en hij beschuldigde Loft van zwarte kunst. Hij beweerde dat Loft een toverstok in zijn bed had gelegd.

'Zodat Ragnheiður Torfadóttir toen het kwarto van Brynjólf in handen heeft gekregen?' vroeg ik.

'Dat was precies wat ik een tijdlang dacht,' zei de professor. 'Vooral toen ik het idee kreeg dat die runen, die makkelijk uit *Het lied van Sigrdrifa* in elkaar zijn te draaien, over de vloek van de liefde handelen, en dat het verloren gegane kwarto juist een gedeelte van *Het lied van Sigrdrifa* bevat.'

'Jij denkt dat Ragnheiður en Loft de informatie uit het kwarto hebben gebruikt om de zoon van de rechter een loer te draaien?' vroeg ik.

'Dat is een even goede verklaring voor het verdwijnen van het kwarto als elke andere,' zei de professor. 'Ze hebben het kwarto uit het Koningsboek gehaald en het niet teruggegeven. Waarschijnlijk heeft Brynjólf daarvan af geweten.'

'Maar waarom schrijft hij het commentaar in Griekse letters?'

'Misschien was hij aan het oefenen,' zei de professor. 'Het is echter waarschijnlijker dat hij niet wou dat iemand wist wat er met het kwarto was gebeurd.'

'En waarom bewaar je dit hier? Verborgen onder een lade?'

'Dat heb ik niet gedaan,' zei de professor en hij stak het blad weer in de map, legde het op zijn plaats onder de bureaulade en schoof het op zijn plek.

'Wie dan?'

'Dat heeft Jón gedaan,' zei de professor.

'Welke Jón?!'

'O, Jón de voorzitter. Jón Sigurðsson! Dit is zijn bureau.'

Ik zag even de held van de onafhankelijkheid voor me met het runenblad in zijn hand en haalde me verhalen voor de geest over syfilis en prostituees.

'En ben je van plan dit hier te laten liggen?' vroeg ik.

'Vanzelfsprekend,' zei de professor.

'Maar...'

'Het is onnodig met de loop van de geschiedenis te knoeien als je het kunt vermijden,' zei hij. 'Natuurlijk laten we dat op zijn plek liggen, en we kunnen alleen maar hopen dat het daar voor altijd zal blijven. Ik wil je gewoon inzicht geven in waar het uiteindelijk allemaal om draait. Inzicht in deze hele zoektocht en alles wat voor ons verborgen is.'

Ik durfde niet te vragen hoe hij van het papier af wist in het bureau van Jón Sigurðsson en ik had nog steeds geen flauw idee hoe de zwartekunst-experimenten op Skálholt verband hielden met het Koningsboek van de *Edda*, de Zweden en de geheime broederschap, wagnerianen en de Griekse kennis van bisschop Brynjólf.

'Had Ragnheiður Torfadóttir dan het kwarto in bezit?' vroeg ik.

'Nee, absoluut niet,' zei de professor. 'Voor zover ik weet niet. Het bleek dat met de R geen van beiden was bedoeld.'

Ik gaf mijn pogingen de professor te begrijpen op.

'En de Duitsers in de Witte?'

'Dit was de eerste keer dat ik die Joachim tegenkwam. Hij wou met me praten en deed alsof hij wist... Ik heb de laatste tijd niet veel uitgevoerd, Valdemar. Ik heb geen...'

De professor zweeg.

'Wat wilden ze?'

'Ik was bang dat ze dit papiertje hadden gevonden,' zei de professor. 'Zo praatten ze. Alsof ze al veel verder waren gekomen dan ik vermoedde. Het is ook mogelijk dat ze een spelletje met mij speelden. Mij treiteren.'

'Verder gekomen met wat?' vroeg ik.

'Ik vertel je dat misschien later. Vreselijk om met die duivelse wagnerianen te maken te hebben. Vertel me eens, Valdemar. Weet je iets over Russen?'

'Russen?'

'Russen die naar het Westen zijn gevlucht.'

'Wat is er met hen?'

'Ik probeer er eentje te vinden,' zei de professor, 'maar het is moeilijk en tijdrovend.'

'Hoe zit het met Gauk Trandilsson, ben je dan niet op zoek naar *De saga van de Thjorsdalen*?' vroeg ik, het spoor bijster.

'Waar haal je dat rare idee vandaan?' vroeg de professor en hij knalde de lade met het runenblad op de bodem weer dicht.

VII

Toentertijd wist ik weinig over het verdwenen kwarto of boekje dat ontbrak in het Koningsboek van de *Edda*. Het kwarto bestond uit acht bladen en het waren onder andere nieuwe strofen uit *Het lied van Sigrdrifa*. De strofen staan in een papieren manuscript dat waarschijnlijk op het Koningsboek is terug te voeren. Morfologen hebben er lang over gespeculeerd wanneer het kwarto van het boek gescheiden werd, maar alles bleef in het rijk van de fantasie en er was maar weinig dat vaste grond in de werkelijkheid had. Het nadeel was dat men niet wist hoe het Koningsboek in de loop der eeuwen was bewaard, vanaf het moment dat het in de dertiende eeuw was samengesteld tot het opeens in de zeventiende eeuw in Skálholt opdook. De geschiedenis bevat natuurlijk veel van dergelijke lacunes en vaak heeft men zich de meest ongelooflijke gedachtespinsels gekoesterd om ze op te vullen, zoals wij, lezers van manuscripten, een levendig voorstellingsvermogen moeten hebben om de lacunes op te vullen in de oude, versleten manuscripten zodat dit bijna een kunst op zich wordt.

Men moet niet vergeten dat de professor als de eerste onder zijns gelijken op dat gebied werd gezien. Het was zijn hartstocht in het leven om lacunes te ontleden en erachter te komen wat voor geheimen ze inhielden en hun oude en verloren gegane betekenis eraan te geven. Het leek erop dat deze hartstocht hem op het spoor van het verloren geraakte kwarto had gebracht toen ik hem in Kopenhagen leerde kennen – en hem in meer moeilijkheden bracht dan ik me ooit had kunnen voorstellen.

Soms dacht ik erover hoe neerslachtig de professor was toen ik in zijn leven binnendrong en hoe de drank een krachtige greep op hem had gekregen. De verhalen die ik over hem hoorde van voor de oorlog kwamen van vooraanstaande mannen uit de wetenschap, briljante deskundigen, verlichte, kritische intellectuelen die een onwankelbaar geloof hadden in de waarde van de oude literatuur. Toen ik hem leerde kennen was hij broodmager, slordig gekleed, drankzuchtig, opvliegend, bijna ongeschikt om te werken en opgesloten in zijn eigen wereld die vol wantrouwen was, vol woede en zelfs haat tegenover iets gecompliceerds en onbegrijpelijks dat bij hem geheel de lading dekte met het woord 'wagnerianen'. Ik zou later beter begrijpen waarom zoiets was gebeurd met deze grote geleerde man en humanist, en dat onbegrijpelijke, vreselijke geheim leren kennen dat hem bezighield en hem meer bedrukte dan een paar woorden konden beschrijven.

Hij praatte niet veel over zichzelf en vooral niet tegen mij in de weken dat ik hem leerde kennen. Ik wist heel weinig over zijn privéleven afgezien van wat ik op IJsland had gehoord over zijn Deense vrouw, Gitte, met wie hij in de jaren twintig was getrouwd. Ze leerden elkaar kennen via de Deense Koninklijke Bibliotheek, waar zij werkte, verlegen en ontzettend timide in alles wat met de omgang met de andere sekse had te maken. Mettertijd raakten ze toch hecht bevriend, gingen samenwonen en uiteindelijk trouwden ze in 1924. Ze hadden geen kinderen en het deed hem veel verdriet toen ze in 1932 stierf na een jarenlang gevecht tegen tuberculose. De professor verzorgde haar met grenzeloze genegenheid en volharding en hij knapte toen ze uiteindelijk overleed. Hij liep ook tuberculose op toen hij Gitte verpleegde. Hij kreeg een infectie in zijn linkerbeen en het scheelde niet veel of hij verloor zijn been. De dokter wist hem uiteindelijk te redden en sindsdien liep de professor met een stok.

Na de dood van Gitte nam hij een jaar verlof en er is weinig bekend over zijn doen en laten in die tijd, behalve dat hij een periode van drie maanden op IJsland verbleef en vooral in het noorden van het land rondreisde. Er werd verteld dat hij oeroude aanwijzingen had ontdekt over waar manuscriptfragmenten en oude boeken waren te vinden. Hij vertelde me dat hij op die reis onder andere een man was tegengekomen wiens moeder mogelijk het *Breviarium Holense* in haar kist had meegenomen. Het *Breviarium* was het eerste geschrift dat op IJsland was gedrukt, in Vesturhop in het jaar 1534 of 1535, op initiatief van bisschop Jón Arason. De professor zei dat die geschiedenis nog niet nader onderzocht was, behalve de twee behouden gebleven bladen die in het bezit van de Zweden waren gekomen en worden bewaard in de Koninklijke Bibliotheek in Stockholm. Ik heb gehoord dat de professor ooit van plan zou zijn geweest permissie te vragen om het oude mens op te graven teneinde te bewijzen dat het waar was wat de man had gezegd.

Tot het einde van de oorlog was de professor er een uitgesproken voorstander van dat de IJslandse manuscripten voor eeuwig en altijd op IJsland bewaard zouden worden, maar om een of andere reden die men niet goed begreep verzachtte hij zijn standpunt toen Denemarken na de oorlog weer vrij was, en toen zei hij dat ze ondanks alles voorlopig het beste in de Koninklijke Bibliotheek bewaard konden blijven. Hij ging zelfs zo ver dat hij de argumenten van de Denen nakauwde dat de IJslanders geen veilige bewaarplek voor de pronkstukken hadden of de middelen om ze consciëntieus te onderzoeken. Hierdoor kreeg hij op IJsland vijanden; er werd gezegd dat hij achter de schermen bezig was de zaak te saboteren. Zijn standpunt leek op een vreemde manier dubieus, want ik hoorde hem nooit anders zeggen dan dat de manuscripten naar IJsland moesten gaan, hoe eerder hoe beter. Desondanks had zijn goede reputatie als wetenschapper en hoeder van de nationale schatten een flinke deuk opgelopen, en deze was bijna gesneuveld op het moment dat wij elkaar leerden kennen.

De studenten die ik die zonnige herfstdagen in Kopenhagen in 1955 op de Oudijslandse faculteit leerde kennen vonden het prachtig verhalen over de professor te vertellen die ze van andere studenten hadden gehoord of waar ze, zoals ik, zelf mee kwamen aanzetten. Er deden genoeg verhalen de ronde. Iedereen was het erover eens dat de professor een uitstekende leraar was hoewel hij soms grof kon zijn en zelfs beledigend tegenover zijn studenten als hij vond dat ze qua interesse en ijver tekortschoten. Luiheid duldde hij helemaal niet. 'Ga liever rechten studeren, mijn beste,' zou hij dan zeggen, want rechten was de universitaire studie die hij het minderwaardigst vond. De professor was een groot voorstander van het volledig verbreken van de betrekkingen van IJsland met de Denen en hij verwelkomde het toen IJsland een republiek werd in 1944, op een moeilijk tijdstip in de geschiedenis van Denemarken. Toen kwamen plotseling de verhalen op dat hij met de Deense ondergrondse samenwerkte. Sommigen zeiden dat hij leden van de ondergrondse bij hem liet onderduiken als ze Denemarken ontvluchtten, anderen dat hij sabotageacties plande. Hij heeft nooit in het openbaar over zijn arrestatie gesproken en hoe hij door de Gestapo gevangen werd genomen, noch verteld waarom hij uiteindelijk werd vrijgelaten.

De professor had tegen het einde van de oorlog gewerkt aan een nieuwe uitgave van het Koningsboek, de schat aller schatten, zoals hij het zelf noemde. De uitgave moest een weerslag zijn van zijn nieuwe onderzoeksresultaten over de *Edda*. Hij had in een besloten groep studenten op de universiteit over een aantal resultaten van dat onderzoek gediscussieerd. De professor had al die tijd vanaf het einde van de oorlog in zijn eentje aan het boek gewerkt en ondertussen kregen anderen het praktisch niet te zien. Hij had van de Koninklijke Bibliotheek speciale toestemming gekregen om het bij zich te houden op de Árni Collectie, waar hij zijn werkplek had. Het ene na het andere jaar verstreek, maar van de uitgave werd niets vernomen. Het enige wat van de professor afkwam veroorzaakte constant gêne en vaak een prominent schandaal, zoals toen hij door de drank van zijn stokje ging en een tafel omvergooide tijdens een diner in de IJslandse ambassade, vlak nadat hij de Zweedse ambassadeur voor gek had gezet. Sommige grillen haalden zelfs de kranten van IJsland, bijvoorbeeld toen de professor een bekende IJslandse schrijver uitschold die in de adventstijd naar Kopenhagen was uitgenodigd om voor te dragen uit zijn nieuwe boek en die hij een 'literaire freak' noemde.

Men wist niet of hij al met een alcoholprobleem kampte toen de oorlog begon of terwijl die woedde, maar meteen na het eind ervan zal zijn drankverslaving waarschijnlijk boven tafel zijn gekomen en sindsdien was het alleen maar erger geworden. Men achtte het onwaarschijnlijk dat hij na al die jaren nog steeds treurde over de dood van zijn Gitte, want hij leek er de man niet naar om haar herinnering met drank te bezoedelen. Sommigen meenden dat zijn gedwongen gevangenschap bij de Gestapo hem harder had geraakt dan hij wilde laten voorkomen en sommigen dachten dat hij het er moeilijk mee had zich van het onderzoek naar het Koningsboek los te maken.

Zelfs Óskar, mijn vriend in Kopenhagen, wist meer van dit geval af dan ik, ook al studeerde hij voor ingenieur. We zaten in de Kannibaal en aten het dagmenu, gebakken schol met aardappelen die vooral waterig waren. De Kannibaal was een studentenkantine die uitkwam op de Nordgade. Naast de Kannibaal was de Bisschopskelder, waar de studentenvereniging haar bijeenkomsten hield. Het was een stenen kelder met gekalkte muren waar voordrachten en redevoeringen werden gehouden. Het eten in de Kannibaal was het goedkoopste in de stad. Avondeten kreeg je voor één kroon en vijftig øre en tijdens de middagpauze kon je redelijk boterbrood met een glas melk krijgen. Als je bier wilde, was het wat duurder. Óskar had een kater. Hij was met jongens van zijn studie naar de Nel gegaan. Ik was nog niet in De Rode Pimpernel geweest, hetgeen een populaire plek voor IJslanders was aan het uiteinde van het Rådhuspladsen bij de Kattesundet. Óskar zei dat daar een uitsmijter stond die voor een beetje fooi de IJslanders heel welwillend was.

De IJslanders kliekten in die jaren in Kopenhagen zo hecht samen dat ze amper met andere mensen omgingen. Sommigen leerden maar een paar woordjes Deens. Ze leerden *en øl,* ein Bier, en soms *to øl,* zwei Bier, zeggen en dat was al hun Deens. Velen studeerden voor ingenieur, zoals Óskar, en droomden over grote krachtcentrales, maar er waren ook studenten in de meest uiteenlopende vakken, economie, Scandinavische studies en psychologie.

Ik was niet zo sociaal, maar de stad, de studie aan de universiteit en de IJslandse studenten veranderden dat enigszins. We gingen naar de bioscoop, het theater of rokerige jazzclubs, en het saamhorigheidsgevoel en de solidariteit waren dusdanig dat het vanzelfsprekend werd gevonden dat degene die op dat moment geld had betaalde, of het nou in de kroeg was of ergens anders. Over geld maakten we ons niet druk, ook al moesten we natuurlijk ons kostje bij elkaar scharrelen. Je had het goed voor elkaar als je zes- of zevenhonderd kronen per maand kon spenderen. Het bedrag dat werd overgeschreven was zelden hoger. Soms ging je met goed weer op de fiets de stad uit. Bij mevrouw Dinesen aan het Nieuwe Plein kon je makkelijk een fiets huren. Ik herinner me een van die tochtjes. We hadden genoeg te eten en te drinken bij ons en we stopten natuurlijk onderweg bij een café en roeiden naar Furesø voor we laat in de middag warm, vrolijk en verhit op Bakki eindigden en we zongen tot diep in de nacht.

'We waren aan het uitrekenen hoeveel bier een student op één avond moet hebben gehad,' zei Óskar en hij prakte de schol en de aardappelen door elkaar. Hij was schor na de slemppartij.

'En?'

'We waren met z'n vieren en haalden een grote krat en het was een behoorlijk vrolijke boel. We bakkeleiden erover of het genoeg was.'

'Je beweert dat jullie met z'n vieren vijftig flessen bier hebben gedronken?'

'Twaalf en een halve fles per man,' zei Óskar.

'Is dat niet een beetje veel?' vroeg ik. 'Na zes of zeven flessen voel ik hem echt hangen. Bovendien valt bier niet zo goed bij mij. Ik voel me opgeblazen en krijg hoofdpijn.'

'Sommigen wilden meer. Harald zei dat hij achttien flessen aankon.'

In de eetzaal kletterden de borden en de studenten waren zoals gewoonlijk rumoerig.

'Je professor verwerkt natuurlijk grotere hoeveelheden,' zei Óskar terwijl hij zijn schol opat.

'Ik dacht van niet.'

'Ik hoorde dat er een of ander probleem met hem was vanwege een manuscript dat hij in bewaring heeft om te onderzoeken.'

'O?'

'Er was een meisje bij ons dat filologie doet die zei dat hij constant overhoopligt met het faculteitsbestuur.'

'Daar heb ik niets over gehoord,' loog ik en ik herinnerde me wat ik hoorde toen ik bij de werkkamer van de professor afluisterde.

'Nee, het is iets wat zij heeft gehoord. Waarschijnlijk zijn ze van plan hem te lozen.'

'Dat geloof ik niet!'

'Ze zei iets in die trant. Ze zouden hem het vuur na aan de schenen leggen. Iedereen weet dat ie drinkt.'

'Maar ze kunnen hem daarvoor moeilijk de laan uit sturen.'

'Dat weet ik niet.'

'Hij... dat zou absurd zijn,' zei ik. 'Hij moet iets ergs misdreven hebben als ze dat willen doen.'

'Het meisje had het daarover. Zij dacht dat hij uit de gratie is geraakt.'

'Ik weet dat hij lang en hard heeft gewerkt aan een onderzoek over het Koningsboek.'

'Het Koningsboek?'

'Dat is het kostbaarste kleinood van de IJslandse manuscriptenverzameling en het kostbaarste bezit van het IJslandse volk überhaupt.'

'Je bedoelt in het bezit van de Denen?'

'Dat manuscript is ons bezit,' zei ik beslist. 'Het is slechts een kwestie van tijd voordat wij het weer in handen krijgen.'

'Wat is er zo bijzonder aan dat Koningsboek?'

'Zoveel,' zei ik. 'Het heeft een symbolische waarde voor ons als volk, het bevat het geloof in de oudnoordse goden en de eeuwenoude noordse filosofie. "De mens is een genot voor de mens", zulk soort dingen. Maar het boek zelf is ook bijzonder als kunstwerk, als boekwerk, als onschatbaar kunstobject. In de wereld kent het geen gelijke.'

'Ik kan me er alleen maar iets van herinneren van op de lagere school,' zei Óskar.

'Er zijn maar weinig mensen die zich het echte belang ervan realiseren. Het heeft altijd een bescheiden plek ingenomen, maar toch zegt men dat het het enige IJslandse kunstwerk is dat de moeite van het stelen waard is.'

'Tja, nou, ga je vanavond met ons mee naar de bioscoop?' vroeg Óskar en hij stond op met zijn bord om het weg te brengen. We wilden een Zweedse film zien van een zekere Ingemar. *Een zomernacht*, of zoiets dergelijks.

'Ik moet lezen,' zei ik. 'Tot ziens.'

Ik bleef zitten en dacht na over de ruzie tussen de professor en de faculteitsvoorzitter. Zou het waar zijn dat hij uit de gratie was geraakt? Was het vanwege de drank of stond het in verband met het manuscript? Het was normaal en gebruikelijk dat wetenschappers, professoren en anderen, een manuscript te leen kregen en er deden zelfs verhalen van vroeger de ronde over studenten die na een braspartij een manuscript in de kroeg lieten liggen. Ik kon me zoiets van de professor niet voorstellen.

Ik kwam hem ruim een week later weer tegen, na de rel in de Witte en de inbraak in het nieuwe gebouw van de Árni Collectie, als je het een inbraak kunt noemen, want hij had de sleutel. Ik voelde me al redelijk thuis, was op volle kracht aan de studie begonnen en leerde op de universiteit zowel IJslandse als buitenlandse studenten kennen. Er waren een paar IJslanders die die herfst aan de universiteit begonnen te studeren. Twee waren rechtstreeks vanaf het gymnasium naar Denemarken gekomen en eentje herkende ik van de universiteit op IJsland, hoewel ik hem niet goed kende. We begonnen een groepje te vormen zoals vaak onder IJslanders in het buitenland gebeurde – dan heb ik het niet over degenen die samen dezelfde studie volgden – en we spraken af elke donderdag bijeen te komen voor een kom soep en misschien een kroes bier in de Kleine Apotheek in de St. Kannikestræde. Ik heb het nooit met iemand gehad over het avontuur van onze professor op die avond dat hij de wagnerianen tegenkwam, vermeldde het niet eens in de brieven aan mijn tante, want het was verre van mijn bedoeling haar onnodig ongerust te maken. Ik had er steeds meer moeite mee haar te schrijven over de professor voor wie zij zo'n groot respect had en ik probeerde het meestal te omzeilen door eerder over het universiteitsleven en het weer te schrijven. Zij, daarentegen, was nieuwsgierig en vroeg naar hem, of hij geen goede indruk op mij maakte enzovoorts.

Ik wilde net de Kleine Apotheek uit gaan toen ik de professor in een hoek aan een tafel zag zitten. Ik had hem niet zien binnenkomen. Zijn colleges waren die week uitgevallen en de studenten maakten toespelingen op een herfstgriep. Ik aarzelde bij de deur, onzeker of ik hem zou storen, maar ik wilde toch een poging wagen. Ik had een eigenaardig zwak voor hem vanaf het moment dat ik hem voor het eerst laveloos op de vloer in zijn werkkamer had zien liggen.

Het was vlak na twaalven en hij was goed aangeschoten. Zijn haar was net als eerst onverzorgd en zijn gezicht zat onder de witte baardstoppels. Hij had dikke, oude boeken bij zich, die hij op een stoel had gelegd. Ik groette hem en vroeg beleefd hoe het met hem ging. Hij mompelde iets. Ik vroeg of hij de Duitsers weer was tegengekomen, maar hij ontkende dit verstrooid. Ik zag dat hij diep in gedachten verzonken was, besloot hem niet verder te storen en zei tot ziens.

'Kom even bij me zitten, Valdemar,' zei hij met zwakke stem. 'Ik moet met je praten.'

Ik trok een stoel erbij en ging aan de tafel zitten. Op tafel stonden drie lege kelkjes en ernaast een bierkroes. Ik kwam er algauw achter dat hij niet zo prikkelbaar was als hij dronken was.

'Kun je een paar dagen vrij van college nemen?' vroeg hij terwijl hij mij scheef aankeek. 'Ga je met me mee op reis?'

'Vrij?' vroeg ik en ik wist niet waar hij het over had. 'Ik snap niet...'

'Een paar dagen maar,' zei de professor. 'Ik spijker je wel bij. Je zult niets missen. Daar zal ik voor zorgen.'

Ik staarde de professor aan.

'Maar de studie?'

'Wie heeft er ene moer geleerd met op zijn gat in een collegezaal zitten?' zei hij. 'Kom een paar dagen met me mee en ik beloof je dat je meer zult leren dan hier in een hele winter. In een heel leven zelfs.'

Hij zei dit alsof hij doodernstig was.

Ik gaf hem geen antwoord. Een reis met hem was verleidelijk, dat kon ik niet ontkennen, maar hij was dronken en ik wist niet hoeveel waarde ik moest hechten aan wat hij zei.

'Je zult niets missen!' fluisterde hij. 'Wat zou je missen? Hier is het elke dag van hetzelfde laken een pak. Goed,' zei hij alsof ik hem een antwoord had gegeven. 'Dan doe ik het op m'n eentje.'

'Een reis waarheen?'

'Naar Duitsland,' zei de professor.

Ik was nog nooit in Duitsland geweest en had na het einde van het semester in de lente een reis gepland, want ik had er vaak over gedroomd helemaal naar het zuiden, naar Tübingen te reizen, de woonplaats van Friedrich Hölderlin, en in Hölderlins toren aan de rivier de Neckar omhoog te gaan waar de goede dichter tot zijn dood geestelijk gestoord verbleef.

'Wat ben je van plan in Duitsland te doen?' vroeg ik.

'Ga met me mee,' zei hij, 'en ik zal het je vertellen.'

'Is het vanwege die twee Duitsers in de Witte?' vroeg ik.

Hij gaf geen antwoord.

'Is het vanwege hen?' vroeg ik nogmaals.

De professor knikte.

'Ze bezorgen me verdomme steeds meer problemen,' zei hij. 'Mijn god, hoe kon ik zo in deze rotzooi verzeild raken?!'

Hij ging met zijn vinger in het lege kelkje en stak hem in zijn mond. Toen bracht hij het tweede glaasje naar zijn mond, stak zijn tong erin en likte de droesem op.

'Kan ik je nog een glaasje aanbieden?' vroeg ik.

'Als je zo vriendelijk wilt zijn,' zei hij en hij wenkte de kelner en bestelde nog een kelkje aquavit.

'En de twee Ragnheiðurs?' vroeg ik.

De professor schudde het hoofd.

'Hoe zit het met de Codex Secundus?' vroeg ik voorzichtig. 'Wat is de bedoeling daarvan?'

De professor keek mij aan en opeens werden zijn ogen vochtig en ik begreep hoe vreselijk hij leed, hoewel ik de reden niet kende. Hij was geestelijk niet in balans en ik vroeg me af of hij zich ons gesprek herinnerde of dat hij zo dronken was dat hij niet wist wat hij zei of deed.

'Daarom moet ik naar Duitsland,' zei hij en hij stak zijn trillende hand uit naar het kelkje dat de kelner bracht.

'Proost, o, zalig Kopenhagen,' zei de professor en hij sloeg het glaasje achterover.

Hij veegde met de achterkant van zijn hand zijn mond af. Toen haalde hij een tabaksdoosje uit zijn zak en begon tussen zijn duim en wijsvinger de snuif te kneden en ik zag dat een traan op het doosje viel.

'Hoe lang blijf je weg?' vroeg ik.

'Niet meer... slechts twee dagen,' zei hij. 'Hooguit drie... je verliest er niets mee. Ik kan je onderweg lesgeven... ik denk dat er meer... meer in jou zit dan je denkt.'

Hij stopte de snuif in zijn ene neusgat en bood mij de tabak aan, die ik afsloeg. Hij deed het doosje nauwgezet dicht en stopte het weer in zijn vestzak.

Toen viel hij voorover op tafel en verroerde zich niet.

Ik, een nooddruftige student, was zo netjes een taxi te bestellen, de professor erin te slepen ondanks de stellige protesten van de taxichauffeur, hem de trap op te helpen en zijn werkkamer binnen, waar ik hem voor de tweede keer in korte tijd op de versleten sofa legde. Ik kon het niet over mijn hart verkrijgen hem bewusteloos in het café op tafel achter te laten en ik hoopte dat hij op een dag mij het taxigeld terug kon betalen en het liefst ook de aquavit, ik was eerlijk gezegd niet in staat voor anderen te betalen. Ik legde de boeken die hij bij zich had op het bureau en keek een tijd naar hem, plat op de wrakke sofa liggend.

Ik herinnerde me waar Óskar en ik het in de Kannibaal over hadden en ik wilde de professor vertellen wat ik had gehoord als het zover zou komen dat hij iets aan zijn zaak probeerde te doen, maar dat moest op betere tijden wachten.

VIII

Niet lang hierna vroeg de professor mij om na college even te blijven, hij moest met me praten. Toen de andere studenten het kantoor uit waren, sloot hij zorgvuldig de deur en draaide zich naar me om.

'Wat weet je van de scheepvaart naar IJsland in de vorige eeuw, Valdemar?' vroeg hij.

'Scheepvaart? Niks.'

'Ik heb dat nogal precies onderzocht,' zei de professor. 'Deense rederijen hadden heel wat schepen in de vaart tussen Denemarken en IJsland, zoals je je kunt voorstellen. Ik heb de meeste logboeken – als het niet alle zijn – bestudeerd, hetgeen een enorme hoeveelheid is. De handel op IJsland gebeurde allemaal vanuit Kristjánshöfn en Amager, en ik heb heel precies de passagierslijsten van die rederijen bestudeerd die op IJsland voeren, maar ik vond niet de Acturus, een tweemaster die wordt vermeld in het weekblad *Norðanfari* uit Akureyri. Volgens het weekblad is de Acturus daar in de lente van 1863 aangekomen, ik kan echter geen passagierslijst vinden.'

'Waarom wil je die hebben?'

'Ik zou je willen vragen met mij naar Áros te gaan,' zei de professor zonder verdere uitleg te geven. 'Denk je dat je kunt?'

'Maar wou je niet naar Duitsland?'

'Nee,' zei de professor. 'Naar Áros.'

Ik zag dat hij was vergeten dat we elkaar in de Kleine Apotheek waren tegengekomen toen hij het erover had naar Duitsland te gaan en had gevraagd of ik met hem meeging. Ik liet echter niets merken.

'Waar ben je naar op zoek?' vroeg ik.

'Ik zoek de naam van een man.'

'Wat voor naam?'

'Dat weet ik nog niet. Ik hoop dat ik het weet als ik de naam zie.'

'Wat voor man is het?'

'Hij voer vermoedelijk met de Acturus naar IJsland. Ik vertel je later over hem. Dat wil zeggen, als ik hem vind.'

'En wat wil je dat ik doe?'

'Mij helpen,' zei de professor. 'Wees mijn oog. Heb je die oude logboeken gezien? Ze zijn nauwelijks leesbaar. Besmeurd met vet, vuil en roet.'
'Liggen ze in Áros?'
'In het handelsarchief,' zei de professor. '*Erhvervsarkivet*. De Acturus was eigendom van een rederij hier in Kopenhagen die C.P.A. Koch heette en ik kreeg een tip over logboeken die in Áros bewaard worden. Ik heb al overal gezocht.'
Ik wist amper wat ik hierop moest zeggen. De professor wachtte op mijn reactie. Ik had eigenlijk dat weekend niets beters te doen en ondanks alles streelde het me dat hij mij vroeg hem te assisteren. Wie anders genoot dit eervolle privilege? Na enig nadenken stemde ik toe en hij zei dat hij me om vijf uur op het centraal station zou treffen, de trein naar Áros vertrok een kwartier later. We zouden in de stad overnachten, de dag erop naar het archief gaan, en hopelijk op zaterdagavond weer thuis zijn.
Ik deed wat kleren in een kleine tas en verscheen op de afgesproken tijd op het station. We stapten in de trein en eer ik het in de gaten had waren we op het Deense platteland. Ik had nog nooit eerder met de trein gereisd en ik merkte dat die manier van reizen mij bijzonder goed beviel, het uitzicht uit de treincoupé, het regelmatige lawaai van de wielen, het aangename gewiebel op de bank en de tijdloosheid die met elke lange reis gepaard ging. We praatten niet veel met elkaar onderweg. De professor was verdiept in de papieren die hij bij zich had en ik had een boek uit IJsland bij me waar ik steeds aan toe wilde komen maar eigenlijk tegen opzag om het uit te lezen, omdat het zo grappig was, *Het uurwerk* door Ólaf Jóhann Sigurðsson.
'Je weet dat ze in Áros een straat hebben die Ole Worms Allé heet,' zei de professor, waarmee hij de diepe stilte tussen ons verbrak.
'Dat wist ik niet,' zei ik.
'Nee, natuurlijk,' zei de professor. 'Denk je dat het wat zou uitmaken als ze op IJsland de Ringweg naar Brynjólf Sveinsson hadden genoemd? Of naar onze Jónas Hallgrímsson? De mensen weten niks. Snappen niks. Wat is Ringweg? Wat betekent dat?'
Hij staarde me aan met die waanzinogen die hij graag opzette als hem iets enorm irriteerde, maar ik kon geen antwoord geven. Ik haalde mijn schouders op en hij was weer in zijn papieren verdiept.
Het was plotseling donker geworden toen we bij het kleine hotelletje in Áros aankwamen vlak bij de Vester Allé, waar het archief was ondergebracht. Een vriendelijk echtpaar van de leeftijd van de professor, meneer en mevrouw Mortensen, runde het hotelletje en hij leek daar eerder te zijn geweest, want hij kende het echtpaar en ze begroetten hem hartelijk. Ze babbelden een poosje samen, maar ik ging slapen en was niet meer bij bewustzijn tot de professor me de volgende ochtend wekte.

Na een goed ontbijt met het echtpaar Mortensen en twee andere gasten gingen de professor en ik op weg naar het archief. Het was elke zaterdag open. We vertelden wat we kwamen doen tegen een jonge, vriendelijke vrouw die daarop begon te zoeken naar de documenten uit het bezit van de rederij C.P.A. Koch. Een half uur later kwam ze terug en ze zei dat ze een behoorlijke hoeveelheid documenten, logboeken en vrachtbrieven van de onderneming had gevonden en het stond ons vrij alles naar goeddunken te bestuderen, maar we moesten ons zelf zien te redden. Ze begeleidde ons achterin naar een groot archief, wees waar de Koch-documenten waren en zei goedendag.

Er waren niet minder dan drie ruimtes daar in het archief en het nam ontzettend veel tijd in beslag om de vrachtbrieven door te werken tjokvol in- en exporten, dienstroosters van kapiteins en een gigantische correspondentie met kooplieden en handelaren. C.P.A. Koch voer veel verder dan op IJsland, had vele schepen in de vaart, en daarom was een minutieuze boekhouding gevoerd. Het meeste was met het leesbare handschrift van een boekhouder geschreven, maar het andere was moeilijker, onduidelijk, weggevaagd en voor mij onbegrijpelijk daar ik niet gewend was aan scheeps- en handelsrapporten in welke vorm dan ook. De professor leek er meer in thuis en hij kon vlotter dan ik het kaf van het koren scheiden. Hij werkte zich snel door de ene na de andere documentenstapel, zoekend naar het juiste jaartal, het juiste schip, de juiste route die in het noorden in Akureyri eindigde, hetgeen hij zo belangrijk vond.

We hielden rond enen pauze en vonden een cafetaria vlak bij het archief. Het was mooi weer en we aten buiten onder de blote hemel. De professor dronk twee kopstoten en was gereed voor de aanval toen we naar het archief teruggingen.

Soms mompelde hij binnensmonds iets wat voor mij onbegrijpelijk was. Een keertje hoorde ik de vrouwennaam Rósa en toen noemde hij een of andere plaatsnaam die ik niet oppikte, misschien was het Hallgrímsstaðir en het zou me niet verwonderen als hij zelfs de naam Steenstrup zei. Ik wist dat hij een bioloog en vriend van Jónas Hallgrímsson was.

Ik ging door een krat met boeken van de onderneming toen ik op één ervan opeens het jaartal 1863 duidelijk zag staan. Ik haalde het boek uit de krat, bladerde erin en zag dat het vrachtbrieven bevatte: zakken zout, koffie, meel. Ik zag nergens een namenlijst en haalde er een tweede boek uit, met hetzelfde jaartal aangeduid.

Ik maakte het open en zag iets wat volgens mij passagierslijsten waren van een schip dat Hertha heette, in eigendom van de onderneming.

Ik legde het boek naast me neer en pakte een ander boek. Dat was aangeduid als Acturus. *Passager*, Deens voor passagiers.

Ik riep de professor en wenkte hem te komen. Ik gaf hem het boek.
'Goed zo, Valdemar,' zei hij toen hij zag wat voor soort boek het was. 'Mooi, mooi.'
Hij begon heel voorzichtig de bladzijden om te slaan alsof ze van het kostbaarste perkament waren. Hij ging met zijn vingers over de lijsten, maar vond het licht niet goed genoeg en liep naar een tafel met een goede lamp waar hij aan ging zitten.
'Dit is vreselijk onduidelijk,' zei hij. 'Kun jij het zien, Valdemar?'
Ik boog me over het boek. De bladzijde was verdeeld in een paar kolommen met namen en bedragen waarvan ik aannam dat het de passagegelden waren. De bagage was ook gespecificeerd, naar ik dacht. Bepaalde getallen stonden achter de namen.
'Kun je voor mij de namen oplezen?' vroeg de professor.
'Ik kan het proberen,' zei ik.
Toen begon ik me haperend door de passagierslijst heen te werken.
'De heer en mevrouw Hansen,' zei ik, 'en waarschijnlijk hun kinderen, Albert en Christian. De heer Thorstensen. De heer en mevrouw Vilhjalmsson. De jongeheer Pedersen...'
Zo bleef ik de passagierslijsten voorlezen zonder een reactie te krijgen van de professor, die naast me zat met de ogen dicht en het hoofd op zijn borstkas. Ik dacht dat hij in slaap was gevallen, maar ik durfde niet op te houden met voorlezen uit het logboek.
'Davidsson F. met zijn vrouw en drie dochters, Ellingsen H., alleen op reis, Hjalmarsson, Jörgensen R., Thorsteinsson, Eymundsen, Árnason K. met zijn vrouw, Knudsen A. en dochters, Pétursson...'
De professor keek op.
'Wat was dat... dat na Ellingsen?'
'Ellingsen, Ellingsen, hier, Hjalmarsson?'
'Ja, en na hem?'
'Hjalmarsson, Jörgensen R., Thorsteinsson, Eymundsen...'
'Jörgensen R.?'
'Ja.'
De professor stond op.
'Jörgensen, R.D.,' las ik op uit het boek. 'In z'n eentje op reis, lijkt me.'
'Laat me dat eens zien,' zei hij.
Ik gaf hem de passagierslijst. Hij ging door de lijst heen en stopte bij de naam Jörgensen.
'Jörgensen,' fluisterde hij. 'Waarom ben ik daar niet opgekomen? Natuurlijk! Natuurlijk, Jörgensen. Het moet hem zijn. Het moet Jörgensen zijn!'
De professor was in een behoorlijke staat van opwinding geraakt.

'Wat voor Jörgensen?' vroeg ik.

'Hij was een boekenverzamelaar,' zei de professor. 'Ze kenden elkaar, Jörgensen en Baldvin Thorsteinsson. Mogelijk hebben we iets gevonden, Valdemar. Iets belangrijks. Als dit hem is. Als dit Ronald D. Jörgensen is, dan zijn we mogelijk een stap verder. Een stap verder, Valdemar! Hij was lid van een oude broederschap uit de negentiende eeuw. Hij ging naar IJsland. Misschien was hij degene die naar Hallsteinsstaðir ging.'

'Hallsteinsstaðir?'

De professor keek op zijn horloge.

'Welke Baldvin?' vroeg ik.

'Later, Valdemar, kom, we kunnen de middagtrein naar Hirtshal pakken, snel, snel, we hebben geen tijd te verliezen! We moeten vannacht de Skagerak over!'

De professor kende de naam Ronald D. Jörgensen heel goed en wist dat hij een boekenverzamelaar was die contacten met IJsland had. Hij was van Deense afkomst en had zijn naam veranderd van Runolf in Ronald, geboren in Hofsos, zijn moeder was IJslandse. Zijn vader had een winkel in die plaats en verhuisde met de familie weer naar Kopenhagen toen Ronald rond de twintig was. Ronald studeerde rechten op de universiteit in Kopenhagen, maar toen hij overleed was hij woonachtig in Schwerin. Hij had een enorm assortiment boeken toen hij stierf en hij was een verwoed verzamelaar. Ronald D. had een legertraining gekregen en was een tijdlang in dienst geweest bij het Deense leger, waar hij de rang van kolonel had. De professor wist dat Ronald verbonden was aan een broederschap die in het midden van de negentiende eeuw in Duitsland was opgericht en die zich Wotan of Odin noemde. Toen begon de romantische beweging in Duitsland interesse te tonen voor de oude IJslandse literatuur. Veel Duitsers waren ervan overtuigd dat de noordse godenwereld Duits cultuurerfgoed was en ze waren op zoek naar een verwantschap met de noordse volkeren. Ronald D. Jörgensen was een van diegenen die de godenwereld van de *Edda* als Duitse mythologie zag, en hij had een hartstochtelijke interesse voor de link tussen de oude IJslandse literatuur en de Duitse volksgeest. De professor wist dat hij in 1876 de oeropvoering van de *Ring des Nibelungen* van Richard Wagner had bezocht.

De professor vertelde me dat hij niet wist dat Jörgensen op volwassen leeftijd naar IJsland was gereisd. De boekenverzamelaar stierf op zijn vijfenvijftigste aan kanker.

Hij had twee zonen en een van hen woonde in Kristiansand op de zuidelijkste punt van Noorwegen toen de professor voor het laatst iets van hem had vernomen.

De professor vertelde mij dit alles in de trein naar Hirthal, helemaal in het noorden van Jutland, vanwaar we de veerpont naar Noorwegen namen. We rolden in een harde noordenwind heen en weer over de Skagerak en zeiden weinig. De professor sliep het grootste deel van de overtocht, maar ik had studieboeken bij me die ik las.

Hij had me gevraagd met hem mee te gaan om hem te assisteren, maar ik wist niet precies waaruit die assistentie bestond. Ik had mezelf bewezen met het voorlezen van documenten en manuscripten, maar later vroeg ik me af of hij bang was voor de Duitsers uit de Witte. Overal waar we heen gingen was hij ontzettend op zijn hoede en hij keek vaak over zijn schouder zonder dat ik er op dat moment bij stilstond. Hij zei niets, hij wilde me misschien niet onnodig bang maken, maar bij nader inzien geloof ik dat hij gewoon niet in zijn eentje durfde te reizen.

De volgende ochtend in alle vroegte zocht de professor de naam van de zoon van Jörgensen op in het telefoonboek in een café aan de haven van Kristiansand, maar hij kon hem niet vinden. We wachtten tot het gemeentehuis openging en we kregen daar het bevolkingsregister van de stad te zien. We vonden de naam en het adres en vroegen de weg naar de Torsgade nummer 15. De vrouw op het gemeentehuis was heel behulpzaam maar een beetje nieuwsgierig, ze wilde weten wie we zochten. De professor was beleefd, maar liet niets los. Hij vond dat we niet langer moesten wachten met een bezoek aan de zoon van Jörgensen. Het duurde niet lang eer we het huis vonden. De namen van de straten in de buurt waren volgens mij uit de noordse mythologie gehaald, want ze waren vernoemd naar Odin, Freya en het walhalla. Ik vroeg of we niet eerst moesten laten weten dat we kwamen, maar hij schudde alleen maar het hoofd.

'Weet je zeker dat dit de juiste man is?' vroeg ik toen we voor het huis stonden en omhoogkeken. Het was een houten huis in het oude gedeelte van de stad, met drie verdiepingen en een hoge zolder.

'Het laatste wat ik hoorde was dat hij in deze uithoek woonde. Een boekenverzamelaar die ik ken zocht hem een paar jaar geleden op in de hoop iets van de IJslandse uitgaven in de verzameling van Jörgensen te vinden.'

'Is dat lang geleden?'

'Zo'n vijf jaar geleden, volgens mij,' zei de professor.

'Weet je op welke verdieping hij woont?'

'Nee, we hebben alleen maar dit huisnummer.'

De buitendeur zat niet op slot en ik liep achter de professor het trapportaal in. Zonder te dralen klopte hij op een deur op de begane grond. Een jonge vrouw opende de deur op een kier en keek ons aan.

'Woont Ernst D. Jörgensen hier?' vroeg de professor in vlekkeloos Noors. De vrouw nam ons om beurten met een wantrouwige blik op. Toen schudde ze haar hoofd en deed de deur weer dicht voor de professor kon vragen of ze wist waar hij dan wel woonde.

Een jongen in de puberleeftijd deed de volgende deur open. Zijn vader stond achter hem.

'Ernst D. Jörgensen, woont hij hier?' vroeg de professor.

'Jörgensen?' zei de man. 'Nee, hij woont op de bovenste verdieping. Op de zolder.'

De professor bedankte hem en we klommen de trap op naar de hanenbalken. Er was één deur, zonder naamplaatje. De professor keek mij aan en klopte toen driemaal met zijn stok.

We wachtten, maar er gebeurde niets.

Hij sloeg weer driemaal met zijn stok, resoluter dan eerst. Ik legde mijn oor tegen de deur. Enige tijd verstreek voor ik een gestommel hoorde en plotseling maakte een oude man de deur open en hij staarde ons aan. Zijn blik was kwaadaardig, onder zijn borstelige wenkbrauwen had hij doordringende ogen, een smalle, kaarsrechte neus boven bleke, dunne lippen. Hij had een baard van een paar dagen.

'Wat willen jullie?' vroeg hij in het Duits.

'Bent u Ernst D. Jörgensen?' vroeg de professor.

'Wie vraagt dat?' galmde de oude man.

Ik keek naar de professor. Wat voor leugen had hij voor de oude man paraat? In gedachten rekende ik snel uit. De professor dacht dat Ernst D. in 1871 geboren was. Hij was dan vierentachtig jaar oud.

'We zijn boekenverzamelaars uit IJsland,' zei de professor zonder te aarzelen en hij beweerde dat hij Thormod Torfason heette. 'Dit is mijn zoon, Torfi,' zei hij terwijl hij naar mij wees. 'We hebben begrepen dat u een goede boekenverzameling bezit.'

'Waar heeft u dat gehoord?' bromde de oude man.

'We hebben begrepen dat u een gedeelte van de boekenverzameling van uw vader, Ronald D. Jörgensen, heeft geërfd. De grote IJslandvriend en boekenverzamelaar.'

De oude man keek ons om beurten aan. We waren er in ieder geval in geslaagd hem te verrassen.

'En u bent zelf IJslander,' voegde de professor eraan toe en hij glimlachte. 'We zouden familie van elkaar kunnen zijn.'

'Komen jullie uit IJsland?'

'Ja.'

'Een paar jaar geleden kwam een boekenverzamelaar uit IJsland mij opzoeken,' zei de oude man. 'Wat willen jullie?'

'Kunnen we misschien van de gang af en binnenkomen?' vroeg de professor. 'We hebben maar eventjes nodig om te vertellen wat we komen doen. Als u zo vriendelijk wilt zijn?'

Nog steeds keek de oude man ons om beurten aan.
'Ik heb jullie niets te verkopen,' zei hij.
'Daarvoor kwamen we niet,' zei de professor. 'We wilden slechts weten of u iets uit de verzameling van uw vader in bezit heeft. We zijn vooral op zoek naar IJslandse boeken uit de achttiende eeuw.'
'Die heb ik niet.'
'Nee, maar misschien weet u of ze in de verzameling van uw vader zaten?'
Ernst D. aarzelde nog steeds. We stonden op de overloop en wachtten.
'Tja, kom dan maar binnen,' zei hij uiteindelijk en hij ging ons voor in het appartement. 'Excuus dat het hier zo'n troep is, maar ik had geen bezoek verwacht. Ik verwacht eigenlijk helemaal geen bezoek, als ik eerlijk moet zijn.'
We gingen achter hem de kleine kamer binnen. Het appartement was nogal rommelig en twee grote boekenwanden besloegen de kamer. We zagen een klein keukentje en een kamer bij de deur. Het was daarbinnen koud bij de oude man. Misschien had hij geen geld om het fatsoenlijk te verwarmen. De professor zei mij dat Jörgensens vader in Duitsland een vermogend man was geweest en ik vroeg me af wat er van zijn rijkdom was geworden. Ongevraagd gaf Jörgensen daar gedeeltelijk antwoord op.
'Ze hebben alles van ons afgepakt, de communisten,' zei Ernst en hij wees ons een plek om te zitten. 'Ik was te laat om het te voorkomen toen het na de oorlog gebeurde. Ze verdeelden het land in een oostelijk en een westelijk deel en wij belandden in het oostelijk gedeelte. Ze namen de villa in Schwerin in beslag en het buitenverblijf. Wij werden weggejaagd. Mijn vrouw was Noors. We eindigden hier, helemaal berooid. Ze stierf twee jaar geleden.'
'Dat moet een zware tijd zijn geweest,' zei de professor meelevend.
'Dat was het ook. Wat wilt u weten over mijn vader en zijn boeken?'
'Mag ik vragen of u zich hem herinnert?'
'Een heel klein beetje,' zei Ernst. 'Ik herinner me niet veel van hem. Ik was zeven toen hij stierf. Zijn sterfbed duurde meer dan een jaar, kanker, begrijpt u. Ik herinner me die tijd. Ik herinner me mijn moeder die het zich zeer aantrok. Ze was aanzienlijk jonger dan mijn vader.'
'Hij was half IJslands, geboren in een plaats die Hofsos heet, in het noorden van IJsland,' zei de professor.
'Dat weet ik. Zelf ben ik nooit op IJsland geweest en ik weet niet of ik daar nog familie heb.'
'Ongetwijfeld,' zei de professor.
'Mijn vader is erheen gereisd,' zei Ernst. 'Hij was erg in het land geïnteresseerd.'
'Weet u om wat voor reden hij naar IJsland ging?'
'Niet precies. Het zal wel in verband met zijn interesse voor boeken zijn

geweest. Hij was een groot boekenverzamelaar, zoals u natuurlijk weet, anders was u niet hier gekomen. Jammer genoeg moet ik u bekennen dat ik in de recessiejaren gedwongen was het grootste gedeelte van zijn boekenverzameling te verkopen. Het waren zware tijden in Duitsland en we hadden geldgebrek, dus we moesten een enorme hoeveelheid boeken verkopen, waaronder een aantal heel bijzondere uitgaven, naar ik heb begrepen. Ik heb er niet veel verstand van, mijn broer zaliger bekommerde zich om al die zaken.'

'Kunt u mij aanwijzingen geven over de kopers, iemand...?'

'Het ging om een paar mensen. Herr Lange in Stuttgart kocht grote gedeelten van de verzameling. Ook Herr von Fassbinder uit Leipzig. Ze stierven beiden in de oorlog.'

Ernst D. dacht na.

'Dan was er Herr Von Orlepp. Hij kocht veel uit de verzameling.'

Ik zag dat de professor zijn oren spitste.

'En hij betaalde er behoorlijk goed voor,' voegde Ernst eraan toe. 'Dat waren ze voor het merendeel.'

'Herinnert u zich wat voor kostbare exemplaren in de verzameling zaten?'

'Waar bent u speciaal naar op zoek?' vroeg Ernst.

'Dat is zoveel. Eerste uitgaven gedrukt in Kopenhagen van 1750 tot 1870, in het bijzonder van boekbinder Pál Sveinsson aan de Oude Munt, zoals *Het hellegevecht van Grendel* of *Duizend-en-één-nacht* in het IJslands in de vertaling van...'

'Het spijt me,' interrumpeerde Ernst de professor, 'ik heb nooit dezelfde interesse voor boeken gehad als mijn vader en ik ben niet zo goed op de hoogte.'

Ik staarde naar de professor. Hij had deze ontmoeting beter voorbereid dan ik me had voorgesteld. En een aartsleugenaar als hij was ik nog nooit tegengekomen. De Oude Munt? Waar haalde hij het vandaan?

'Weet u iets over zijn IJslandse boeken?' vroeg de professor.

'Een heel klein beetje,' zei Ernst. 'Het is lang geleden dat we het gros van de verzameling van de hand hebben gedaan en mijn kennis daarover is nooit groot geweest. Mijn oudere broer, Hans, bekommerde zich er voor een groot gedeelte om. Hij stierf drie jaar geleden. Hij zou het wel geweten hebben.'

'Ik heb begrepen dat uw vader in 1863 naar IJsland is gereisd. Weet u of hij van die expeditie met boeken terugkwam?'

'Ik ben daar niet speciaal van op de hoogte.'

'Maar een brievenverzameling? Had uw vader een brievenverzameling?'

'Hij liet dat allemaal vernietigen voor hij stierf,' zei Ernst. 'Hij stelde er groot belang in dat zijn brieven niet in andere handen zouden komen en liet ze verbranden.'

'Aparte bladzijden of losse bladen, misschien van perkament met oude letters, herinnert u zich iets dergelijks uit zijn verzameling?'

Ernst D. schudde in verlegenheid gebracht het hoofd.

'Ik kan u jammer genoeg niet verder helpen,' zei hij.

'Is u iets met de IJslandse naam Rósa Benediktsdóttir bekend?'

'Het spijt me.'

'En Hallsteinsstaðir? Dat is een boerderij in het noorden van IJsland.'

'Nooit gehoord, die naam. Ik ben op IJsland niet bekend.'

'Kent u het Koningsboek van de *Edda*?'

'Ik ken de *Edda*, ik heb erover op school geleerd. Kent u het?'

'Ja,' zei de professor. 'Het Koningsboek is het juweel van ons IJslanders, ook al hebben de Denen het tegenwoordig in beheer.'

Ernst D. stond op.

'Is er verder nog iets...?'

'Nee,' zei de professor teleurgesteld en hij keek mij aan alsof ik misschien iets had in te brengen, een of andere vraag die ik de oude man wilde voorleggen. Mij schoot niets te binnen. Het leek erop dat we vertrokken, maar de professor was heel traag, alsof hij Ernst D. niet onverrichter zake wilde laten schieten.

'Dank u vriendelijk voor uw hulp,' zei hij toen Enst D. de deur naar de overloop openmaakte. 'En excuus voor het ongemak. Misschien kunnen we u later opzoeken als er meer vragen opkomen.'

'Zoals u wilt,' zei Ernst.

Ik nam met een handdruk afscheid van hem en de professor deed hetzelfde, maar hij hield zijn hand vast alsof hij niet wilde opgeven.

'Bent u op de hoogte van een object in het bezit van uw vader dat een klein boekje kan zijn geweest, een paar perkamenten bladen?' vroeg de professor. 'Een kwarto uit een oude gedichtenbundel?'

'Het spijt me,' zei Ernst.

'Met kleine letters die je amper kunt lezen?'

'Nee.'

De professor liet zijn hand los en maakte een snelle buiging. Ernst D. sloot de deur.

De professor zuchtte diep en we gingen de trap omlaag. We waren maar een paar treden omlaaggegaan toen de deur van het appartement van Ernst D. weer openging en hij op de overloop verscheen.

'Behalve datgene wat hij in zijn graf heeft meegenomen,' zei hij.

'Pardon?' zei de professor.

'Nu u het erover heeft,' zei Ernst, 'moeder zei dat hij een paar bladen in zijn graf heeft meegenomen. Zoals ik u net vertelde duurde zijn sterfbed meer dan een jaar en hij had alles heel goed geregeld, elk detail van de uitvaart, en een van de dingen waar hij volgens mijn moeder om vroeg was dat hij een paar perkamenten bladen bij zich in het graf wou hebben.'

'Hij nam perkamenten bladen mee in zijn graf?' kreunde de professor en hij kon zijn emoties moeilijk verhelen.

'Het was geen boek,' zei Ernst. 'Gewoon wat fragmenten waarvan ik dacht dat ze behalve voor hem geen waarde hadden.'

'Fragmenten? Kunt u iets specifieker zijn?'

'Perkamenten, zoals ik u zei, ik weet zeker dat mijn moeder juist dat woord gebruikte. Perkamenten. Het was zijn wens dat die met hem in de kist meegingen.'

'Weet u wat voor bladen het waren?'

'Geen idee,' zei Ernst. 'Waarschijnlijk iets van de manuscripten die hij bezat. Ik weet het niet.'

'Waar ligt...?' De professor stopte midden in de zin en glimlachte vlug. 'Dank u, Herr Jörgensen. En nogmaals, excuus voor het ongemak.'

'Hij ligt in het familiemausoleum in Schwerin,' zei Ernst. 'Als dat nog overeind staat. Ik ben daar al jarenlang niet geweest en ik zal er waarschijnlijk nooit meer aan toekomen.'

Toen we buiten op straat stonden was de professor buiten zichzelf van vreugde.

'Jörgensen heeft het kwarto gevonden en meegenomen in zijn graf! Het kwarto uit het Koningsboek! We moeten ons daarheen haasten, we moeten zo snel mogelijk naar Duitsland.'

'Waarheen?'

'Nou, naar Schwerin! Hij ligt in Schwerin!!!'

'Wie is Rósa Benediktsdóttir?'

'Heb geduld, Valdemar. Ik vertel je dat allemaal als ik wat meer weet.'

'En Hallsteinsstaðir?'

'We moeten opschieten. We moeten zo snel als we maar kunnen naar Schwerin.'

'Wacht 'ns, toen je mij een paar dagen geleden vroeg om met jou naar Duitsland te gaan, bedoelde je toen Schwerin? Herinner je het je?'

'Nee, dat was iets anders,' zei de professor, 'en ik weet niet of dat ergens toe dient. Dat heeft tot nu toe geen resultaat opgeleverd. Ik vertel je daar misschien later over.'

Hij stoof ervandoor en ik liep hem achterna. We haalden 's avonds net de veerpont van Kristiansand en we vonden aan boord een lege plek in de eetzaal. Ik staarde naar de professor, die tegenover me zat, en het werd me langzamerhand duidelijk wat we in Schwerin zouden gaan doen.

'Wat ben je van plan te gaan doen bij het mausoleum van Ronald?' vroeg ik aarzelend. 'Ik heb het gevoel dat ik het antwoord niet wil weten.'

De professor glimlachte.
'Daarom is het zo goed jou erbij te hebben,' zei hij.
'Mij erbij?'
'Dit kan ingewikkeld worden, maar het hoeft niet zo te zijn.'
'Je bent toch niet van plan zijn graf open te maken?' fluisterde ik.
'We hoeven gelukkig niet te graven,' zei de professor, en ik wist niet zeker of hij mij geruststelde of zijn bedoelingen rechtvaardigde. 'Je hoorde wat Ernst zei, hij rust in een mausoleum.'
'Ben je gek geworden?!'
'Net gek genoeg, hoop ik,' zei hij.
'We kunnen niet zomaar een graf openmaken,' zei ik. 'Dat kan niet. Dat is een wetsovertreding. Dat kan... dat kan gewoon niet! Dat is heiligschennis. Lijkenroof! Ik werk daar niet aan mee. Absoluut niet! En vooral niet daar. Hij ligt in Oost-Duitsland! Dat weet je!'
'Niemand hoeft het te weten te komen,' zei de professor geruststellend.
'Is dit allemaal vanwege de Duitsers in de Witte?'
De professor keek stuurs.
'Ze zijn erin verwikkeld, ja,' zei hij. 'Maar daar gaat het niet om, Valdemar. Snap je het niet?'
'Wat niet?'
'Wil je het niet graag weten? Wil jij niet weten of het kwarto daar ligt? Of het bestaat?! Of wij in staat zijn het te vinden? Is er niets bij dit alles dat je raakt? Vind je het niet spannend, getuige zijn van iets wat... wat simpelweg zo groots is dat het moeilijk valt te beschrijven?!'
Ik gaf geen antwoord.
'Valdemar?' zei hij.
Het viel niet te ontkennen dat het een opwindende gedachte was het verloren kwarto uit het Koningsboek te vinden. Maar ook al was ik me zeer bewust van de spanning die hoorde bij het verloren kwarto, een slecht leesbare aantekening en een mogelijke grafschennis, toch erken ik grif dat ik niet zo'n held was voor avonturen die van je eisen dat je een graf openbreekt.
'Wanneer ben je van plan dat te doen?' vroeg ik.
'Zo snel mogelijk. We hebben niet veel tijd.'
'Allejezus!' ontglipte mij.
'Dit is een simpele zaak,' zei de professor. 'Ik heb haast hiermee. Het zijn Duitsers. Ik ben eerder in Schwerin geweest. Dit hoeft niet zo'n groot probleem te zijn. Vertrouw me, Valdemar. Dit is niet gecompliceerd.'
'Niet gecompliceerd!? Je wilt iemands graf openmaken!'
'Zoiets is al eerder gebeurd,' zei de professor. 'Maak je daarover geen zorgen. Je maakt je veel te veel zorgen, Valdemar. Een jongeman als jij.'
Ik kon niets zeggen. De professor haalde weer zijn tabaksdoosje tevoor-

schijn en stopte een snuif in zijn neusgat. Ik vond dat hij verbazingwekkend gezond was gezien de staat waarin hij moest verkeren. Hij deed het tabaksdoosje dicht en stak het weer in zijn vestzakje.

'Ik heb er nog steeds spijt van,' zei hij opeens alsof hij het tegen zichzelf had terwijl hij achteroverleunde in zijn stoel.

'Waarvan?' vroeg ik, want ik wist niet waarover hij het had.

'Het niet publiek te hebben gemaakt toen ik de beenderen vond. Ik heb er nog steeds spijt van.'

'Wat voor beenderen?' vroeg ik.

'Maar dan moest ik ook vertellen dat ik het weer ondergeschoffeld heb,' zei de professor.

Hij zuchtte diep en keek de duisternis in. Ik hield me in om te vragen wat hij precies bedoelde. Ik wist niet zeker of ik alles wilde weten wat hij wist en ik realiseerde me heel duidelijk dat er nog veel voor nodig was om die wonderlijke man te begrijpen.

IX

Als ik niet in de Kannibaal at, kreeg ik bij mijn hospita te eten, een hartelijke vrouw van rond de vijftig. Haar man was gestorven en hun enige zoon was het huis uit. De weduwe Bodelsen had twee andere huurders, een man van middelbare leeftijd die een neef van haar was, en een student economie uit Italië, een teruggetrokken jongen van joodse afkomst. Het eten was redelijk, vaak Deense ham met rodekool en bij elke maaltijd aardappelen. Mevrouw Bodelsen was allervriendelijkst, maar ik slaagde er niet in de twee huurders te leren kennen, die gewoonlijk hun eten naar binnen schoffelden en dan naar hun kamer verdwenen.

Ik lag na het avondeten in alle rust op mijn opklapbed toen ik iemand op mijn deur hoorde kloppen. Het was pas vierentwintig uur geleden dat de professor en ik uit Noorwegen waren teruggekomen. Ik ging naar de deur; hij stond op de gang en zag er goed uit. Hij had zijn leren jas aan, zijn gezicht glansde en hij glimlachte toen hij onuitgenodigd mijn kamer binnenstapte.

'Waarom woon je niet op de campus?' vroeg hij en hij keek om zich heen naar de armzalige spullen, mijn bed dat tegen de wand stond, het bureau met een leeslamp die ik ook kon gebruiken als ik in bed las, een klerenkast die bij de kamer hoorde en een pick-up van de hospita die in een hoek stond en kapot was.

'Dr. Sigursvein heeft me deze kamer bezorgd,' zei ik. 'Hij zei dat ik hier meer vrijheid had.'

'Zeer edelmoedig, die Sigursvein van jou,' zei de professor en hij ging op de stoel bij het bureau zitten.

'Ik heb jammer genoeg niets om je aan te bieden,' zei ik.

'Dat is natuurlijk een kwalijke zaak, Valdemar.'

'Ik bedoel koffie of iets dergelijks,' zei ik.

Ik merkte weer dat diepe mededogen in de ogen van de professor toen hij mij aankeek, maar hij zei geen woord. Ik glimlachte ongemakkelijk.

'Ik heb dus niets, jammer genoeg,' herhaalde ik.

'Dat geeft niet,' zei hij. 'Ik kom hier niet om koffie te drinken.'

Mijn bescheiden boekenbezit wekte de interesse van de professor. Hij leunde voorover op zijn stok en zoals altijd als ik in zijn aanwezigheid was, merkte ik dat hij mij woog en inschatte. Zijn bezoek kwam voor mij niet echt als een verrassing. Ik had hem half-en-half verwacht en ik vermoedde wat hij kwam doen. Op de veerpont van Noorwegen had hij geprobeerd mij naar Duitsland mee te krijgen, maar ik was er amper op ingegaan. Nu wilde hij de koe bij de hoorns pakken.

'Ik heb iets met je te bespreken, Valdemar,' zei hij en hij schraapte zijn keel.

Ik bedacht dat, als hij weer zou vragen van de studie vrij te nemen om met hem mee te gaan, ik onvermurwbaar zou zijn. De studie had voorrang, wat hij ook zei. Toch wist ik dat ik er moeite mee zou hebben tegenover hem voet bij stuk te houden en ik vond het onaangenaam dat te moeten doen. Ik vond het eigenlijk niet prettig hem in mijn kamer te hebben.

'Ik weet niet hoeveel jij weet,' zei hij en hij haalde het tabaksdoosje uit zijn vestzak. 'En voor ik het vergeet, bedankt dat je met mij, een oude man, mee naar Áros en Noorwegen bent gegaan. Maar als je meer wilt weten, de hele handel, dan ga je weer met me mee en ik zal je vertellen wat er gaat gebeuren.'

Ik zweeg.

'Ik wou je vragen voor een korte trip met mij naar Duitsland te gaan,' zei hij. 'De trein gaat...' hij pakte zijn horloge tevoorschijn, '...over een uur.'

'Ik denk niet dat ik meega.'

'Weet je dat heel zeker?'

'We hebben het erover gehad op de veerpont,' zei ik. 'Het is voor mij heel moeilijk om nu vrij te nemen, feitelijk ondoenlijk.'

'Ach, wat is dat voor geleuter?'

'Nee, dat is geen geleuter,' zei ik.

'Wat als ik je zeg dat het een zaak van leven of dood is?' vroeg hij.

'Ik weet niet waar je het over hebt,' zei ik. 'Je praat in raadsels en ik begrijp je niet.'

'Ik zal het je onderweg vertellen,' zei hij.

'Onderweg waarheen?'

'Naar Schwerin.'

'Om het mausoleum van Jörgensen open te breken?'

'Herinner je je die twee mannen uit de Witte die daar die avond zo onbeschoft tegen mij deden? Ze kunnen het eerder dan wij hebben gevonden. Daar ben ik bang voor. Ik kan geen tijd verliezen. Wij kunnen geen tijd verliezen, Valdemar.'

Ik zag dat hij het serieus meende. Hij wilde dat ik van de studie vrij nam om hem te vergezellen op zoek naar iets waarvan ik geen idee had waar het om ging, ik wist alleen dat hij het aan mij vroeg. Ik had zijn verzoek afgewezen en nu vond ik het welletjes.

'Je kunt niet hier binnenvallen en verwachten dat ik... verwachten dat ik overal achter je aan ren naar iets... iets waarvan ik niet weet of het wel of niet bestaat. Ik ben hier aan een zware studie bezig, dat zou je zelf het beste moeten weten...'

'Een zware studie? In godsnaam, Valdemar!'

'Ik kan niet met je meegaan,' zei ik en ik probeerde resoluut te klinken. 'Het is uitgesloten.'

'Loop naar de hel!' zei de professor en hij sloeg met zijn stok op de vloer. 'Je bent een lamlendige slappeling, man! Je tante zou dit moeten horen. Waarom ben je door haar opgevoed? Heb je daar ooit over nagedacht?'

'Je moet nu gaan,' zei ik.

'Het is waarschijnlijk bij jou hetzelfde gebrek aan moed als bij je moeder,' zei hij.

Ik staarde de professor aan.

'Is het niet zo?' draafde hij door. 'Liet ze jou niet bij je tante achter toen ze weer een droomprins tegenkwam?'

'Wat weet jij daarvan?'

'Ik heb mijn methodes.'

'Ga,' zei ik kalm. 'De deur uit.'

De professor verroerde zich niet. Hij had zijn snuifdoosje tevoorschijn gehaald en snoof de tabak in zijn neus.

'Neem me niet kwalijk,' zei hij. 'Ik gedraag me soms als een idioot. Ik was niet van plan...'

'Ik wil dat je gaat,' zei ik beslist.

'Doe niet zo. Ik flap er van alles uit, neem het niet persoonlijk op.'

'Jij moet nodig over anderen oordelen! Ik ben geen opgebrande wetenschapper die de laatste tien jaar van zijn leven met drank heeft vergooid. Ik ben geen dronkelap die in de gangen van de universiteit wordt uitgelachen.'

Ik zei dit met opeengeklemde kaken en geloofde mijn eigen oren niet. Ik had nog nooit zo tegen iemand gesproken en ik schaamde me op het moment dat ik me dit liet ontvallen. Mijn woorden leken niet het geringste effect op de professor te hebben.

'Ik wist dat je lef had,' zei hij. 'Het staat je vrij mij te kastijden zoveel als je wilt.'

'Ga weg,' zei ik en ik maakte de deur open.

'Valdemar, ga met me mee,' zei de professor, die zich nergens van liet afbrengen. 'Ik zal je lesgeven. Je zult er geen spijt van krijgen.'

'Je doet me een plezier als je gaat.'

De professor keek me lang aan eer hij weer het woord nam.

'Het is mogelijk dat wij het kwarto vinden,' zei hij ten slotte. 'Het verloren kwarto uit het Koningsboek. Ik ben er langer naar op zoek dan jij adem hebt gehaald. Ik sta nu ongeveer op het punt het te vinden. Jij kunt me helpen. Jij hebt de hand erin gehad het kwarto te vinden en ik wil jou de gelegenheid geven erbij te zijn wanneer dat gebeurt.'

'Als het gebeurt, bedoel je.'

Hij knikte.

'Als het gebeurt. En ik denk dat het gebeurt, Valdemar. Ik heb al onze papieren bemachtigd om Oost-Duitsland binnen te komen. We zullen er niet lang blijven. Vind je dat dit het werkelijk niet waard is?'

Ik keek hem aan.

'Leven of dood voor wie?' vroeg ik.

'Voor wie? Wat bedoel je?'

'Je zei dat het een zaak van leven of dood was. Wiens leven is in gevaar?'

'Het mijne,' zei de professor. 'Maar maak je daarover geen zorgen. Kom met me mee en ik vertel je wat er aan de hand is. Je zult er geen spijt van krijgen, Valdemar. Dit is iets waar je nooit spijt van zult krijgen.'

X

De professor was toen een jongeman, als iemand zich hem jong kan voorstellen, en hij was onlangs Gitte voor het eerst in de Koninklijke Bibliotheek tegengekomen. Zijn haardos was natuurlijk wat steviger en behoorlijk donkerder, en het zou nog lang duren eer het wit en flodderig werd. Hij was slank geweest en goedgebouwd. Hij was misschien beter geschoren dan ooit, een in het zwart geklede heer in een stad aan de Sond. Lange vingers, die constant met oude manuscripten en documenten in de weer waren, en toen werd hij verliefd op Gitte, die als een ingetogen engel zijn leven binnenkwam. Misschien waren het zijn beste jaren toen zij op elkaar verliefd raakten en één werden. Het viel me op dat hij over Gitte zweeg. Hij had het nooit over zijn geliefde. Het was net alsof hij haar herinnering wilde behoeden voor nietszeggende woorden, hij die de kracht van woorden beter kende dan wie ook.

In die tijd onderzocht en catalogiseerde de professor met uiterste precisie de boeken- en documentenverzameling van Árni Magnússon en hij vond twee voorheen onbekende brieven van de bisschop van Uppsala in Zweden, opgevouwen in het manuscript van *De saga van de Völsungen*. In de ene brief vroeg de bisschop Árni om zijn neef goed te ontvangen, een leerling-priester die de manuscriptenverzameling van Árni wilde bestuderen. In de andere brief gaf de bisschop Árni een verslag over een aanbod dat hij had gekregen van een man uit Skåne die een praktisch onbeschadigd exemplaar van de Gudbrandsbijbel had dat hij wilde verkopen; de bisschop wilde weten of Árni interesse en de middelen had om het van hem te kopen. Op de achterkant van de brief had Árni geschreven: 'Rósa B... uitzoeken.' Twee woorden in de zin waren weggevaagd en onbegrijpelijk. De professor besteedde speciale aandacht aan het commentaar, ook al waren veel van zulk dingen hier en daar in alle brievenverzamelingen te vinden, maar hier kreeg hij geen vat op.

Twee jaar later moest hij in Kopenhagen het boekenbezit onderzoeken uit de boedel van een koopman van IJslandse afkomst, met de bedoeling de verzameling te taxeren. De professor was een beetje over de man geïnformeerd. Zijn grootvader was IJslander geweest, getrouwd met een Deense vrouw, en hij was in Denemarken een van de grootste boekenverzamelaars van zijn tijd, Baldvin Thorsteinsson heette hij. Toen de professor secuur de brievenverzameling van Baldvin onderzocht, vond hij een korte notitie van hem over een vrouw met de naam Rósa Benediktsdóttir die op Skálholt was geweest in de dagen van bisschop Brynjólf Sveinsson. De notitie stond in geen enkel verband met andere zaken in de brief van Baldvin en hij schreef erin dat het graf van Rósa ongetwijfeld moeilijk was te vinden 'als iemand op het idee kwam haar op te graven'.

De professor herinnerde zich het commentaar van Árni op de brief van de bisschop van Uppsala over Rósa B. en hij vond het de moeite waard informatie in te winnen wie zij was. Hij vond het interessant om uit te zoeken of ze het over dezelfde Rósa hadden, Árni en Baldvin Thorsteinsson. Hij had niets anders in handen dan een naam en een commentaar dat gedagtekend was met 1860, dus Rósa moest voor die datum zijn begraven. De derde reden en misschien de doorslaggevende dat de professor geïnteresseerd raakte in Rósa was datgene waar de jonge student hem op had gewezen op het runenblad in het bureau van de rector Jón Helgason dat hij had ontcijferd als 'Het boekje voor R.'.

Hij vond in Kopenhagen niets over haar en ook geen verdere aanwijzing in de brievenverzameling van Baldvin Thorsteinsson. Hij kwam kort daarna in aanraking met een gedeelte van de brievenverzameling van de bioloog Japetus Steenstrup, die bevriend was met Jónas Hallgrímsson en op Sorø woonde. Daar vond hij een brief van Jónas aan Steenstrup over de laatste wetenschappelijke reis van Jónas naar IJsland. Die was meegegaan in een kist met een grote stenenverzameling die Jónas zijn vriend stuurde en erin stond een korte notitie over de boerderij Hallsteinsstaðir. Jónas was daar geweest, schreef dat het een oude kerkgemeente was en dat als laatste daar een 'oude vrouw uit Skálholt, een bekende van bisschop Brynjólf Sveinsson' was begraven. Jónas hield een gedetailleerd dagboek bij over zijn reis, maar de professor vond er verder niets in over Hallsteinsstaðir of Rósa.

De jaren verstreken zonder dat de professor met de zaak vooruitgang boekte, bovendien was het een van de talrijke voetnoten en onderzoeksthema's die hij als wetenschapper aanpakte.

Toen Gitte stierf besloot hij naar IJsland te gaan en daar een tijd te blijven. Hij kwam op de gedachte oude registers en boeken te bekijken om te zien of de naam Rósa Benediktsdóttir ergens in voorkwam. Hij ontdekte de kerkregisters van de parochie Hallsteinsstaðir en na een systematisch onderzoek dat drie weken in beslag nam meende hij eindelijk genoeg informatie te hebben over Rósa Benediktsdóttir, als laatste op Hallsteinsstaðir.

Ze was in 1632 in de gemeente Skefilsstaðir in Skagafjörður geboren, dochter van een werkster die constant was verhuisd en twee buitenechtelijke kinderen had. Toen Rósa zeven was, werd ze ondergebracht bij Torfibeek in Asa en ze was als werkster in dienst op Sydra-Langholt in de gemeente Hrunamannafréttur, waar ze als loon kost en inwoning had. Op haar eenentwintigste kwam ze voor het eerst op Skálholt, waar ze zorgde voor de dochter van de bisschop, Ragnheiður. Ze moet in 1661 getuige zijn geweest van de verhouding tussen Daði Halldórsson, een leerling-priester en hulp van bisschop Brynjólf, en de dochter van de bisschop, Ragnheiður. Daði en Ragnheiður kregen een buitenechtelijk kind en dit werd een groot schandaal, vooral omdat de bisschopsdochter tegenover haar vader op God en de bijbel had gezworen dat ze niet met een man naar bed was geweest. Er is nooit een rechtszaak van gekomen en ze stierf jong, op haar tweeëntwintigste. Haar vader was diep bedroefd om het verlies van Ragnheiður, zoals je je kunt voorstellen. Daði had zich kort daarvoor schuldig gemaakt aan het verwekken van een tweede buitenechtelijk kind bij Guðbjörg Sveinsdóttir. Hij werd van Skálholt weggejaagd, werd een paar jaar later door de koning in ere hersteld en tot priester in Steinsholt in het gewest Arnes benoemd. Rósa ging met hem mee en ze kregen rond die tijd een kind, toen trouwden ze. Rósa bleef de daaropvolgende tien jaar in Steinsholt, werd weduwe en verhuisde voor het laatst weer met haar kind naar het noorden, naar haar halfbroer op Hallsteinsstaðir. Daar overleed ze in 1719 op oeroude leeftijd, hetgeen kan worden opgemaakt uit het overlijdensregister van de parochie Hallsteinsstaðir.

Haar graf, waar Baldvin Thorsteinsson om de een of andere reden in geïnteresseerd was, lag dus op Hallsteinsstaðir. De professor had geen idee waarom het graf van deze arme bejaarde werkster meer dan honderdveertig jaar later voor Baldvin van zo'n belang was en hij ging op reis om te proberen daar achter te komen. Hij bestudeerde de kerkgeschiedenis van de plek en hij herinnerde zich een beschrijving van een Britse reiziger, sir Dennis Leighton, die in de jaren 1721 en 1722 met een voortreffelijke entourage overal op IJsland was geweest. Bij de groep hoorde onder andere een landschapsillustrator. De groep was in Hallsteinsstaðir geweest. De tekening liet een lage turfboerderij zien met drie geveldriehoeken en een vervallen turfkerk op de achtergrond. Leighton meldde over de kerk dat deze onlangs in onbruik was geraakt en als laatste was er twee jaar eerder op de plek een begrafenis geweest, een zeer oude vrouw die onder de zoden was gelegd.

De professor ging landinwaarts naar het noorden. Het kostte hem twee dagen om in het dal te komen waar Hallsteinsstaðir lag. Hij was in zijn eentje onderweg met een tent en twee paarden die hij gehuurd had. Hij had één nacht overnacht in het dichtstbijzijnde dorp en geprobeerd inlichtingen in te winnen over een oud kerkhof, maar niemand die hij sprak wist van het bestaan af. Het dal was kort na het midden van de negentiende eeuw of rond de jaren zestig verlaten en men zei hem dat de laatste bewoner door de kou was omgekomen, waarschijnlijk gestorven op weg naar de bewoonde wereld. Je kon nog steeds de resten van de oude boerderij zien. Het dak was lang geleden ingestort, maar de muren, die voor de helft uit steen waren opgetrokken, stonden er nog, met gras begroeid. Hetzelfde werd over de turfkerk verteld. De resten ervan waren onder het hoge gras verborgen. Verder waren er op die plek geen overblijfselen van menselijk leven.

De professor zette een tent op vlak bij het kerkterrein. Een paar schapen liepen boven op de helling en het ochtendgekwetter van IJslands vogelgezang drong door in de tent waar hij lag en dacht aan Gitte op haar sterfbed toen ze bloed ophoestte en naar hem keek met die mooie ogen, zo enorm door pijnen geplaagd dat ze zich uiteindelijk aan de dood gewonnen gaf.

De volgende dag begon hij zijn onderzoek op het kerkhof. De contouren van afzonderlijke grote grasbulten waren onder het hoge gras te zien en een grote afstand lag ertussen. In vroeger tijden was een kleine stenen omwalling opgebouwd aan de zijde die grensde aan de kerk en op de grond kon je stenen ervan vinden. Het ene einde van de omwalling markeerde de omtrekken van de zuidwesthoek. Hij probeerde zich de omvang van het kerkhof voor te stellen en de juiste ligging, maar dat bleek moeilijk te zijn.

De professor had geen idee waarnaar hij op zoek was. Het verdriet had hem naar IJsland gevoerd, maar het was de nieuwsgierigheid van een wetenschapper die hem niet met rust liet vanwege de oude Rósa die genoemd was op de achterkant van de brief van de bisschop van Uppsala naar Árni Magnússon en die als een wederopstanding verscheen in een notitie van de boekenverzamelaar Baldvin Thorsteinsson. Tijdens de volkstelling van 1703 was Rósa woonachtig op Hallsteinsstaðir, als 'verzorgster van Ragnheiður Brynjólfsdóttir'. In het kerkregister van de parochie Hallsteinsstaðir, dat bewaard werd in de Landsbibliotheek in Reykjavik, werd ze op hoge leeftijd vermeld, als 'onhandelbaar'. In de annalen van Hraunsmul stond een verslag van de teraardebestelling van Rósa en er werd vermeld dat ze had verzocht begraven te worden naast haar zoon, die dertig jaar eerder was gestorven en ter aarde besteld in de zuidwesthoek van het kerkhof op Hallsteinsstaðir.

De professor wilde heel graag weten waarom Baldvin Thorsteinsson überhaupt van het bestaan af wist van een totaal onbekende volksvrouw op IJsland en waarom hij in een notitie speciaal haar laatste rustplaats noemde en toen het idee opvatte haar op te graven. Hij moest van plan zijn geweest er iets mee te doen en de professor meende dat hij zelfs het plan had opgevat het graf open te maken. Het was over de hele wereld een bekend feit dat mensen iets uit het aardse leven in hun graf meenamen. Iets wat dierbaar was toen de lijdensweg van het leven ophield en wat meeging naar een andere en betere wereld. Was het mogelijk dat Rósa iets in haar graf had meegenomen dat de boekenverzamelaar Baldvin graag wilde hebben? Hoe was hij dat te weten gekomen? Stond het in verband met het commentaar in de marge van Brynjólf over het boekje van Rósa? Die vragen hadden zich in Kopenhagen aan hem opgedrongen en nog meer toen de professor in Reykjavik was en probeerde de geschiedenis van Rósa Benediktsdóttir te traceren. Op dit moment, nu hij zelf in het noorden was aangekomen, overwoog hij of hij haar graf zou openmaken.

Toen hij dacht min of meer te hebben uitgerekend waar Rósa in de hoek van het oude kerkhof onder de zoden was gelegd, haalde hij de schop die hij had meegenomen en hij begon de aarde af te graven. Hij had geen haast. Het geschep was zwaar, de aarde droog en vol stenen en hij werd algauw moe, niet gewend aan zwaar werk, bovendien werkte die vervloekte tuberculosepoot niet mee. Hij had geluk met het weer, de zon scheen die dag hoog aan de hemel en hij leste zijn dorst in de bron die hij vond niet ver van de plek waar de kerk had gestaan. Hij had genoeg proviand bij zich en hij genoot van de eenzaamheid onder de IJslandse blauwe hemel.

Hij had ook een kleine pikhouweel bij zich, die hij gebruikte om de grond los te werken. Algauw was hij op een geschikte diepte gekomen en hij had een gat gemaakt ter lengte en breedte van een fatsoenlijke kist en hij groef het gat behoorlijk uit, maar vond niets. Hij ging verder naar links in de richting van de boerderij. Hij maakte goede vorderingen, maar hij hield op toen het allang avond was geworden. Hij at in alle rust, ging in de tent slapen en had een droomloze nacht.

De volgende dag rond twaalven vond hij een geraamte, en toen hij de aarde eraf had gegraven, zag hij tot zijn grote verwondering dat het met het gezicht naar beneden lag. En eronder zag hij een tweede schedel glinsteren, die naar hem was toe gewend, met alle tanden eruit.

Het lawaai in de coupé werd hels toen de trein op weg naar Rostock met geratel en geknars de tunnel binnen denderde. Ik schrok op op mijn bank. Ik had geboeid geluisterd naar het verhaal van de professor, die tegenover mij zat, maar ik liet niets merken. Hij pauzeerde met zijn verhaal om een snuif te nemen. Ik keek uit het raam van de coupé. Ik vond het aangenaam heen en weer geschud te worden in deze menselijke ratelslang en te merken hoe het landschap voorbijraasde, ook al was het buiten donker en stortregende het zoals vanavond en ook al was het eten in een aftands treinstel uit de tijd tussen de twee wereldoorlogen niet bijzonder.

We hadden een reis erop zitten van het zuiden van Denemarken naar Nysted, waar we de boot over de Oostzee namen naar Rostock in Oost-Duitsland. De paspoortcontrole was uiterst streng en we werden het hemd van het lijf gevraagd over wat we kwamen doen. De professor had zich onderweg grote zorgen gemaakt dat we niet tot Oost-Duitsland zouden worden toegelaten. Hij gaf als verklaring voor onze reis dat we voor de universiteit van Kopenhagen een kort wetenschappelijk bezoek brachten vanwege een onderzoek naar het documentatiearchief in het bezit van de Paulskirche in Schwerin. Hij haalde een papier uit zijn zak waarvan ik niet weet waar hij het vandaan had maar dat eruitzag als een officieel document, met een gesigneerde permissie om in Schwerin onderzoek te doen. Na wat gekibbel werden we toegelaten. We kwamen aan op het station in Rostock en ons werd verteld dat we niet verder dan Wismar konden komen, het traject van daaruit naar Schwerin was onbegaanbaar.

Ik wist eerlijk gezegd niet waarom ik met de professor mee naar Oost-Duitsland was gegaan. Er was iets in hem wat ertoe bijdroeg dat ik ondanks alles door hem werd meegesleept. In hem woedde een wonderlijk enthousiasme, iets onverzettelijks volhardends dat ervoor zorgde dat hij weigerde op te geven. Ik kende toen maar een fractie van de problemen waar hij mee te kampen had, niet in de laatste plaats vanwege zijn positie aan de universiteit. Dat werd mij pas later duidelijk, toen ik me de bodemloze afgrond bewust werd die voor hem gaapte, en ik kon alleen maar bewondering hebben voor zijn gemoedsrust en hoe hij probeerde datgene te compenseren wat er was gebeurd. Hij dronk zoveel, meer dan ieder ander die ik kende, maar zelfs ondanks het feit dat hij dronk en die vreselijke troep snoof, had hij doorgaans meer energie, alertheid en wijsheid dan een heel leger geheelonthouders.

Als er iets is dat een fysiek afweersysteem heet, moet er ook zoiets bestaan als een psychisch afweersysteem, en dit is voor een mens net zo belangrijk. Ik merkte voor het eerst op reis met de professor dat de manie en schalksheid die zulke belangrijke elementen in zijn karakter waren, een vorm van verdediging waren tegen impulsen, vragen en zelfs nieuwsgierigheid, waarvan hij altijd zei dat het de grootste gebreken in het karakter van de IJslander waren. Die eeuwige, vervloekte nieuwsgierigheid! Als je door zijn afweersysteem brak, de beledigingen en ironische opmerkingen, de laster, verwensingen en vervloekingen van je afsloeg, verscheen een andere persoonlijkheid, bijna gevoelig, die zich aan mij voor het eerst openbaarde in zijn werkkamer toen de professor straalbezopen zo gekweld om zijn Gitte riep. Later op mijn kleine kamer in de Skt. Pederstræde kreeg ik een betere kijk in zijn binnenste, toen hij zei dat hij mij nodig had. Ondanks zijn onbeschaamdheid en datgene wat hij over mij en mijn moeder zei, wilde ik hem graag helpen.

Maar het was niet alleen uit sympathie dat ik medelijden met hem had. Hier zat meer achter, een gevoel dat voor mij als een verrassing kwam. Mijn interesse was gewekt. Ik wilde meer weten. De professor had mijn nieuwsgierigheid geprikkeld toen hij het papier onder het bureau van rector Jón vandaan haalde en mij meenam naar de ontmoeting met Jörgensen. De professor noemde het een oud jachtinstinct en ik weet niet of er een beter woord voor bestaat. Als hij op het spoor kwam van een manuscript, boek of brief die hij enigszins van waarde vond voor de IJslandse cultuur of gewoon voor hemzelf – ik laat in het midden of het van even grote waarde was als het verloren kwarto uit het Koningsboek – dan volgde hij het spoor als een blooddorstige walvisvaarder. Ik had nooit eerder iets dergelijks ervaren, maar ik had hoge verwachtingen, een vreemd soort spanning die het bloed in beweging bracht. Ik had gedacht dat manuscriptenonderzoek een bezigheid was die werd beoefend in een warme, gezellige werkkamer waar je afgeschermd kon zijn van de moderne wereld met al zijn rumoer. Ik had me een bepaalde voorstelling van het werk gemaakt en ik hield ervan omdat onderwijs en onderzoek tegelijkertijd gebeurde in een aangename werkomgeving. Maar toen bracht de professor iets in mij in beweging en opeens begon mijn bloed sneller te stromen, mijn denken werd gestimuleerd, een spanning kwam los in mijn zenuwstelsel.

Ik had eigenlijk niet verwacht dat het mij zo zou overvallen. Ik had altijd een zwak gehad voor commentaren in de marge, opmerkingen of notities, informatie van eeuwen geleden die zich had opgestapeld buiten de oude sagatraditie. Die opmerkingen konden zeer uiteenlopend zijn en sommige legden geheel nieuwe dimensies bloot die zelfs interessanter waren dan het manuscript of perkament waaraan ze waren toegevoegd. En omdat *De saga van Gauk Trandilsson* hier is genoemd, kan ik een voorbeeld nemen uit *Het boek van Mödruvellir*, een perkamenten boek waarin de meeste saga's van de IJslanders zijn bewaard, dat misschien iets verklaart van wat ik probeer te vertellen.

Als eerste staat *De saga van Njal* hierin en dan komt *De saga van Egil*, maar ertussenin zitten twee lege bladen. Voor het grootste gedeelte staat er onbegrijpelijk gekrabbel op, maar ook een regel die Jón Helgason, paleograaf en rector van de Árni Collectie, ontcijferde als: 'Hier moet je *De saga van Gauk Trandilsson* schrijven. Men heeft mij verteld dat Thorgrim het in zijn bezit heeft.' Deze eenduidige opmerking is het onomstotelijke bewijs dat er een saga heeft bestaan die die naam draagt en die over Gauk Trandilsson gaat, maar hij is verloren gegaan, misschien wel meteen bij de voornoemde Thorgrim.

Het was informatie zoals deze, verscholen in één regel, dat een groot mysterie werd geopenbaard. Mijn professor was zeer efficiënt in het vinden van dergelijke notities en het was voor hem van groot belang de mysteries te ontraadselen die ze hadden achtergehouden. Dat was zijn levenswerk. Hoewel ik ze altijd spitsvondig heb gevonden is het nooit bij me opgekomen er jacht op te maken, laat staan in een ander land. De professor veranderde dat. Hij leerde mij dat in de wetenschap niets zo onbeduidend was dat het niet de moeite waard was er ten minste een treinkaartje voor te kopen.

'Bedankt dat je met me meegegaan bent, Valdemar,' zei de professor opeens en hij keek me aan terwijl ik in de trein diep in gedachten verzonken zat.

'Ik wou graag mee,' zei ik en ik schraapte mijn keel. 'Daar hoef je me niet voor te bedanken.'

'Ik had dat over je moeder niet moeten zeggen.'

Ik zweeg. Ik wilde niet over mijn moeder praten. Met hem noch met iemand anders.

'Hoor je wel 'ns iets van haar?' vroeg de professor.

'Nee,' zei ik. 'Nauwelijks nog.'

'En je vader?' vroeg de professor.

'Ik wil er niet over praten,' zei ik. 'Het doet er niet toe.'

'Doet het er niet toe wie je vader is?'

'Nee,' zei ik. 'Dat doet er niet toe.'

'Je achternaam is Hansson, dat is ongebruikelijk. Hansson betekend 'zijn zoon' en wordt alleen maar gebruikt als de naam van de vader niet bekend is, of men hem niet bekend wil maken.'

'Ja.'

'En je moeder keurt dat goed?'

'We hebben geen contact, mijn moeder en ik.'

De professor keek me lang aan en ik dacht dat hij mij verder wilde uitvragen over mijn privéleven, maar hij hield zich in en keek naar buiten in het nachtelijk duister.

We kwamen diep in de nacht in Wismar aan en kochten een kaartje voor de bus, een aftands voertuig uit de tijd tussen de wereldoorlogen, die met ons verder rammelde in de richting van Schwerin. We hadden even op een houten bank in het busstation geslapen en dat was de enige rust die we op onze reis kregen.

De professor ging verder met het verhaal over zijn ontdekking ver weg in het verlaten dal op IJsland toen hij tot zijn verbazing twee lijken in hetzelfde graf vond.

'Twee lijken?' zei ik. 'Wat was er gebeurd?'

'De boer op Hallsteinsstaðir verdween heel plotseling uit de streek,' zei de professor. 'Ik vermoed dat hij het is geweest die boven op Rósa lag. Vermoord, vermoedelijk.'

'Heeft die Baldvin dan de boer vermoord, wil je dat ermee zeggen?'

De professor schudde het hoofd.

'Baldvin stierf in 1861, twee jaar voordat de oude boer verdween. Dus

Baldvin kan het niet geweest zijn. Hij kan niet naar IJsland zijn gekomen om het graf open te maken. Het moet iemand anders zijn geweest. Maar ik heb geen idee wie dat was. Ik ben sindsdien naar hem op zoek. Overal waar ik kom speelt in mijn hoofd wie het graf van Rósa geopend kan hebben, maar ik ben er nooit mee opgeschoten. Ik heb lang en hard op de geschiedenis van die reis en de passagierslijst gewerkt, maar ik miste dat ene wat we in Áros hebben gevonden. Pas toen ik daar in het archief de naam Ronald. D. Jörgensen hoorde, wist ik dat ik hem had gevonden. Hij en Baldvin kenden elkaar door het verzamelen van boeken. Ze correspondeerden met elkaar. Ik ben op de hoogte van een brief van Jörgensen in de verzameling van Baldvin over oude boeken, perkamenten manuscripten en allerlei oude documenten. Jörgensen leefde toentertijd, en zoals we hebben vastgesteld ging hij naar IJsland in hetzelfde jaar dat de boer op Hallsteinsstaðir verdween. Naar mijn mening heeft hij de boer om een of andere reden aangevallen. Ik heb het geraamte onderzocht dat boven op de oude Rósa lag, en hoewel ik geen specialist ben was het jonger dan het geraamte onder haar. Ik heb de beenderen goed schoongemaakt en ze zo nauwkeurig mogelijk onderzocht; het leek mij dat boven aan de linkerkant van de derde rib een snee zat, waarvan ik aannam dat die door een scherp mes was achtergelaten, misschien wel een zeis.'

'De boer is dus doodgestoken.'

'Hoogstwaarschijnlijk.'

'En hij was bij het oude mens in het graf gegooid?'

'Daar ziet het naar uit,' zei de professor. 'Dat klopt met de verhalen over de boer die 's winters verdween en nooit is teruggevonden. Ik heb daarover meer inlichtingen ingewonnen toen ik weer in het dorp was. Ze hadden daar een voortreffelijk districtsarchief met een scherpzinnige superieur die me vertelde over het lot van de boer. Er wordt met stelligheid beweerd dat de boer van plan was geweest verder het dal in te gaan, vermoedelijk naar zijn neef, en dat hij samen met zijn hond is vertrokken maar is verdwaald, misschien in afschuwelijk slecht weer en van de kou is omgekomen. Ze hebben hem gezocht en spoorzoekers keken elke herfst uit naar hem als de schapen in de dalen werden opgedreven, maar zijn stoffelijke resten zijn nooit gevonden. Het is mogelijk dat een vreemdeling de boer in de boerderij heeft vermoord, maar ik acht dat onwaarschijnlijk. De boerderij was keurig opgeruimd achtergelaten volgens degenen die hem zochten. Ik denk dat Ronald D. Jörgensen hem bij het graf heeft vermoord om zich de moeite te besparen het lijk naar het kerkhof te slepen. Waarschijnlijk tegelijkertijd toen hij datgene vond waarnaar hij zocht. Of de boer werd neergestoken, gewurgd of doodgeslagen doet er helemaal niet toe, en ook niet of dat op de boerderij gebeurde of erbuiten. Hij verdween van de aardbodem op dezelfde tijd dat Ronald D. Jörgensen met de Acturus naar IJsland kwam en meende de begraafplaats van Rósa Benediktsdóttir bij Hallsteinsstaðir te hebben gevonden.'

'Maar waarom de boer vermoorden?' vroeg ik.

'Dat mag God weten,' zei de professor en hij keek uit het raam van de bus in het nachtelijk duister dat voorbijvloog. 'Jörgensen heeft zich waarschijnlijk gedwongen gevoeld hem het zwijgen op te leggen. Misschien heeft de boer iets ontzettend stoms gezegd.'

'Heb je iets anders in het graf gevonden?'

'Nee,' zei de professor. 'Niets.'

'En het was het verloren kwarto wat Ronald vond? Opende hij daarom het graf? Moest hij daarom de boer vermoorden?'

De professor keek door zijn spiegelbeeld in het glas van de ruit.

'Ja, ik denk dat het het verloren kwarto uit het Koningsboek is geweest,' zei hij. 'Ik denk dat de oude Rósa het mee in haar graf heeft genomen. Vermoedelijk stal ze het toen ze op Skálholt was.'

'Het boekje voor Rósa,' zei ik en ik dacht terug aan het document in het bureau van voorzitter Jón Sigurðsson. 'Brynjólf had het over deze Rósa.'

'Ja, "Het boekje voor R.",' zei de professor. 'De R slaat op geen van de twee Ragnheiðurs, Brynjólfsdóttir noch Torfadóttir zoals ik vroeger dacht, maar op de oude Rósa Benediktsdóttir. Ze had vermoedelijk een kind van Daði Halldórsson, die in zoveel liefdesgeschiedenissen was verwikkeld. Het is heel goed mogelijk dat ze op Skálholt met hem is ingewijd in de magie en zwarte kunst en dat ze voor hun doel iets uit het kwarto hebben gebruikt. De plek was ten tijde van Brynjólf vergeven van de zwarte kunst. Ik denk dat het kwarto daar is verdwenen en later in de kist met Rósa is meegegaan.'

'En Ronald heeft haar opgegraven?'

'Ja.'

De professor keek weg van het raam naar mij en kwam weer terug op het verhaal van de twee geraamtes in het dal dat zo lang geleden was verlaten.

Hij was tot ver in de avond bezig met het voorzichtig verwijderen van de aarde van de beenderen tot het hem duidelijk was hoe ze in het graf waren gelegd. De armzalige kist van Rósa lag in stukken in de droge grond en hier en daar staken planken omhoog uit de aarde. Hij legde die op de rand van het graf. Hij dacht na over de boer die spoorloos van zijn boerderij verdween en hij realiseerde zich dat hij hier was gevonden, in het graf van een ander.

De professor at een hapje, ging rond middernacht doodmoe slapen en had een kwade droom die zich afspeelde bij het open graf. Het was evenwel niet Rósa noch de boer die hem bezocht maar Gitte, die uitgemergeld in zijn droom verscheen, met uit haar mondhoeken strepen bloed die omlaag liepen, en de pijn in haar ogen maakte dat hij wakker schrok. Hij was kletsnat van het zweet, trilde over zijn hele lijf en hij wilde niet meer gaan liggen om te slapen. Hij voelde een bijtende pijn in zijn handen van het zware graafwerk. Hij klaagde nooit over de pijn in zijn been. Integendeel, hij zag het als een bitterzoete herinnering aan de veel te weinige uren die hij en Gitte samen hadden beleefd.

De professor peinsde de hele tijd dat hij bezig was met het opgraven van Rósa en het schoonmaken van de beenderen wat hij ermee zou doen, wat hij zou doen met de kennis die hij had verkregen. Hij bracht de dag door met deze overwegingen terwijl hij de botten beter schoonmaakte en ze onderzocht. Hij wilde niet langer op die plek blijven dan dringend noodzakelijk was. Hij vond verder niets in het graf, niets wat erop wees wat het was dat Rósa had meegenomen in het eeuwige leven.

Toen hij 's nachts wakker werd, was hij tot een conclusie gekomen. Hij was van plan het erbij te laten zitten. Hij sprak er niet over in zijn werkkring dat hij een oude moord had opgelost. Toen hij zijn onderzoek had voltooid, schoffelde hij het gat boven Rósa en de boer weer dicht en bracht de begraafplaats zo goed als hij kon op orde. Hij bleef geen nacht meer in het dal slapen maar ging haastig weg en hij kwam twee dagen later in het dorp aan. Een week later scheepte hij zich in en voer terug naar Kopenhagen.

XI

Wij kwamen uiteindelijk na een vermoeiende reis aan in Schwerin toen het allang dag was. Er waren weinig mensen op straat en een droefgeestige mist lag over de stad toen we het busstation uit kwamen. De professor leek precies te weten waar we heen moesten en hij struinde meteen de stad in. Ik volgde hem op een afstandje.

Schwerin was vroeger een groothertogdom in het noorden aan de Oostzee onder traditioneel feodaal gezag, maar toen de communisten na de Tweede Wereldoorlog de macht in Oost-Duitsland overnamen deelden ze het gebied op in Schwerin, Rostock en Neubrandenburg. De stad die wij bezochten heette Schwerin en ze pochte op een gotische kathedraal uit de veertiende eeuw, de Paulskirche, en de professor stevende zo snel als hij kon met zijn stok daarheen. Ik kreeg niet de tijd om van de oude Duitse hertogstad te genieten. Ik merkte dat de professor graag zijn bezigheden in die plaats snel tot een einde wilde brengen om ogenblikkelijk weer weg te gaan.

'Maar hoe wist Ronald van het bestaan van Rósa?' vroeg ik kortademig toen we in de buurt van de kerk kwamen. De professor wou informatie bemachtigen over het mausoleum van Ronald D. Jörgensen.

'Ik heb geen idee,' zei de professor. 'Hij heeft die kennis over haar mogelijk op verschillende manieren verkregen, want hij was een gedegen speurder. Ik kan alleen maar gissen dat hij, net als ik, ergens in de documenten haar naam kort vermeld heeft zien staan, en dat heeft zijn nieuwsgierigheid opgewekt. We krijgen het waarschijnlijk nooit te weten, bovendien doet het er misschien helemaal niet toe. Het komt me zo voor dat hij bijvoorbeeld heeft geweten of gehoord van het runenblad van Jón Sigurðsson en dat dat hem op weg heeft geholpen.'

'Maar waarom het kwarto stelen, wat dacht Rósa daarbij?'

'Ik stel me zo voor dat ze het voor Daði heeft gedaan. Ik vond een liefdesbrief van haar waarin ze zegt bereid te zijn voor hem het leven te laten. Wat Daði van plan was met het kwarto uit het Koningsboek is een compleet raadsel. Of zij samen. Ik denk dat we daar nooit achter zullen komen.'

'Rósa heeft niet van het kwarto willen scheiden,' zei ik.

'Nee, ik kan me voorstellen dat het voor haar van grote waarde is geweest,' zei de professor. 'Waarschijnlijk was het de schakel tussen de oude liefdesgeschiedenis van haar en Daði. Mogelijk heeft Daði het kwarto gepikt en aan Rósa gegeven. Of omgekeerd. Het kan alle kanten op. Rósa liet zich naast haar zoon begraven. Misschien is dat een aanwijzing dat Daði de vader was. Van de andere kant is het heel moeilijk gissen naar de ontbrekende stukjes.'

'Ja, waarschijnlijk is dat zo.'

'Het is het beste dat ik het alleen ga vragen,' zei de professor terwijl hij naar de kerk omhoogkeek. 'We moeten niet al te veel opvallen.'

Toen stoof hij weg. Ik wachtte buiten op hem en bewonderde de kerk. Het was een groot, rijk geornamenteerd bouwwerk met een ongeveer honderdtwintig meter hoge toren, aan alle zijden omgeven door kleine huizen zodat het een beetje ingesloten lag. Op weg erheen was de lucht ietwat opgeklaard en we zagen het prachtige kasteel aan een van de zeven meren rondom de stad. Het was duidelijk dat Schwerin een oude, Duitse cultuurstad was die overal getuigde van een oud staatsdomein.

De professor kwam weer terug en we vonden een nogal verlopen restaurant aan de Mecklenburgstraße waar we gebraden varkensvlees aten dat we met bier wegspoelden. De professor nam ook twee borrels. Voor we daar belandden had hij op onze reis niet eerder gedronken.

'Wat ben je over het mausoleum te weten gekomen?'

'Het is aangeduid als Q 555. Het mausoleum is niet afgesloten en er is geen toezicht op het kerkhof, overdag noch 's nachts. We zouden het in alle rust kunnen bekijken.'

'Wat, nu?' vroeg ik en ik keek om me heen. We waren de enigen in het restaurant.

'We wachten tot vanavond,' zei de professor.

'Ik heb hier geen trek in,' zei ik nerveus. 'We plegen een misdrijf. Dat besef je toch.'

'Maak je niet zo'n zorgen, Valdemar. Niemand zal het te weten komen. Nooit.'

'Te weten komen?' bauwde ik hem afwezig na.

'We doen dit niet voor onszelf,' zei de professor. 'Er staan veel meer en grotere belangen dan die van jou of mij op het spel. Probeer het zo te zien. Dan word je misschien een beetje kalmer.'

'Maar als hij er niet ligt met het kwarto, wat dan?'

'Dan leggen we alles terug op zijn plek en gaan we verder met zoeken.'

Hij zweeg en haalde zijn tabaksdoosje tevoorschijn.

'We zijn zoveel kwijtgeraakt,' zei hij bedrukt.

'Manuscripten, bedoel je...?'

'Als je nadenkt over die enorme hoeveelheid die vernietigd is, verbrand, vergaan, vergeten en verloren,' zei hij. 'Alles wat ons tot een volk heeft gemaakt. Al die schatten. De boekenkist van Ingimund die we kennen uit *De saga van de Sturlungen* en die bij Drangur aan land aangespoeld is gevonden. Het zou interessant zijn daar aan te komen. Toen alles wat Hannes Thorleifsson in 1682 verzamelde en bij Langenes in zee verdween. Jón Grunnvíking schreef dat een hele archiefkist met documenten en perkamenten boeken in de rivier de Elbe is gezonken op weg tussen IJsland en Hamburg.'

De professor zuchtte diep.

'Sommigen hebben privéverzamelingen zonder toestemming meegenomen, zoals hertog August in de zeventiende eeuw. Hij kocht manuscripten in Kopenhagen die nu bewaard worden in Wolfenbüttel in Duitsland: *De saga van Egil*, en *De Eyrbyggja saga* op perkament uit de veertiende eeuw.'

Wij van de Oudijslandse faculteit kenden verhalen hoe hele manuscriptenverzamelingen verloren zijn geraakt, vernietigd, maar ik had het nooit horen beschrijven met zo'n intens gevoel van verlies en hartstocht. In mijn hart was ik het natuurlijk eens met de professor. Ik wilde hem helpen, maar ik huiverde bij de gedachte grafschennis te plegen en ik werd door een minderwaardigheidscomplex bevangen. Het deed er niet toe dat het voor een goede zaak was. De professor zag het zo – afgaande op de schipbreuk bij Langenes en het ongeluk op de Elbe – dat als er ook maar een beetje hoop was dat het kwarto uit het Koningsboek in de kist bij Ronald D. Jörgensen in Schwerin lag, hij zich ervan moest vergewissen of het inderdaad zo was en zo ja, hij het naar IJsland moest brengen.

Toen het begon te schemeren dwaalden we door de stad, doelloos naar ik dacht. Eer ik het in de gaten had, waren we in een wijk van flatgebouwen gekomen. Er stonden armzalige flats met binnenplaatsen en hier en daar berghokken. Tot mijn grote verbazing probeerde de professor bij sommige of ze op slot waren tot het hem lukte er eentje open te krijgen.

'Wat ben je aan het doen?' fluisterde ik.

'Let op of er iemand aankomt,' zei hij en hij verdween in het schuurtje.

Ik keek om me heen. Godzijdank was er geen kip. De professor kwam weer tevoorschijn met een olielamp in zijn hand, die hij mij aanreikte, en hij verdween opnieuw in het schuurtje. Toen hij er weer uit kwam had hij een stevige hamer en beitel bij zich, die hij ook aan mij gaf.

'Ik neem de lamp wel,' zei hij.

'Wat ben je van plan?'

'Het heeft geen zin de aandacht te trekken en dit in een winkel te kopen nu we het hebben gevonden,' gaf de professor als antwoord en hij deed de deur van het schuurtje weer dicht. 'Kom, we gaan,' zei hij en hij keek snel om zich heen.

'Het hebben gevonden?'

'We brengen het weer terug,' zei hij.

De professor beende zo snel over straat dat de lamp heen en weer zwenkte en de petroleum erin klotste. Eer ik het in de gaten had liep ik achter hem aan met een hamer in de ene hand en een beitel in de andere. We vertraagden onze pas niet voor we bij het oude kerkhof waren gekomen, waarvan ik niet precies doorhad waar het lag. Het was donker geworden en we slopen het kerkhof op. Ik had een bang voorgevoel over het werk dat ons te wachten stond en ik bedacht dat het beter zou zijn als ik het gereedschap liet vallen, ervandoor ging en het eerste het beste voertuig het land uit zou nemen, vergeten dat dit ooit gebeurd was en verdergaan met mijn filologiestudie alsof er niets was tussen gekomen; de professor en zijn obsessies vergeten, dit allemaal vergeten. Aan de andere kant werd ik ingekapseld door een vreemd soort spanning. Mijn hart transformeerde zich tot een klein vogeltje dat in mijn borst fladderde. Stel je voor dat we het verloren kwarto uit het Koningsboek vonden! Wat een vondst! Wat een prestatie! Onze naam zou in de geschiedenisboeken komen. We zouden een onmetelijke schat terugkrijgen die eeuwenlang verloren was geweest! Zou het werkelijk gebeuren? Had de professor het verloren kwarto gevonden?!

De professor liet zich nergens van afbrengen en hij ging op de tast voort in de richting van de reeds lang afgekoelde stoffelijke resten van Ronald. D. Jörgensen. De dikke mist die 's middags over de stad lag was nu verdwenen. Boven ons brak het wolkendek open en de maan kwam tevoorschijn aan het pikzwarte hemelgewelf met overal kleine lachende sterren. De professor bleef staan.

'Misschien is er te veel licht,' zei hij en hij keek bezorgd om zich heen.

'Moeten we dit echt doen?' vroeg ik aarzelend.

Hij moet de angst in mijn stem hebben gehoord, want hij kwam naar me toe en pakte mij bij de schouder.

'Eén ding is zeker,' zei hij met veel moeite, 'je zult nooit, nooit in je hele leven meer iets doen wat zo belangrijk is, als we hier het kwarto vinden. Je moet geen vooroordelen hebben. We doen niemand kwaad. Men zal er nooit achter komen. Hier komt nooit meer iemand. En ook al zou iemand zien dat het mausoleum verstoord is, dan zijn wij allang vertrokken. Bovendien was Ronald geen koorknaap. Hij deed hetzelfde wat wij nu doen en bovendien was hij een moordenaar. Verdient hij ons respect? Staat hij niet bij ons in het krijt? Hij vermoordde een onschuldige boer en gooide hem in een open graf. Schepte toen aarde over hem heen. Zijn wij deze man iets schuldig?'

Hij staarde mij een tijdje aan met zijn donkerblauwe ogen tot ik het hoofd schudde. Het was hem gelukt mij te overtuigen.

'Laten we dan aan de slag gaan,' zei ik.

'Ik wist dat je lef had, Valdemar.'

Het echtpaar Jörgensen was begraven in een klein huisje opgetrokken uit steen met een smalle koperen deur. De deur was niet afgesloten of misschien was het slot kapot, en er was niemand die zich om het onderhoud bekommerde. Toen we binnen waren, zagen we duidelijk twee grafstenen in het flikkerende licht. Het plafond was laag zodat we nauwelijks rechtop konden staan. Het was geen pretje daar te zijn, koud en donker. De grafstenen reikten tot op de vloer, elk had zijn inscriptie. Op de ene zag ik de contouren van de vrouwennaam Eleonara. De naam van Ronald D. Jörgensen met de geboorte- en sterfdatum stond op de andere grafsteen. Onder de naam stond *pax vobiscum*.

Hij zal vannacht niet in vrede rusten, dacht ik en ik rilde bij de gedachte.

De professor nam met het gereedschap dat we hadden gestolen de grafsteen onder handen en hij begon hem los te wrikken. Ik was nog nooit van mijn leven op een plek als deze geweest, maar de professor legde uit dat de kist van Jörgensen onder de grafsteen in gewijde rust moest liggen. We hoefden die kist alleen maar bloot te leggen, erin te kijken en hem dan weer op zijn plek te leggen. Ik keek wat de professor deed. Het karwei veroorzaakte een behoorlijk lawaai en ik liep achteruit naar de koperen deur en ging buiten bij het huisje op de uitkijk staan. Ik begreep dat de professor trachtte de grafsteen niet te beschadigen. De steen was bij de opening bepleisterd en hij probeerde hem niet te breken. Na een tijdje vroeg hij mij het over te nemen en hij drukte me op het hart ervoor te zorgen niet de grafsteen kapot te maken. Hij hield de olielamp vast. Ik keek hem nerveus aan. Ik kreeg opeens het gevoel dat iemand ons was gevolgd, dat ergens op het donkere kerkhof onderzoekende ogen op ons rustten, getuigen van een grafroof, heiligschennis.

'Maak je daarover geen zorgen,' zei de professor. 'Ik heb het in de kerk nagekeken, dit kerkhof wordt niet bewaakt.'

'Ik dacht dat ik iets hoorde,' zei ik en ik tuurde naar buiten over het kerkhof.

'Gewoon hersenschimmen,' zei hij kalm. 'Ga door. Hij geeft mee. We zijn hier weg voor je het weet.'

Hij ging op wacht staan en ik werkte verder op de steen en probeerde het zo te doen dat er zo min mogelijk lawaai uit het mausoleum kwam. Ik was in feite doodsbenauwd over wat we aan het doen waren en ik verwachtte elk moment dat de politie ons omsingelde en arresteerde en ik zag een zware gevangenisstraf voor me; het nieuws van deze misdaad zou IJsland bereiken en mijn naam zou voor altijd met een grafroof zijn verbonden.

Tegelijk met deze sombere gedachten kwam plotseling de steen los. Hierop volgde een zware dreun toen hij op de vloer viel. Ik riep de professor, die mij hielp de steen van de opening te schuiven. Hij was ontzettend zwaar en we worstelden er lang mee tot we er greep op kregen en we de grafsteen opzij konden leggen.

De professor lichtte met de lantaarn bij in het gat en zijn enthousiasme werd groter toen de kist voor de dag kwam. We strekten onze handen ernaar uit om hem uit zijn holte te halen. In gedachten had de professor dit uur ongetwijfeld steeds maar weer beleefd, en nu het niet langer een hersenschim of droom was, had hij het er moeilijk mee. De professor trok uit alle macht aan de kist. Die was zwaarder dan de grafsteen en we moesten alles op alles zetten. Stukje bij beetje, langzaam maar zeker kroop hij naar de oppervlakte.

Na hard ploegen kregen we de kist uiteindelijk uit zijn rustplaats. Een massief deksel was met grote koperen sluitingen vastgeschroefd en de professor begon ze los te maken. In het geflikker van de lamp was het een vreemd en afschuwelijk gezicht hem bij de kist geknield te zien en de sluitingen er met de hamer een voor een af te zien slaan. De kist was zo goed als nieuw, was redelijk in zijn rustplaats bewaard gebleven, en erbovenop lag een kleine stofhoop, waarvan ik me voorstelde dat het de resten van een bloemenkrans waren. Ik wist niet wat ik moest denken of doen. Ik ging naar de deur en keek de hele tijd panisch om me heen. De hoge bomen op het kerkhof werden onheilspellend in het maanlicht. Niets beviel me minder dan het graf van een dode die ons koud toeademde. Ik keek weer naar binnen in het mausoleum. Het gat dat wij hadden geopend was als een gapende muil op een geweide plek, een schreeuw uit het verleden over het verstoren van de rust en het zaaien van destructie.

'Zo,' zei de professor. 'Nu is het voor elkaar!'

De destructie leek op hem geen effect te hebben.

'Kun je de kist open krijgen?' fluisterde ik. Mijn stem was begonnen te trillen.

Hij worstelde met het deksel en met grote moeite wist hij het opzij te duwen. Hij vroeg me hem te helpen en ik zette de lamp naast me neer. Samen schoven we het deksel van de kist af en plotseling stonden we oog in oog met de stoffelijke resten van Ronald D. Jörgensen, boekenverzamelaar en moordenaar.

De professor hield de lamp boven de kist en het geraamte verzwolg ons; het was geheel vleesloos maar gekleed in een deftig pak, dat na een lang verblijf in het graf duidelijk tekenen van verrotting vertoonde. Het afgrijselijkste waren de lege oogkassen en de krachtige tanden, waarvan ik vond dat ze een eigenaardige, bijna duivelse grijns maakten. Jullie moesten beter weten, zei het, twee mannen uit IJsland; de schande zal te allen tijde aan jullie kleven en niets kan dat wegwissen. Ik huiverde. Ik keek naar de professor. Hij toonde geen interesse voor het geraamte. Zijn ogen gingen naar datgene wat tussen de botten van zijn vuisten op de heupen lag, een metalen kistje dat Ronald Jörgensen met zich mee in het graf had genomen.

De professor pakte het kistje vast en wilde het naar zich toe grissen, maar Ronald was niet bereid het los te laten. Zijn vuisten hielden het stevig vast. Mijn oog viel op een dikke gouden ring aan zijn ringvinger. Toen de professor uiteindelijk het kistje wist te bemachtigen, kwam de rechterarm van de eigenaar mee. Een zachte knak was te horen toen de arm van de schouder brak en de ring viel met een hels kabaal op de vloer. De professor pakte de ring en legde hem boven op het deftige pak. Ik hapte naar adem, maar de professor deed alsof er niets aan de hand was, pakte de arm en legde hem boven op de kist.

'Zo,' zei hij en hij maakte een klein kruisteken over de kist.

Toen legden we het deksel weer op zijn plek. Ik was ontzettend opgelucht het geraamte niet meer te zien, de oogkassen en de grijns van zijn tanden.

Ik begon het deksel op de kist te bevestigen en samen duwden we alles weer op zijn plek. We legden de grafsteen zo goed als we konden over de opening. De professor was voor mij het mausoleum uit en hij was bij een statig houten kruis gaan zitten met de lamp en het metalen kistje dat Jörgensen in zijn dode vuisten had gehouden. Ik keek tersluiks naar hem terwijl ik de deur van het mausoleum dichtdeed. Het liefst wilde ik ijlings weg van het kerkhof en er nooit meer terugkomen, maar de professor had de leiding bij deze reis. Hij had lang op dit moment gewacht.

Hij zat een tijdje roerloos met het kistje in zijn handen en staarde ernaar alsof hij in een andere wereld verkeerde; ik dacht dat hij misschien bang was het open te maken. Misschien vreesde hij dat ondanks alles zijn droom niet in vervulling zou gaan. Toen zag ik hoe hij probeerde het met zijn handen te openen, maar dat lukte niet. Hij haalde een klein mes tevoorschijn dat hij bij zich had en schoof het lemmet onder het deksel. Het was niet zozeer het slot, maar het deksel dat op het kistje vastzat. De professor zat er lang mee te prutsen. Ik zag dat hij voorzichtig te werk wilde gaan om het niet kapot te maken. Ik keek naar het mausoleum. We hadden geprobeerd het zo op orde te brengen dat niemand iets zou ontdekken, maar ik vreesde dat het de mensen niet zou ontgaan dat hier een vreselijk kwaad was geschied.

Ik stond met de hamer en beitel in mijn handen bij de professor op de uitkijk en zei hem dat we het kerkhof af moesten gaan en de eerste bus naar het noorden, naar de Oostzee moesten nemen. Ik merkte dat hij niet naar mij luisterde. Het was hem gelukt het ijzeren kistje open te krijgen. Het deksel lag naast hem op de grond en hij staarde omlaag naar de inhoud. Ik zag slechts een of andere lap. Een eeuwigheid verstreek voordat hij zijn hand optilde, de lap voorzichtig uit het kistje haalde en het op zijn knie legde. Hij vouwde de lap uit en een paar losse bladen kwamen tevoorschijn, perkament, donker met een duidelijk handschrift.

De professor hapte naar lucht in het schijnsel van de lantaarn.

'Is het mogelijk?' kreunde hij.

Ik zag dat hij de bladen telde.

'Ik denk dat dit mogelijk het kwarto is. Ik denk dat dit mogelijk het kwarto uit het Koningsboek is, Valdemar!'

'Hebben we het gevonden?'

'Dit is het kwarto,' zei de professor en ik zag dat hij de tekst nauwkeurig bekeek.

'Zijn het acht bladen?' vroeg ik bevlogen.

Hij kreeg niet de tijd om antwoord te geven. Opeens hoorde ik een geritsel achter me. Mijn haren stonden rechtop in mijn nek. Ik durfde me niet om te draaien.

'Ach, Herr professor,' zei een welluidende stem.

De professor kwam langzaam overeind. Ik draaide me om en zag drie mannen uit de duisternis naderbij komen. Het was alsof mijn hart stilstond. Het liefst wilde ik vluchten, ervandoor gaan en proberen in de duisternis te verdwijnen. De twee mannen uit de Witte kwamen kalm op ons toe gelopen, Joachim von Orlepp en de man die ik slechts als Helmut kende. Ditmaal was er een derde man bij hen, die ik nog niet eerder had gezien. Erachter op een afstandje stonden nog eens drie mannen die volgens mij van de Oost-Duitse politie konden zijn.

'Joachim von Orlepp!' fluisterde de professor.

Het was alsof hij de wagnerianen compleet was vergeten.

'Prettig je te zien, Herr professor,' zei Joachim en hij boog alsof hij met de professor een loopje wilde nemen. 'Is het niet een beetje ongebruikelijk, zelfs voor u, op uw leeftijd een grafroof te plegen?'

'Hoe heb je...?'

'We hebben u een tijdje gevolgd.'

De professor keek naar de agenten die achter Joachim stonden.

'Ik geniet de hulp van mijn vrienden in Rostock,' zei Joachim. 'En ook hier in Schwerin. Ze zijn niet bepaald gecharmeerd van grafrovers.'

Joachim keek naar mij.

'Wie is dat bij u? Wat is dat voor 'n knul?'

Hij kwam naar mij toe en ik trok me terug tot ik aan de zijde van de professor kwam te staan, die zijn handen achter zijn rug hield alsof hij de perkamenten bladen tegen deze onverwachte aanval kon verdedigen. Joachim leek de rust zelve en hij keek ons om beurten aan. Zijn ogen bleven op mij rusten.

'Wie ben jij?' vroeg hij en een lichte glimlach verscheen op zijn lippen.

'Ik... ik heet Val...'

‘Je hoeft hem geen antwoord te geven,’ zei de professor bruusk. ‘Laat ons met rust, Joachim. We zijn hier voor de universiteit van Kopenhagen. Je zult daaraan verantwoording moeten afleggen als ons iets overkomt.’

Joachim lachte en streek over zijn blonde haar.

‘De universiteit van Kopenhagen!’ zei hij. ‘Ik betwijfel het of iemand van jullie hier af weet. Of van jullie af wil weten,’ voegde hij eraan toe en hij keek in de richting van het mausoleum.

Hij greinsde zodat zijn witte tanden glansden.

‘Jullie hebben heiligschennis gepleegd,’ zei hij. ‘De politie hier wil ongetwijfeld een praatje met jullie maken. Ik twijfel er niet aan dat jullie kunnen uitleggen wat hier gaande is. Mij is het volkomen duidelijk en ik wil jullie ervoor bedanken dat jullie mij een hoop moeite bespaard hebben. Daarentegen weet ik niet zeker of de overheid hier ter plaatste dezelfde mening is toegedaan.’

Zijn greins werd breder en hij keek ons om beurten aan. Toen stak hij zijn hand uit.

‘Geef dat aan mij,’ zei hij tegen de professor.

‘Wat?’ zei de professor.

‘Wat u in uw hand heeft.’

De professor verroerde zich niet.

‘Geen domme dingen uithalen,’ zei Joachim.

De professor stond er nog steeds zwijgend en roerloos bij. Zo verstreek een tijdje.

Eer ik het in de gaten had, gaf Joachim mij een enorme klap in mijn maag zodat ik naar adem moest happen. Hij pakte me bij mijn hoofd en stootte zijn knie in mijn gezicht. Ik dacht dat mijn neus was gebroken en ik voelde hoe het bloed omlaag stroomde. De pijn was ondraaglijk. Ik viel in het gras en Joachim greep me bij mijn haren.

‘Ik kan zo doorgaan zolang als u wilt,’ zei hij tegen de professor.

‘Is alles in orde met je, Valdemar?’ vroeg de professor mij in het IJslands.

‘Geef het hem,’ zei ik met tranen in mijn keel.

‘Dat kan ik niet doen,’ zei de professor.

‘Geef het hem!’ schreeuwde ik.

‘Je weet waar dit thuishoort, Valdemar,’ zei de professor. ‘Ik kan het hem niet geven.’

‘Ben je gestoord?’ schreeuwde ik. ‘Hij pakt het toch van je af.’

‘Niet als ik het vernietig,’ zei de professor.

Joachim keek ons om beurten aan.

‘Hou hiermee op!’ schreeuwde hij. ‘Geef wat u heeft gevonden!’

‘Deze bladen horen op IJsland thuis,’ zei de professor in het Duits tegen Joachim. ‘Ik kan ze niet aan jou geven.’

Joachim staarde hem aan en begon toen te lachen. Ik kwam langzaam overeind.

'Kunt u ze mij niet geven,' herhaalde Joachim op een sarcastische toon. 'U, die al eerder iets heeft weggegeven...'

Hij kon zijn zin niet afmaken. De professor boog voorover naar de olielamp en sloeg die tegen het houten kruis naast ons zodat hij aan gruzelementen ging en het kruis vlam vatte. Hij nam de perkamenten bladen en het zag ernaar uit dat hij ze in de vuurzee wilde gooien. Ik zag dat hij aarzelde en ik sprong op, wierp me op hem en gooide hem op de grond naast het brandende kruis. Hij had nog steeds de perkamenten bladen vast.

'Laat me los, stomkop!' schreeuwde hij. 'Je moet het niet doen! Ze mogen deze bladen niet in handen krijgen. Ze moeten ze niet krijgen.'

Joachim kwam naar ons toe, boog zich voorover en griste de bladen uit de handen van de professor. Hij keek hoe we daar op de grond lagen en schudde het hoofd.

'IJslanders,' zei hij verachtelijk snuivend.

Toen liep hij weg. De professor en ik krabbelden overeind. Helmut en de derde man liepen achter Joachim aan het kerkhof af, maar de drie agenten bleven en kwamen onze richting op. De professor keek mij kwaad aan.

'Je had ze me moeten laten verbranden,' zei hij.

'Ik kon het niet.'

'Waarschijnlijk omdat je een idioot bent.'

'Als dat het kwarto is, dan is het beter dat hij het heeft dan dat het in brand was gegaan.'

'Wees daar niet zo zeker van.'

'Wat gaat er met ons gebeuren?' vroeg ik.

'Ik weet het niet.'

'Kunnen we hier met iemand in contact komen? Ken je iemand?'

'Geen hond.'

'Mijn hemel,' kreunde ik.

'Heb je iemand verteld dat we naar Schwerin gingen?' vroeg hij.

'Niemand,' zei ik en ik tastte voorzichtig naar mijn pijnlijke neus. Het bloeden was opgehouden. 'Hoe zit het met jou? Heb jij iemand verteld waar we heen gingen?'

'Nee.'

'Dus niemand weet van ons hier?'

'Nee,' zei hij.

'Wist je dat ze je volgden?'

'Ik vermoedde het, maar ik ben niet voorzichtig genoeg geweest. Omdat me niets was opgevallen, voelde ik me op mijn gemak toen we in Schwerin aankwamen en ik dacht dat we ze kwijt waren. Ik heb ontzettend zitten slapen. Zitten slapen, Valdemar. Het spijt me.'

De agenten hadden hun handboeien tevoorschijn gehaald en boeiden ons met de handen op onze rug. Toen voerden ze ons weg van het kerkhof. Ik hoorde hoe het vuur knetterde op het grote, houten kruis toen we weggingen.

'Was dat werkelijk het kwarto?' vroeg ik.

'Ik ben bang van wel,' zei de professor. 'Ik ben bang van wel, beste Valdemar.'

'Was je serieus van plan het in het vuur te gooien?' vroeg ik.

We werden tussen de agenten gehouden, eentje liep voor ons uit en twee achter ons, en zo gingen we weg van het graf van Ronald D. Jörgensen.

'Nee, ik denk van niet,' zei de professor. 'Ik denk dat ik het niet daadwerkelijk gedaan zou hebben.'

'Ik zag dat je aarzelde.'

'Ik... het was voor mij niet te rechtvaardigen.'

'Is het niet beter dat het er is, ook al is het in verkeerde handen?'

'Ik moet ermee leven, Valdemar,' zei de professor. 'Maar het is vreselijk het aan die lui te moeten verliezen. Je kunt je niet voorstellen hoe vreselijk dat is.'

XII

We werden naar het politiebureau in de stad gebracht en zaten als twee gedetineerden op een houten bank voor de receptie met een politieagent die ons bewaakte. Ik twijfelde er geen moment aan dat we een misdaad hadden begaan. Ik begreep van de politieagenten dat we wachtten op een superieur die zou beslissen wat er met ons ging gebeuren. Onze reis naar Schwerin was op een mislukking uitgelopen. De professor was vergeten er rekening mee te houden dat we gevolgd konden worden. Het was nooit bij me opgekomen. We hadden ons blind erin gestort zonder de nodige behoedzaamheid, zonder de nodige voorzorgen en we waren een cultuurschat kwijtgeraakt aan lieden van wie de professor zei dat ze doorgewinterde misdadigers waren.

Een deur ging open, we werden bevolen op te staan en vervolgens door een gang en in een kantoor geleid. Daar zat een geüniformeerde man van middelbare leeftijd die niets anders tegen ons te zeggen had dan dat we die nacht daar in bewaring zouden blijven. In deze gevangenis bleken een hoop mensen vast te zitten, want we werden in dezelfde cel gezet. Er was één bed, een waskom en een emmer in een hoek, waarvan ik hoopte dat we er geen gebruik van hoefden te maken. De stalen deur werd met een dreunend kabaal achter ons dichtgeknald en tegelijkertijd werd het licht in de cel gedoofd. De agenten hadden ons zorgvuldig gefouilleerd en ons onze stropdas, riem en schoenveters afgenomen. Er was geen raam in de cel. We wisten niet wanneer een nieuwe dag zou aanbreken.

Ik tastte naar het bed, ging erop zitten en de professor volgde mijn voorbeeld en ging naast me zitten. We zaten lang stilzwijgend en ik dacht aan mijn tante, wat ze van dit alles zou denken en of ik haar ooit nog terug zou zien. Ik verlangde naar huis. Ik stond op het punt in huilen uit te barsten. Onze situatie was uitzichtloos. De stank in die nauwe cel was niet te beschrijven. We waren aan de genade overgeleverd van lui van wie we niet wisten wie ze waren en we hadden geen idee wat er met ons zou gebeuren. We hadden onmiskenbaar de wet overtreden. Daar was geen twijfel over mogelijk. We zouden ervoor gestraft worden. Hoe dat zou gebeuren was onmogelijk te voorzien, maar ik vreesde het ergste, zelfs gevangenschap lag in het verschiet. We zouden er nauwelijks met een boete van afkomen. De professor had gevraagd een telefoontje naar Kopenhagen te plegen en erop gerekend dat hij daar recht op had, maar de superieur schudde slechts zijn hoofd. De professor verzocht toen om rechtsbijstand.

'Ik ga daarover niet in discussie,' zei de superieur. 'Jullie blijven vannacht hier.'

En daar zaten we, de professor en zijn leerling, somber en bezorgd. Het was alsof de professor met mij te doen had. Hij legde zijn arm een tijdlang over mijn schouder en probeerde mij te kalmeren.

'Het komt allemaal in orde, beste Valdemar,' zei hij in het duister. 'Ze kunnen niets tegen ons inbrengen en morgenochtend laten ze ons weer vrij. Vertrouw me. We krijgen een advocaat voor deze zaak, ik pleeg een telefoontje en we betalen een boete, hoe hoog die ook is. Maak je niet zo'n zorgen. Over een paar dagen zijn we weer in Kopenhagen. Ze kunnen nauwelijks trammelant maken over... over...'

'Een grafroof? Bestaat er een ergere misdaad? Afgezien van moord misschien?'

'"Grafroof" is misschien een te groot woord in dit verband,' zei de professor.

'We hadden het in handen,' zei ik. 'Het kwarto uit het Koningsboek.'

'Ja, en we zijn het kwijtgeraakt.'

'Je kreeg in ieder geval het kwarto te zien.'

'Dat is waar. Dat was... dat was subliem...'

Ergens knalde een deur dicht. We hoorden een auto wegrijden.

'Wat gaat er met ons hier gebeuren?' verzuchtte ik na een stilte.

'Ik weet het niet, vriend.'

'Wat kunnen ze doen?'

'Het komt allemaal in orde. Vertrouw me.'

'Dat is het juist. Dat heb ik gedaan. Ik heb je vertrouwd. En nu zit ik in een gevangenis in een stad waar ik nog nooit geweest ben en waarvan ik een paar dagen geleden niet wist dat ze bestond.'

'Ik weet het, beste Valdemar, en ik zal ons hieruit redden. Wees daarvan overtuigd. Op een dag zullen we hierom lachen. Dat beloof ik je.'

Hij hield me steviger vast en zo zaten we een tijd in het duister omgeven door een vreemde stilte. Ik dacht dat ik stikte. Het was alsof we zelf in het mausoleum van Ronald zaten en waren ingemetseld. We waren helemaal vergeten en in een totaal hopeloze situatie terechtgekomen.

Het was in deze stinkende gevangeniscel dat ik het wonderlijkste verhaal hoorde dat mij ooit in mijn leven was verteld. Ik weet niet waarom hij het mij daar in het duister vertelde. Hij had het tien jaar lang in stilte met zich meegedragen. Het had hem al die tijd dag in dag uit gekweld en soms maakte het zijn leven ondraaglijk. Zo'n geheim in je eentje en in stilte dragen leek bovenmenselijk; het was natuurlijk moeilijker dan woorden konden beschrijven om zoiets als een boze geest verborgen te houden, in de wetenschap dat het met de jaren een steeds grotere last zou worden het geheim te houden. Eigenlijk was het ongelooflijk dat hij het geheim zo lang had weten te bewaren, maar misschien zei dat meer over het karakter van de informatie dan over de man zelf. Nu was het alsof hij vond dat het moment was gekomen zijn geweten te ontlasten en mij tegelijkertijd tot zijn vertrouweling te maken. Hij had mij in een vreemd land in de gevangenis laten belanden en ik had van hem een verklaring te goed.

Het begon ermee dat ik hem vroeg wat Joachim von Orlepp op het kerkhof had gezegd, een half afgemaakte zin waarvan ik meteen het gevoel kreeg dat de professor niet wilde dat hij hem afmaakte. Het kwam bovendrijven daar in die cel, iets over het kwarto uit het Koningsboek en dat de professor het niet wilde geven, dat hij iets anders had weggegeven dat zelfs belangrijker was geweest, als ik Joachim goed had begrepen. Ik peinsde er lang over en ten slotte vroeg ik het de professor.

'Wat bedoelde Joachim toen jij zei dat je het kwarto niet wou geven?'

'Wat zeg je, vriend?' vroeg de professor.

'Joachim zei dat je hem makkelijk het kwarto kon geven omdat je iets anders had weggegeven dat minstens zo belangrijk was. Wat was dat? Waar had hij het over?'

De professor gaf me aanvankelijk geen antwoord. Waarschijnlijk woog hij af of hij mij iets zou toevertrouwen wat hij jarenlang alleen op zijn schouders had getorst en wat voor wie dan ook onmogelijk was te begrijpen. Ik vroeg er niet weer naar, en dat wat aanvankelijk een ongemakkelijke stilte was in die vreselijk kleine cel, ebde weg in het duister en verdween ten slotte in de stilte van de vier muren.

Maar toen kwam het.

De professor schraapte zijn keel.

'Ik heb eerder in zo'n cel gezeten,' zei hij.

'Eerder?'

'Ja.'

'In zo'n cel?' vroeg ik.

'Ja, in zo'n cel,' zei hij. 'Net zo duister als deze.'

We zwegen en zo verstreek een hele tijd. Ik durfde niet te vragen waarvoor hij had gezeten, maar ik herinnerde me vaag het verhaal dat hij tijdens de Tweede Wereldoorlog in handen van de nazi's was gevallen.

De professor begon te vertellen en zijn stem werd vreemd triest. Aanvankelijk wist ik niet waar hij het over had. Hij vertelde over zijn jeugd in Ofeigsfjord op Strönd, over zijn diepgelovige moeder, en hoe zijn vurige interesse voor boeken in zijn bloed had gezeten. Boeken waren over het algemeen zeldzaam geziene schatten op het platteland, maar op de plek waar hij voor de eeuwwisseling opgroeide was de grootste boekenverzameling van het gewest, er werd 's avonds uit de Bijbel gelezen en soms moest hij voorlezen. De kostbaarste schat thuis was een zeventiende-eeuws manuscript van *De saga van Njal* dat zijn vader had geërfd van zijn moeder, die het van haar moeder had gekregen, en op een dag zou de professor het zelf bezitten en bewaren voor toekomstige generaties.

'Dat gebeurde niet,' hoorde ik hem in het donker zeggen. 'Ik heb nooit kinderen gehad. Maar dat was in orde. Mijn zuster kreeg het boek en haar kinderen bewaren het. Ik heb hun voorgesteld het aan de Landsbibliotheek te geven. Ze hebben daar niet negatief op gereageerd.'

Men vond hem een veelbelovende leerling en hij werd naar Reykjavik gestuurd, waar hij in de schoolbanken zat, hij slaagde met de hoogste cijfers voor het gymnasium in Reykjavik, en voor zijn studie aan de universiteit voer hij naar Kopenhagen, waar hij sindsdien altijd heeft gewoond.

'Je hebt waarschijnlijk van Gitte gehoord,' zei hij. 'De goede ziel. Toen gebeurde iets wat mij meer verdriet heeft gedaan dan woorden kunnen beschrijven, dat heel mijn levensgeluk, dat toch al niet veel voorstelde, heeft opgeslokt.'

Hij laste een pauze in zijn verhaal. Ik weerhield me ervan iets te zeggen.

'Je kent waarschijnlijk het verhaal dat ik tijdens de oorlog in handen van de Duitse Gestapo belandde,' zei hij. 'Ze namen me gevangen.'

'Ik heb daarover gehoord.'

'Ze dachten dat ik met de Deense ondergrondse samenwerkte.'

'Heb je dat gedaan?'

'Natuurlijk. Tegen de nazi's. Dat stond voor mij buiten kijf. Ik heb er geen spijt van, hoewel de offers gigantisch zijn geweest.'

'Offers?'

'Ja. Onze offers. Van de IJslanders. En het was allemaal mijn schuld.'

Hij zweeg. Ik durfde geen woord te zeggen. Ik wist niet waar hij heen wilde, maar ik merkte meteen dat het iets was wat hem zwaar op het hart lag.

'Ik weet amper waar ik moet beginnen, Valdemar,' zei de professor en hij zuchtte diep. 'Weet amper waar ik moet beginnen.'

Hij was op zijn kantoor toen ze hem op klaarlichte dag te pakken kregen. Twee nazi's van de Gestapo en drie van hun Deense handlangers drongen bij hem binnen en namen hem mee naar het Shell-gebouw aan de Kampmandsgade, het hoofdkwartier van de Gestapo in Kopenhagen. Dat was in maart 1945. Het verhoor vond plaats op de vijfde verdieping van het gebouw, de een na hoogste, en op de zesde en hoogste verdieping waren de gevangeniscellen. Daar werd hij in een cel gezet. Hij werd nergens van beschuldigd. Hij hoorde geluiden van de gevangenen op de verdieping onder hem, een luid gejammer uit de martelkamer van de Gestapo. Hij vermoedde meteen waarom hij was gearresteerd en hij overwoog hoeveel ze wisten en of hij ooit hun martelmethodes zou doorstaan.

De Deense ondergrondse werd steeds actiever naarmate de Duitse bezetting voortduurde, met illegale blaadjes, spionage en sabotage. De professor wilde de beweging behulpzaam zijn. Hij leerde bij toeval een groepje studenten kennen dat contacten had met de ondergrondse. De professor stond in universiteitskringen bekend om zijn onverbloemde mening over het nazisme. Op een dag ging de deur van zijn kantoor open en een jonge studente die hij kende van de Scandinavische studies, genaamd Emma, vroeg hem om hulp. De nazi's zochten haar in verband met de sabotage van een trein met wapentuig twee dagen eerder. De professor aarzelde geen moment en verborg het lid van de ondergrondse door rondom haar boeken op te stapelen. De werkkamer was tjokvol boeken, die in stapels op de vloer stonden en sommige daarvan reikten bijna tot aan het plafond. Emma was een kleine, slanke studente en de professor had vlugge handen; hij liet haar neerknielen in een klein gat bij de kachel in een hoek van de werkkamer en zei haar zich zo min mogelijk te verroeren. Hij stapelde boeken, papieren en documenten boven en rondom haar op. De nazi's doorzochten alle kantoren van het gebouw, maar ze vonden het meisje nergens. De professor lag op de sofa en deed alsof hij sliep toen ze bij hem binnendrongen. Ze keken om zich heen en zagen niets anders dan boeken en chaos. Ze bevalen hem op te staan, kiepten de sofa om en schopten tegen de boekenkasten voordat ze er weer vandoor gingen. Pas 's avonds waagde Emma zich onder de boekenstapels uit. De professor zei dat als er iets was wat hij voor de ondergrondse kon doen, ze het hem moesten laten weten. Toen namen ze afscheid.

Een paar weken later benaderde een jong meisje hem in de gang op weg naar zijn kantoor. Ze had een stapel vlugschriften bij zich die ze hem gaf, waarbij ze zei dat Emma veilig was, het was haar gelukt naar Engeland te gaan. Twee dagen later kwam een man bij hem op kantoor om de vlugschriften op te halen en hij liet een houten kistje achter. Toen de professor even in het kistje gluurde, zag hij zes staven dynamiet en een ontsteker. Een andere man kwam voor het kistje en verdween in het nachtelijk duister. Hij liet foto's achter van belangrijke militaire gebouwen in Kopenhagen, onder andere van het Shell-gebouw.

Zodoende raakte de professor langzamerhand verwikkeld in de activiteiten van de Deense ondergrondse en hij was de laatste twee jaar van de oorlog de beweging naar beste kunnen behulpzaam. Hij bezorgde leden van de ondergrondse documenten als ze op de vlucht voor de nazi's waren en zijn kantoor aan de universiteit werd algauw een trefpunt in de georganiseerde vluchtroutes, zowel voor de leden van de Deense ondergrondse als voor anderen die het vasteland af moesten op de vlucht voor de nazi's. Toen de professor werd gearresteerd, had een van de kopstukken van de ondergrondse drie dagen lang bij hem ondergedoken gezeten. De professor dacht aanvankelijk dat de nazi's de onderduiker op het spoor moesten zijn gekomen en het naar hem hadden gevolgd, maar ze visten achter het net en arresteerden hem ervoor in de plaats.

Nu wachtte hij op verhoor in het Shell-gebouw. Alle inwoners van Kopenhagen wisten dat dit het hoofdkwartier herbergde van de Gestapo, die het vanaf vorig jaar lente had gevorderd. Diegenen die als een bedreiging werden gezien voor de veiligheid van de Duitse militaire leiding werden daarheen gebracht. Op de hoogste verdieping werden cellen ingericht zodat ze de gevangenen voor verhoor niet van de Vestre-gevangenis naar het Shell-gebouw over hoefden te brengen. De Deense ondergrondse bevond zich op dit moment in een moeilijke positie, veel van haar leiders waren gearresteerd en vele documenten van de beweging die belangrijke informatie bevatten lagen in het gebouw opgeslagen. De beweging had herhaaldelijk de Britten verzocht een bomaanval op het Shell-gebouw uit te voeren, maar verschillende zaken waren de reden geweest om het uit te stellen.

Daar werd de professor heen gebracht, niet wetend waar de informatie over hem vandaan kwam, wat ze over hem wisten, hoe ze hem zouden gaan verhoren en wat ze uit hem wilden krijgen. De dag verstreek zonder dat hij te eten of te drinken kreeg en hij werd ook niet voor verhoor overgebracht. Hij bleef de hele nacht wakker omdat hij onmogelijk kon slapen en de volgende ochtend verstreek. Het was middag toen hij uiteindelijk gerammel van sleutels hoorde en de deur van zijn cel openging.

Twee gevangenbewakers leidden hem de trap omlaag naar de verdieping eronder. Daar werd hij in een verhoorkamer geplaatst en liet men hem wachten. Hij had honger, had niet geslapen en hij vreesde voor zijn leven. Hij wist niet hoeveel tijd er was verstreken eer de deur van de kamer weer werd opengemaakt. Vier man, twee geüniformeerde gevangenbewaarders en twee mannen van de Gestapo in burger, kwamen bij hem in de kamer. Tussen de gevangenbewakers stond het jonge meisje dat hij ooit op zijn kantoor had verborgen. Emma. Ze was naar Denemarken teruggekomen en in handen van de politie beland en opeens kreeg de professor antwoord op zijn vraag hoe de Gestapo van hem af wist. Emma was bijna onherkenbaar, haar gezicht zat helemaal onder het bloed, haar ene arm leek gebroken, haar vingers verbrijzeld. Toen ze de professor zag, fluisterde ze één woord, bijna onverstaanbaar.

'Sorry.'

De gevangenbewaarders voerden Emma naar buiten, maar de Gestapomannen bleven. Hij had ze nog nooit eerder gezien, maar hij wist dat de leden van de Gestapo berucht waren om hun verhoormethodes, waar ze specialisten in waren. Ze begonnen ermee hem te vragen wat hij deed, wat voor connecties hij met IJsland had, over de familiesituatie. Ze waren kalm en ontspannen. Eentje rookte en bood hem een sigaret aan. De professor bedankte, zei dat hij snuiftabak gebruikte. Langzamerhand kwamen ze stapje voor stapje op de ondergrondse. Ze praatten Duits. De professor zag geen andere uitweg dan zijn misdaad te erkennen, maar hij zei dat hij ze weinig inlichtingen kon geven omdat hij slechts een tussenpersoon was geweest en niet alles wist wat met hem in verband werd gebracht. Hij kende geen namen, wist verder niets van Emma, wist niets van de opbouw van de ondergrondse of van hun activiteiten. Hij erkende dat hij foto's van militaire installaties in bewaring had gehad, zelfs vlugschriften. Hij vermeldde niet het dynamiet.

Zo verstreek een uur. De mannen leken geen idee te hebben van wat hij vertelde. Het was alsof ze zich verveelden. Ze werden een keer gestoord toen de deur openging en een gevangenbewaarder een tafel met gereedschap binnen bracht en bij hen achterliet. Erop lagen messen, tangen en ander gereedschap dat de professor niet goed kon zien. Op een schap onder de tafel zag hij een grote accu en kabelklemmen die ermee verbonden waren.

'Die vriendin van je, Emma heet ze, nietwaar?' vroeg degene die het verhoor leidde. Hij droeg een zwart gestreept pak met stropdas en dasspeld. De andere man droeg een enigszins versleten pak, waarschijnlijk zijn ondergeschikte, dacht de professor. Die persoon had nog steeds niets gezegd.

'Ik weet niet hoe ze heet,' loog de professor en hij kon zijn blik niet van de gereedschapstafel afwenden.

'Nee,' zei de man, 'natuurlijk. Maar ik verwacht niet dat ze de dag van vandaag overleeft, begrijp je, tenzij je haar helpt.'

'Hoe kan ik haar helpen?' vroeg de professor.

'Door op te houden met dat verdomde geouwehoer!' schreeuwde de man opeens. 'Door op te houden je als een idioot te gedragen en ons voor te liegen! Wie denk je dat wij zijn?! Denk je dat je met ons kunt praten alsof we kleuters zijn?! Denk je dat we tijd hebben naar die leugens te luisteren?!'

De man had zich naar de professor voorovergebogen terwijl hij tegen hem schreeuwde zodat hun gezichten elkaar bijna raakten.

'Ik lieg niet tegen jullie,' zei de professor en hij dwong zich zijn kalmte te behouden.

'Wat kan je ons over die Emma vertellen?' vroeg de man en hij ging rechtop staan.

'Ze vroeg me om hulp,' zei de professor.
'Ze zei dat je haar in je kantoor hebt verborgen.'
'Dat klopt. Toen verdween ze. Ik heb haar sindsdien tot vandaag niet meer gezien.'
'Je erkent dat je haar hebt geholpen?'
'Ja.'
'Je dreigt hiervoor geëxecuteerd te worden. Besef je dat?'
'Nee,' zei de professor. 'Dat wist ik niet.'
'Of naar een concentratiekamp te worden gestuurd. Als je het mij vraagt, denk ik dat je met de dood beter af bent. Ben je er sneller vanaf.'
De professor zweeg.
'Wie van het universiteitspersoneel zit er verder nog in de ondergrondse?' vroeg de man.
'Ik ken er geen eentje,' zei de professor.
'Met wie had je het meest contact?'
'Ik weet van niemand iets die in de ondergrondse zit. Ik dacht dat ze zo was opgebouwd. Men hoort niets te weten.'
De man keek hem lang aan. De professor keek voor zich uit. Hij was met leren riemen aan de stoel vastgebonden, zowel zijn armen als zijn benen.
'Kun je tegen hevige pijn?' vroeg de man.
De professor gaf hem geen antwoord. Hij begreep de vraag niet. De man herhaalde zijn vraag.
'Kun je tegen hevige pijn?'
'Ik... ik weet het niet,' zei de professor.
'Kurt hier,' zei de man terwijl hij op zijn compagnon wees. 'Hij kan daar voor jou achter komen. Kurt is onze specialist in pijn. Hij kreeg ooit iemand zover dat ie zichzelf door het hoofd schoot, alleen om van hem af te zijn.'
De professor keek naar de man die Kurt heette. Hij drong zich niet op de voorgrond en leunde ontspannen tegen de muur bij de deur en volgde het geheel. Het was alsof hij zich verveelde. Hij leek rond de vijftig te zijn, een beetje dik. De man die het verhoor leidde was zo'n tien jaar jonger, broodmager en ietwat vrouwelijk in zijn bewegingen.
'Sommigen kunnen helemaal niet tegen pijn,' zei hij. 'Ze beginnen te praten als Kurt nog maar een vingernagel uit wil trekken. Hij is nog niet eens begonnen als ze al alles vertellen wat ze weten over hun vrienden en familie. Anderen kunnen meer verdragen. Sommigen vragen om meer. Wat denk je dat jij kunt verdragen, Herr professor?'
'Ik weet zo weinig,' zei de professor. 'Ik weet niet wat jullie bij mij willen bereiken. Ik ben bang dat ik voor jullie een grote teleurstelling zal zijn.'
'Dat zeggen ze allemaal, maar dan blijkt dat ze meer weten dan ze zelf denken. Kunnen simpelweg niet ophouden. Vertellen ons alles wat hun invalt.

Vooral intellectuelen, Herr professor. Ze hebben geen uithoudingsvermogen.'

Hij draaide zich om naar de man die hij Kurt noemde.

'Hoe wil je dit doen?' vroeg hij.

Kurt leunde nog steeds lui tegen de muur. De professor was eerder bang voor hem dan voor de magere man, vanwege zijn achteloosheid, zijn onverschilligheid tegenover wat er gebeurde. De professor had verhalen over het Shell-gebouw gehoord, verhalen over de verhoormethodes van de nazi's. Hoe verdraag je hevige pijn? Hij wist niet of hij blij moest zijn dat hij niets wist. Ze zouden denken dat hij loog. Hij vreesde dat het lang zou duren eer ze erachter kwamen dat ze bij hem niets bereikten.

'Moeten we niet wachten op...'

Voordat Kurt de gelegenheid kreeg zijn zin af te maken, ging de deur open en een man kwam binnen die de professor kende. Ze hadden samen in Kopenhagen Oudijslands gestudeerd en hun wegen hadden elkaar sindsdien een paar maal gekruist. De professor had nooit zijn minachting voor hem kunnen verbergen.

'Herr professor,' zei de man en hij maakte een snelle buiging. 'Kijk eens hoe het nu met u is!' zei hij. 'Wat krijgen we nou! Aan een stoel vastgebonden!'

De man draaide zich om naar de Gestapo en blafte tegen hen: 'Maak hem los! Meteen!'

XIII

Ik wachtte tot de professor met zijn verhaal verderging, maar het leek alsof hij in slaap was gevallen. De stilte en het duister kropen over ons heen. Er kwam geen geluid van de gang of uit de andere cellen. Het was niet waarschijnlijk dat we alleen in het gebouw waren achtergelaten, of dat we daarheen waren gebracht terwijl niemand van ons af wist en we gedwongen waren daar voor eeuwig te blijven, door iedereen verlaten en vergeten.

'Wie was dat?' waagde ik ten slotte de professor te vragen.

'Wat zeg je, beste Valdemar?' antwoordde hij.

'De man die bij jullie in de cel kwam, wie was hij?'

'De duivel in mensengedaante,' zei de professor zacht.

Hij zei verder niets en weer lag de stilte en de inktzwarte duisternis over ons heen. Ergens in de verte was het geknal van een deur te horen, gevolgd door doffe voetstappen die luider werden naarmate ze naderden. Ze vielen bij ons stil en we hoorden gerommel bij de stalen deur. In de deur zat een rond luikje dat een kijkgat van dik glas bedekte. Het luikje werd opzijgeschoven en een lichtstraal van de gang sneed bij ons door het duister. Ik zag even hoe de professor tegen de smerige muur lag. Het licht danste een moment in het duister voor het luikje weer dicht werd geschoven. We hoorden de voetstappen zich de gang af verwijderen, een deur werd dichtgeknald en de stilte kroop weer over ons heen, net als de duisternis.

'Wat was dat?' zei ik.

'Een beetje afleiding,' zei de professor.

'Wil je niet verdergaan met het verhaal?' vroeg ik voorzichtig na een lange tijd.

'Ik weet het niet, het is geen vrolijk verhaal, Valdemar.'

'Je kunt nu niet zomaar ophouden,' zei ik in het duister. Ik zag de professor niet, maar ik voelde zijn aanwezigheid, rook de lucht van snuiftabak, ik zag zijn ongekamde haardos en zijn trieste gezicht voor me.

'Ik had hem daar niet verwacht,' zei hij ten slotte en hij begon weer te vertellen wat er in het Shell-gebouw gebeurde.

De professor staarde de man aan en kon zich niet voorstellen wat hij op het hoofdkwartier van de Gestapo kwam doen. Hij had Erich von Orlepp, zijn vroegere medestudent, runenkenner, kunsthandelaar, occultist en invloedrijk figuur in de nazipartij, jarenlang niet gezien tot hij een paar maanden geleden plotseling in Kopenhagen opdook. Hij had nog steeds hetzelfde ernstige gezicht dat de professor zich uit zijn studietijd herinnerde, toen Von Orlepp probeerde met hem bevriend te raken.

'Ik moest hier weer in Kopenhagen zijn en ik hoorde dat u was gearresteerd,' zei Von Orlepp ontspannen alsof hij een vrolijke koffiepauze stoorde, en hij legde vooral de nadruk op de tactvolle beleefdheidsvorm. De valse betrokkenheid was voor de oren van de professor niet te verhelen. Von Orlepp was altijd vals geweest. Hij wist bij mensen in het gevlij te komen als de mogelijkheid bestond dat hij gebruik van ze kon maken. Als dat was gebeurd of als bleek dat ze voor hem geen nut hadden, trok hij zijn handen van hen af.

Kurt begon zijn boeien los te maken. De professor zag dat Von Orlepp een behoorlijke macht bij de nazi's had. Hij wist niet waar dat op stoelde. Erich was in burger, zoals de twee politieagenten, en hij droeg geen onderscheidingstekens. Daarentegen wist de professor dat hij gedurende lange tijd een machtig man in de nazipartij was geweest. Hij kwam als zodanig de professor opzoeken toen hij de laatste keer in de stad moest zijn en hij wilde alles weten over het Koningsboek van de *Edda*. Hij wist donders goed dat het in Kopenhagen werd bewaard. Hij was van plan geweest het in de Koninklijke Bibliotheek te pakken te krijgen, maar er werd hem gezegd dat het boek niet op zijn plek was en hij kreeg slechts ontwijkende antwoorden over wie het in bezit had. De professor zei Von Orlepp niet dat hij kortgeleden aan een omvangrijk onderzoek over het Koningsboek was begonnen met in gedachten een nieuwe uitgave en dat hij het op een zekere plek in de Árni Collectie had. Toen Von Orlepp was vertrokken, was de professor naar de Árni Collectie gegaan om het beter te verbergen uit vrees voor Von Orlepps aanmatigende gedrag en ook voor andere nazi's. Hij wist dat zij op stroop- en rooftocht waren naar uiterst kostbare kunstschatten, die naar Duitsland werden gestuurd.

'Hopelijk hebben ze u hier goed behandeld,' zei Von Orlepp en hij keek met een serieuze blik naar de twee mannen.

'Ik heb niet te klagen,' zei de professor.

'Dat mag ik hopen,' zei Von Orlepp. 'U moet me verontschuldigen, Herr professor, het spijt me dat dit gebeurd is. Ik ben op doorreis en ik kan maar kort blijven. Zoals u weet heb ik grote waardering voor de objecten in eigendom van de Denen, of moet ik zeggen van jullie IJslanders, ik weet dat jullie het willen behouden en ik ben het helemaal met jullie eens zoals u weet, maar...'

'Ik weet niet waar het is,' zei de professor.
'Wat? Hoe bedoelt u?'
'De *Edda*,' zei de professor. 'Ik heb het niet. Ik heb het Koningsboek niet.'
'Aha, dus u kunt gedachten lezen.'
'Ik heb geen idee waar het is.'
'Ik dacht dat we eens samen konden praten, als oude vrienden. Zonder ons door dit alles te laten storen,' zei Von Orlepp en hij gebaarde in het rond.
De professor zweeg.
'Het is niet onwaarschijnlijk dat we het eens kunnen worden,' zei Von Orlepp. 'Tot een of ander akkoord komen. Denkt u niet dat daar sprake van kan zijn?'
'Ik weet niet waar het is,' zei de professor. 'Als zodanig heeft het geen zin het daarover met mij eens te worden.'
'Maar u bent de laatste geweest die het in bezit heeft gehad. Dat is gedocumenteerd. Ik kan u de registratie laten zien. Als het niet bij u ligt, waar ligt het dan?'
'Ik heb het niet.'
'Wie heeft het dan? U moet dat weten.'
De professor zweeg.
'Misschien is het nodig dat zij me daarmee helpen,' zei Von Orlepp en hij knikte naar de twee Gestapo-mannen.
'Ik weet niet waar het is,' herhaalde de professor. 'Het spijt me. Ik kan u niet helpen.'
'U bedoelt dat u mij niet wílt helpen, Herr professor.'
De professor gaf hem geen antwoord.
'Denkt u dat ik een idioot ben, Herr professor?' zei Von Orlepp.
'Dat heb ik nooit gezegd,' antwoordde de professor.
'Is dat werkelijk zo? Ik weet wat voor bijnaam u voor mij op de universiteit had. Herinnert u het zich? U vond het grappig.'
'Ik kan me geen bijnaam herinneren.'
'Nee, maar ik herinner het me. Het was niet fraai.'
'Ik weet niet waar je het over hebt,' loog de professor.
'Nee, precies.'
De professor zweeg.
'Ik wou u altijd iets over Gitte vragen,' zei Von Orlepp die opeens van onderwerp veranderde. 'Het is haar slecht vergaan. Tuberculose, nietwaar?'
De professor keek Von Orlepp lang aan zonder hem antwoord te geven.
'Het moet vreselijk zijn geweest om te zien hoe ze wegkwijnde en stierf.'
'Ze gedroeg zich als een held,' zei de professor.
'Voelde u zich soms niet machteloos? U was getuige van al dat lijden, maar u kon niets doen.'

De professor gaf geen antwoord. Hij wist niet waar Von Orlepp met die vragen heen wilde.

'Ik twijfel er niet aan dat zij zich als een held heeft gedragen,' zei Von Orlepp. 'U moet ieder mensenleven met andere maatstaven waarderen na een dergelijke ervaring.'

Nog steeds gaf de professor hem geen antwoord.

'Wat is een mensenleven naar uw idee waard, Herr professor? Zij menen te weten dat u geen hoge positie bekleedt binnen de ondergrondse beweging. Ze kunnen hoogstens een bevestiging krijgen van verscheidene zaken die ze nu al weten en van informatie die ze hebben verkregen van een jonge studente Scandinavisch van wie ik denk dat u haar kent. Emma. Ik heb begrepen dat u haar hier zojuist bent tegengekomen. Wat als u over haar lot komt te beslissen?'

'Ik kan over niemands lot beslissen,' zei de professor.

'Wat een onzin!'

'Dat zou waanzin zijn.'

'Integendeel, ik heb al een besluit genomen. Ik leg hier haar leven in uw handen. Het enige wat u hoeft te doen is mij de *Edda* geven. U beslist. Geef mij het Koningsboek en zij leeft. Doe het niet en u krijgt te zien hoe zij sterft.'

De professor staarde Von Orlepp aan die met een vreemde glimlach op zijn lippen naar hem keek. Hij draaide zich om naar de twee mannen en vroeg hun Emma weer de verhoorkamer binnen te brengen. Een van hen, Kurt, verdween door de deur.

'Ik weet niets over het boek,' zei de professor.

'Dat zal blijken, Herr professor,' zei Von Orlepp.

'Ik vertel je de waarheid. En zelfs als ik iets wist, zou ik het je niet kunnen geven. Dat weet je.'

'Wat bedoelt u, zelfs als u iets wist?'

'Ik zou het je niet kunnen geven,' zei de professor. 'Het is niet mijn eigendom en het is niet jouw eigendom. Het is het eigendom van het volk, mijn volk, de IJslanders. Niemand kan er beslag op leggen, uitgezonderd de IJslanders, het IJslandse volk.'

'Wat een kletskoek,' zei Von Orlepp. 'Ik weet niet anders dan dat de Deense koning het bezit. Ik weet niet waarom u zijn belangen beschermt!'

De deur werd weer opengemaakt en Kurt kwam met Emma binnen. Ze was er vreselijk aan toe. Ze was amper bij bewustzijn. Ze keek de vier mannen in de verhoorkamer om beurten aan en ten slotte bleven haar ogen op de professor rusten.

'Help me,' fluisterde ze.

'Waar is het boek?' vroeg Von Orlepp, die voor zich uit keek. 'Ik heb hier niet langer tijd voor.'

De professor kon zijn ogen niet van Emma afhouden, die onder het bloed en pijn lijdend naast Kurt tegen de muur gehurkt zat en de professor smekend aankeek. Het was alsof haar de voorwaarden waren verteld die aan de professor waren gesteld.

Von Orlepp knikte naar Kurt.

Kurt haalde een pistool uit de holster die hij onder zijn jasje droeg en richtte het op Emma's hoofd.

De professor kwam in een reflex van zijn stoel overeind.

'Doe het niet,' zei hij.

'Het doen? Wat? Wij? Wij gaan niets doen. Dat doet u. U bepaalt het spel, Herr professor. Alstublieft. Doe wat u wilt.'

'Je kunt me dit in deze situatie niet opleggen.'

'Dat heb ik al gedaan.'

'Ik weet niet waar het boek is,' zei de professor.

'Zo, zo,' zei Von Orlepp. 'Dan heeft dit niet langer zin meer.' Hij draaide zich om naar Kurt. 'Schiet haar neer.'

'Professor!' schreeuwde Emma.

Kurt deed een stap van haar vandaan met het pistool in de aanslag.

Een moment verstreek als een eeuwigheid; duizend jaar in elk brokstuk van een seconde voordat het schot afging. De professor zag Kurts vinger om de trekker krommen. Emma zakte neer op de vloer. Duizend jaar vergleed voor zijn ogen.

'Ik heb het in bewaring,' kreunde de professor.

'Wat?' zei Von Orlepp.

'Laat het meisje vrij,' zei de professor. 'Ik zal zien wat ik kan doen.'

'Zien wat u kunt doen? Ik ben bang dat dat voor geen meter deugt.'

'Ik zal jullie het boek geven. Laat het meisje vrij.'

'We gaan eerst het boek halen,' zei Von Orlepp. 'U gaat met ons mee, Herr professor. We sparen haar leven als ik het boek zie. We vertrekken. Nu!'

De professor werd de verhoorkamer uit geleid. Twee gevangenbewaarders namen Emma over. Hij zag niet wat er met haar gebeurde. De professor werd in een zwarte Mercedes-Benz gezet, samen met Von Orlepp en de Gestapomannen, en ze reden de route die over het universiteitsterrein naar de universiteitsbibliotheek voerde. Ze gingen achter hem de bibliotheek binnen, waar niemand was, en naar de deur van de Árni Collectie. Hij haalde de sleutel tevoorschijn en maakte de deur open. Toen hij binnen was, ging hij naar een klein bureau waar hij zijn plek had. Hij aarzelde een moment en draaide zich om naar Von Orlepp.

'Ik vraag je dit boek niet mee te nemen,' zei hij.

'Zit me niet dwars, Herr professor,' zei Von Orlepp.

'Je kunt al het andere krijgen.'

'Iets anders interesseert me niet. Waar is het? Waar is de *Edda*?'

De professor keek hem lang aan. Hij keek naar de Gestapo-mannen die achter hem stonden. Emma week niet uit zijn gedachten. Toen boog hij voorover naar een boekenplank, haalde er een paar boeken af en legde die op de vloer. Achter op de plank lagen drie boeken op hun kant. Om het onderste zat een nieuw omslag van een IJslandse roman, *De klok van IJsland*, van Halldór Laxness. Hij strekte zijn hand uit naar het boek en richtte zich op. Hij haalde het omslag eraf en staarde met gebroken ogen naar het Koningsboek. Het was niet veel groter dan een gewoon notitieboekje. Hij reikte het Von Orlepp met trillende handen aan.

'Ik vraag je dit boek niet mee te nemen,' zei hij.

Von Orlepp pakte voorzichtig het boek aan.

'Wat is dat voor teergevoeligheid?' zei hij en hij maakte het behoedzaam open. 'Het is gewoon een boek zoals elk ander boek.'

'Het is niet zoals elk ander boek,' zei de professor met al het gewicht dat hij in zich had. 'Dat jij het je permitteert zoiets te zeggen laat zien hoe onwaardig je bent het in je bezit te hebben.'

Von Orlepp keek hem aan.

'Onwaardig? Vindt u dat ik onwaardig ben?'

'Je kunt dit boek niet meenemen,' zei de professor.

'Hoe denk je het verloren kwarto ervan te vinden?' vroeg Von Orlepp.

'Dat weet ik niet,' zei de professor. 'Geen idee.'

'Het is belangrijk.'

'Ik betwijfel of het ooit wordt gevonden.'

'We zullen zien,' zei Von Orlepp en hij streelde met zijn vingers over de bladzijden van het Koningsboek. 'Ik zou met dit boek in mijn handen willen sterven,' fluisterde hij zo zachtjes dat de professor het nauwelijks hoorde.

Toen draaide hij zich om naar de twee Gestapo-mannen.

'Rij met hem terug naar het Shell-gebouw. Ik wil hier in de bibliotheek een beetje rondkijken. Stuur de auto naar mij terug.'

'En het meisje, Herr Von Orlepp?' vroeg de ene van wie de professor niet wist hoe hij heette.

'Welk meisje?' vroeg Von Orlepp.

'Emma,' zei de man. 'Ze heet Emma.'

'Zit ze niet in de ondergrondse?' zei Von Orlepp zonder van het Koningsboek op te kijken. 'Dat moet je mij niet vragen. Schiet haar dood.'

'Erich!' zei de professor. 'Dat kun je niet doen!'

'U weet niet wat ik wel of niet kan doen.'

'En de professor?' vroeg de naamloze man.

'Jullie hebben inlichtingen nodig. Jullie weten hoe jullie dat uit hem moeten krijgen.'

Kurt pakte de professor beet en voerde hem uit de bibliotheek. De naamloze man pakte hem onder zijn arm en hij ging zonder weerstand te bieden en verdoofd tussen hen het gebouw uit. Ze zetten hem in de auto en reden weg.

Hij werd de rest van de dag tot de volgende ochtend opgesloten in een cel op de zesde verdieping. Hij dacht aan het meisje Emma en hoe hij had gefaald haar leven te redden. Hij hoopte op het beste, maar diep in zijn binnenste wist hij dat het niet waarschijnlijk was dat ze de nacht zou overleven. Het kon hem niet schelen wat zijn eigen lot zou zijn. Hij was het Koningsboek kwijt en hoewel er heel bijzondere en bedreigende omstandigheden aanwezig waren, wist hij niet of hij met de schande kon leven. Hij nam zich voor dat hij alles wat in zijn macht stond zou doen om het terug te krijgen als de oorlog voorbij was.

Na een hazenslaapje werd hij 's ochtends gewekt en de trap omlaag gebracht naar dezelfde verhoorkamer als de dag ervoor. Ze waren bezig hem aan stoel te boeien toen de eerste bom op het Shell-gebouw viel. Het leek er meer op dat een enorme aardbeving had plaatsgevonden. De herrie was oorverdovend. Het was alsof het gebouw in één klap tot zijn fundamenten instortte en de professor werd op de vloer geworpen.

'Sindsdien heb ik niet veel om de beleefdheidsvorm gegeven,' zei de professor terwijl we daar in de donkere cel in Schwerin zaten en wachtten op de dingen die komen gingen.

'Wat gebeurde er toen?' vroeg ik.

'De Britten voerden een luchtaanval uit op het Shell-gebouw, op verzoek van de Deense ondergrondse, op 21 maart 1945,' zei de professor. 'Het gebouw werd compleet vernield. Ik ontsnapte in de chaos die ontstond en zat een tijdje ondergedoken bij de zuster van Gitte in Kopenhagen. Kort daarop was de oorlog afgelopen wat Denemarken betrof. De nazi's waren overal in de aftocht. Ik weet dat Von Orlepp naar Zuid-Amerika vluchtte, zoals de meeste nazilafaards. Ik kan me niet anders voorstellen dan dat hij het Koningsboek heeft meegenomen en dat het nu in bezit is van zijn familie, hoewel Joachim anders beweert. Verder weet ik niets over waar het is. Niets.'

Het kostte me een tijdje om de volle betekenis te laten bezinken van alles wat de professor mij verteld had.

'Dus het Koningsboek is niet in Kopenhagen?' vroeg ik stomverbaasd.

'Ik heb het niemand verteld, Valdemar,' zei de professor. 'Ik heb het niemand kunnen vertellen. Ik heb alles wat in mijn macht stond gedaan om het boek weer terug te vinden. Ik heb geprobeerd contact op te nemen met de familie Von Orlepp, maar ze waren verdwenen alsof de aarde ze had opgeslokt. Toen gebeurde het dat Joachim als een duveltje uit een doosje in Kopenhagen opdook en over het verloren fragment en het Koningsboek begon te praten. Hij liet het voorkomen alsof hij niet wist waar zijn vader het boek had gelaten. Hij beweerde dat het nooit naar Zuid-Amerika was gegaan, dat een of andere Duitser het in bezit had maar dat zijn vader hem nooit had verteld wie dat was.'

'Is Erich dan gestorven?'

'Dat zegt Joachim. Hij zegt niets over hem te weten. Erich is sinds het einde van de oorlog op de vlucht geweest. Dat hangt samen met de oorlogsmisdaden in Polen. Ik denk dat de knul zijn vader beschermt. Ik denk dat Erich zich schuilhoudt, misschien is hij nog steeds in Zuid-Amerika, misschien hier in Europa, ik weet het niet, maar ik ben ervan overtuigd dat de kleine Joachim hier voor zijn vader werkzaam is.'

'Maar het verloren kwarto, hoe weet Joachim dat jij erachteraan zat?'

'Dat is nooit een geheim geweest. Hij heeft dat ergens gehoord. We zijn er altijd naar op zoek geweest. Toen ik hem in de Witte tegenkwam zei hij mij dat hij zelf op het spoor van het kwarto was gekomen, en ik dacht dat het bluf was. Dat is de drank. Achtervolgingswaanzin. Ik kan niet meer zo helder denken als vroeger. Mijn leven is naar de haaien. Helemaal. Rechtstreeks naar de hel.'

De professor zweeg.

'Ik begon weer stug en energiek te zoeken naar de man die Hallsteinsstaðir bezocht.'

Hij zweeg weer.

'Ik wilde je niet in deze dwaasheid meeslepen,' zei hij. 'Ik had je meteen moeten vertellen hoe het allemaal in elkaar steekt.'

'Maar hoe heb je dit al die tijd geheim kunnen houden?' vroeg ik. 'Het Koningsboek? Hoe heb je iedereen kunnen bedotten? Anderen moeten er toch toegang toe willen hebben. Hoe heb je iedereen zo lang kunnen bedotten?'

'Omdat het mij is toevertrouwd,' zei de professor triest. 'Mij is het boek toevertrouwd en al die jaren heeft men mij ermee vertrouwd. Ik heb gewerkt aan een nieuwe uitgave en ik werd met rust gelaten. Ik heb bezoekers bladen uit de *Proza-Edda* laten zien telkens als er veel aan gelegen was. Niemand heeft iets gezegd. Iedereen begreep de behoefte van een wetenschapper aan kalmte en rust en niemand bemoeide zich met het Koningsboek of andere manuscripten in het bijzonder, behalve oude excentrieke lummels zoals ikzelf. Ik betwijfel het ten zeerste of het grote publiek op IJsland weet heeft van onze schatten.'

'Ik weet niet zeker of je gelijk hebt. De zaak van de manuscripten en...'

'Niemand geeft wat om de manuscripten,' zei de professor.

We zwegen lang.

'Heb je ooit geweten wat er met Emma is gebeurd?' fluisterde ik.

De professor gaf niet meteen antwoord. We zaten in het duister en de tijd verstreek. Het kon heel goed een nieuwe dag zijn geworden, zelfs een volgende nacht. Ik had al lang geen geluiden van buiten de cel gehoord. Het licht was niet meer aangegaan. Men zegt dat je ogen wennen aan de duisternis, maar de duisternis die ons omgaf was zo dicht dat het er niet toe deed of je je ogen open- of dicht hield, je zag de omtrek van je handen niet. Ik had honger.

'Wat zei je?' vroeg de professor ten slotte alsof hij plaats en tijd vergeten was.

'Ik vroeg over Emma,' zei ik.

'Emma,' verzuchtte de professor. 'Ze zat rechtop tegen de muur op de gang toen ik ontsnapte tijdens de luchtaanval. Ik wou haar meeslepen... ik dacht dat ze in leven was. Toen zag ik het gat van de kogel. Von Orlepp had woord gehouden, de verrekte hufter.'

We bleven een lange tijd stil zitten. Misschien dommelde ik weg. De ademhaling van de professor was het enige geluid dat je hoorde, een beetje gefluit door zijn neus. Ze hadden hem toegestaan het tabaksdoosje bij zich in de cel te houden en ik hoorde hem twee keer een snuif nemen. Soms trommelde hij kalm en zachtjes met zijn wijsvinger op het doosje. Hij deed dat onwillekeurig als hij het tussen zijn handen had, als hij in diep gepeins was verzonken, en hij had beslist genoeg om over na te denken daar in die cel. Ik overdacht alles wat hij had gezegd en ik vond het ongelooflijk. Ik had diep medelijden met hem dat hij in een dergelijke ellende was beland en misschien begreep ik hem beter nu ik de redenen van zijn zielenstrijd kende. Hij leefde met een vreselijk geheim en had dat jarenlang gedaan en het had zijn uitwerking gehad.

'En de Codex Secundus? Wat was dat?'

'Ik geloof natuurlijk – en meerderen met mij – dat er een ander manuscript van de *Edda* heeft bestaan, een soort zustermanuscript uit de dertiende eeuw,' zei de professor. '*Het lied van Sigrdrifa*, het gedicht uit het verloren kwarto, bestaat in een paar papieren handschriften uit de laatste helft van de zeventiende eeuw, zoals je weet. Men gelooft dat de tekst van het gedicht uit het Koningsboek is overgenomen voordat het kwarto verloren ging, maar er bestaat ook de mogelijkheid dat er een ander manuscript van de *Edda* heeft bestaan en dat daarvan een afschrift is verkregen. Ik heb geprobeerd me aan elke strohalm vast te klampen die zich voordeed. Het commentaar in de brief van Ole Worms over de Codex Secundus hoeft geen bijzondere betekenis te hebben, het kan op een ander afschrift slaan, zelfs op een totaal ander manuscript.'

'En heb je daar ook naar gezocht? Het zustermanuscript?'

'Ik ben altijd op zoek, Valdemar. Daarom zijn we in deze uitzichtloze situatie terechtgekomen. We moeten nooit ophouden met zoeken. Dat is wat mij in leven heeft gehouden. Vooral nadat Gitte stierf.'

'Je hebt niets over dat zustermanuscript gevonden?'

'Nee,' zei de professor. 'Dat wil zeggen...'

Hij aarzelde.

'Dat wil wat zeggen?' vroeg ik.

'Dat wil zeggen dat ik er zelf een heb gemaakt,' zei de professor.

'Een manuscript?!'

'Ja.'

'Van het Koningsboek?'

'De man die de leren jas heeft genaaid die ik altijd aanheb, heeft voor mij een paar extra huiden bewerkt. Ik heb ze in kleine bladen ter grootte van het Koningsboek gesneden, roet en andere vuiligheid op de huid gesmeerd, het aan de randen beschadigd, het op sommige plekken naar het voorbeeld geperforeerd, op de marges getekend waar het zo hoorde, commentaar geïmiteerd en...'

'En wat?'

'...het Koningsboek overgeschreven zoals wij het kennen. Ik ken het soort letter, ken elke bladzijde als de palm van mijn hand...'

'Heb je een tweede Koningsboek gemaakt?!'

'Ik begon met een paar bladen te spelen. Dat ging uitstekend. Zo ontwikkelde het zich.'

'En... wat...?'

'De vervalsing is behoorlijk overtuigend,' zei de professor. 'Ik heb het bij anderen uitgeprobeerd, zelfs bij specialisten, eentje uit Denemarken en een andere uit Zweden, die zagen er niets fouts in. Als laatste heb ik het boek aan de rector van de universiteit in Kopenhagen laten zien, die het in aanbidding bevoelde. Je vroeg hoe ik iedereen heb kunnen bedotten. Ik heb het soms om die reden gebruikt.'

'Het doorstaat dus een analyse?'

'Dat is gebeurd.'

'En wat ben je van plan ermee te doen?'

'Dat zal blijken.'

'Kan het in plaats van het andere komen? In plaats van het Koningsboek?'

'Dat is denkbaar. Als men het niet nauwkeuriger op verschillen gaat onderzoeken. Ik ben er heel tevreden mee.'

'Maar ik bedoel, het kan toch niet doorgaan voor het origineel?'

'Vanzelfsprekend kan het dat.'

'Waar is het nu?'

'Ik heb het niet geriskeerd het nogmaals te verliezen,' zei de professor. 'Ik bewaar het in de Árni Collectie. Soms heb ik met het idee gespeeld het in de Koninklijke Bibliotheek neer te leggen en te doen alsof er niets aan de hand is. Doen alsof het het Koningsboek is. Ik denk dat dat kan werken. Het is een behoorlijk goede vervalsing, al zeg ik het zelf. Het kostte me twee jaar het te maken. Ik kreeg ganzenveren te pakken die ik schoonmaakte en heel precies afsneed en bereidde looizuurinkt uit een mengsel van ijzersulfaat en looizuur.'

'Looizuur?'

'Op die manier maakten ze vroeger inkt. Looizuur werd verkregen uit knobbels die insecten om hun eieren onder de boombast maakten. Ik deed eindeloze experimenten met mengsels van ijzersulfaat in inkt tot ik meende de juiste kleur te hebben gekregen.'

We zaten lang zwijgend en ik overdacht wat de professor had gezegd.

'Het verloren kwarto was geen vervalsing,' zei ik ten slotte. 'Je hebt een prestatie verricht met het boven water te halen, ook al moesten we inbreken in het graf van Ronald en zitten we nu in de gevangenis.'

'Soms heb je geluk,' zei de professor. 'Als je het geluk kunt noemen hier opgesloten te zitten.'

En weer kroop de stilte over de cel.

'Hoe noemde je die Von Orlepp ook al weer?' vroeg ik.

'Het was heel onschuldig,' zei de professor. 'Maar hij was er overgevoelig voor. We noemden hem de Majoor. Erich de Kletsmajoor.'

'De Kletsmajoor,' fluisterde ik voor mezelf in het duister.

De stilte trok opnieuw door de cel. Ik moet hebben geslapen. Het volgende wat ik wist was dat ik door een oorverdovend kabaal opschrok. De deur werd opengeduwd en het licht ging aan. Na alle duisternis verblindde het mij en ik had moeite te zien wat er gebeurde. Het leek me dat er twee politieagenten bij ons in de cel kwamen. De professor was overeind gekomen. Ik knipperde met de ogen, tuurde naar hen in het felle licht en langzamerhand raakte ik eraan gewend. We werden uit de cel gehaald en een kantoor binnengeleid, waar dezelfde man als eerst op ons wachtte. Hij hield een potlood in zijn hand dat hij tussen zijn vingers rolde.

'Ik eis dat ik een telefoontje mag plegen,' zei de professor. 'Daar hebben we recht op.'

'Wees kalm,' zei de man met het potlood. 'Jullie zijn vrij om te gaan. Iemand zal jullie terug naar Rostock begeleiden en hopelijk zijn jullie verstandig genoeg om voorlopig niet in deze regio terug te komen.'

'Vrij?' zei de professor, die zijn eigen oren niet geloofde.

'Komen jullie hier eerder terug dan mij lief is, dan worden jullie van spionage tegen de democratische republiek beschuldigd,' zei de man.

'Maar de grafschennis dan?' vroeg de professor.

Ik begon aan hem te trekken. Hij begon ruzie te maken met de man die ons wilde vrijlaten.

'Wat voor grafschennis?' vroeg de man.

'Nou, op het kerkhof! Van Ronald D. Jörgensen! We braken in in het mausoleum, dat weet je heel goed!'

'Een klein geval van psychische desoriëntatie,' zei de man en hij haalde zijn schouders op.

'Kom mee,' zei ik tegen de professor en ik glimlachte ongemakkelijk tegen de man.

'Nee, ik wil het weten,' zei de professor. 'Ze kunnen ons niet zomaar vrijlaten! Er moet een of andere reden zijn.'

'Dit is niet de juiste tijd om naar een reden te vragen,' siste ik in het IJslands.

De man met het potlood tussen zijn vingers spitste zijn oren toen hij het IJslands hoorde.

'Praat Duits!' riep hij.

'Dank u vriendelijk,' haastte ik me te zeggen en ik trok de professor met me mee de gang op.

'Ze willen niets over ons weten,' zei hij. 'We zijn nooit hier geweest. We zijn nooit in Schwerin geweest. We hebben nooit het kwarto gevonden! Dit is nooit gebeurd. Dit is allemaal niet gebeurd!'

Ik luisterde niet naar zijn gemopper. We kregen ons paspoort, riem, schoenveters en jas terug en de professor kreeg zijn stok en kalfsleren jas. Ik was zo blij vrijgelaten te worden dat ik de man met het potlood wel om de hals had kunnen vliegen. We werden door een gang naar de receptie geleid en opeens waren we weer buiten onder de blote hemel. Ik haalde diep adem en prees mezelf gelukkig. De professor leek nog steeds kwaad te zijn dat hij uit de gevangenis was vrijgelaten.

'Is het mogelijk dat de Kletsmajoor hier zulke connecties heeft?' mompelde hij in zichzelf.

Twee man begeleidde ons naar het busstation en een van hen ging met ons in de bus naar Wismar zitten en reisde met ons mee in de trein naar Rostock. Hij zei de hele weg geen woord te veel en bemoeide zich niet met ons. De professor en ik praatten samen in het IJslands, en hij maakte er geen opmerking over. De professor had gelijk, het was alsof we niet bestonden. Vanuit Rostock namen we de veerboot naar Denemarken en van daaruit reisden we met de trein dezelfde weg als we waren gekomen naar Kopenhagen. Ik ging met hem mee tot zijn kantoor, waar we afscheid namen.

'Het had erger kunnen zijn,' zei hij en hij pakte me bij de hand.

'Het was oké,' zei ik. 'Omdat ze ons vrijlieten.'

'Je hebt het goed gedaan, Valdemar,' zei hij.
'Als ik de waarheid moet zeggen, dan had ik het liefst willen grienen daar in die gevangeniscel.'
'Ik weet het,' zei de professor. 'Toch begrijp ik niet waarom ze ons zonder berisping hebben vrijgelaten.'
'Het was geen groot misdrijf en ze hadden ons moeilijk kunnen afschilderen als gevaarlijke staatsvijanden, of wel soms? Twee grafrovers.'
'Waarvan één seniel!'
'Het was niet de moeite waard ons langer vast te houden. En misschien, zoals jij zegt, heeft Joachim zich er op de een of andere manier mee bemoeid.'
'Ik sta niet bij dat joch in het krijt,' gromde de professor. 'Als hij zich ermee heeft bemoeid, dan was het om ons veroordeeld te krijgen, niet om ons vrij te laten.'
Ik zweeg.
'Wil je me één plezier doen, Valdemar?' zei de professor, die er vermoeid uitzag.
'Wat dan?' vroeg ik.
'Hierover met niemand praten,' zei hij.
'Dat was niet bij me opgekomen,' zei ik.
'Goed,' zei hij. 'Ik wist dat ik je kon vertrouwen. Dit wordt ons geheim, van ons tweeën.'
'Vanzelfsprekend.'
'In het bijzonder dat over het Koningsboek,' zei hij.
'Denk je niet dat de tijd allang rijp is sommige mensen te vertellen wat er is gebeurd?' waagde ik hem te vragen.
'Op een dag moet ik dat natuurlijk doen,' zei hij. 'Toch heb ik nog steeds de hoop dat ik het terug kan krijgen. Zolang ik die...'
Zijn stem ebde weg.
'Je zou je beter voelen als je dit vertelt,' zei ik. 'En de mensen zullen begrijpen onder wat voor druk je stond. Iedereen in jouw schoenen had hetzelfde gedaan.'
'Nee,' zei de professor. 'Ik acht me daartoe niet in staat, Valdemar. Niet meteen.'
'Hoe krijg je het kwarto van hen terug?' vroeg ik.
'Door te doen wat ik heb allang had moeten doen,' zei de professor. 'Het Koningsboek vinden. Zodoende krijgen we de kans uit onze schuilplaats te kruipen.'
Het was avond geworden en ik keek hem na voor ik op weg ging naar mijn kamer in de Skt. Pederstræde. Hij was neerslachtiger dan ooit. Ik zag het vanachter aan zijn gestalte, aan zijn hoofd dat bijna omlaag op zijn borst

zakte, de afhangende schouders, de korte, zware voetstappen. Zijn stok, die hem vroeger amper kon bijhouden en tegen de straatstenen zong, steunde hem nu stom en stil.

Ik liet me oververmoeid op bed vallen toen ik thuiskwam en ik viel meteen in slaap. Meer dan vierentwintig uur sliep ik als een blok, tot de volgende dag in de namiddag. Ik deed er lang over mijn gedachten bij elkaar te rapen, zoals bij anderen gebeurt aan het begin van een alledaagse dag, en ik had aanvankelijk geen idee waar ik was of op wat voor dag ik wakker was geworden. Het was begonnen te schemeren en ik vond dat alles wat in Schwerin was voorgevallen een lange, onaangename droom was geweest. Ik liet een moment lang datgene wat niet te beschrijven was los, maar toen werd ik erdoor overmand en ik wist dat de belevenissen van de professor en mij verre van een droom waren. Zijn verhaal over het Shell-gebouw, het Deense meisje Emma, de diefstal van het Koningsboek, dit alles ging door mijn hoofd in de schemer van die onbekende dag en ik voelde weer sympathie voor de professor, die mij op de thuisreis zo had geboeid. Ik zag hem voor me alleen aan zijn bureau zitten met de fles op tafel en zijn gebroken ogen die voor zich uit staren naar zijn eigen pijnlijke lot.

Toen viel ik weer in slaap.

XIV

Ik zit bij het licht van de bureaulamp en draai het tabaksdoosje van de professor tussen mijn handen. Het is stil in het huis, want het is nacht. Ik heb de laatste tijd moeite met slapen, ik stap uit mijn bed en ga aan mijn tafel zitten. Hoewel het lang geleden is wat er allemaal is gebeurd, staat het mij nog steeds heel levendig voor de geest. Jaren zijn verstreken, steeds sneller naarmate je ouder wordt, en met de leeftijd zoeken mijn gedachten steeds vaker naar dat vreemde en absurde moment toen ik erachter kwam dat het Koningsboek, de schat aller schatten, was verdwenen uit het bezit van de Denen, verdwenen voor de IJslanders en verdwenen voor de professor, verdwenen alsof de aarde het had opgeslokt zonder dat iemand met zekerheid kon vertellen waar het was gebleven.

De professor had er zonder succes naar gezocht vanaf het moment dat Erich von Orlepp het met geweld in bezit had gekregen, en de tijd begon te dringen. Ik spoorde hem aan over die vreselijke ervaringen te vertellen waaronder hij vanaf het einde van de oorlog constant had geleden, maar daar wilde hij niet van weten. Misschien vertrouwde hij op zijn koppigheid, die ik altijd op het randje van de waanzin vond. Misschien vertrouwde hij erop dat, als alles had gefaald, het weer op zijn bestemming zou worden teruggegeven. Ik weet het niet. Ik weet alleen dat het hem in meer problemen had gebracht dan hij ooit had kunnen vermoeden.

Op de terugreis van Schwerin vertelde de professor mij het verhaal hoe hij na het einde van de oorlog naar Duitsland reisde en probeerde Erich von Orlepp bij de haren te grijpen. Hij had in de jaren die verstreken waren sinds het Koningsboek van hem was afgepakt, soms gemeend te weten wat er met het boek was gebeurd, maar het was nooit gelukt het terug te krijgen. Hij probeerde het spoor van Von Orlepp na de oorlog te volgen en hij kwam erachter dat een paar dagen nadat de nazi's zich hadden overgegeven in Berlijn Von Orlepp door de geallieerden was gearresteerd. Hij zat een paar weken in de gevangenis, maar verdween toen plotseling uit Duitsland en de professor wist niet of hij weer naar Duitsland was teruggegaan. Hij kwam erachter dat Von Orlepp, nadat hij was gearresteerd, had geprobeerd de geallieerden in de luren te leggen en dat hij op een ongelooflijke manier het vertrouwen had weten te winnen van de Amerikaanse legerleiding in Berlijn. De professor hoorde verhalen dat hij zijn hooggeplaatste kameraden binnen de nazipartij had verraden. Zijn loyaliteit werd met amnestie beloond en hij slaagde erin naar Zuid-Amerika te ontkomen. Hij dook daar onder, woonde een tijd in Chili en Argentinië en uiteindelijk in Ecuador, waar het spoor doodliep. De professor had altijd aangenomen dat hij het boek had meegenomen en dat het nu in Zuid-Amerika was. Toen Joachim, de zoon van Von Orlepp, de professor kwam te spreken vertelde hij dat zijn vader een paar jaar geleden was gestorven en ook dat hij vele parels in Duitsland had verkocht voordat hij daar verdween, waaronder het Koningsboek. De professor geloofde dit nauwelijks, want hij was van de Von Orlepps niets anders gewend dan leugens en verraad; hij was er zoals vroeger nog steeds van overtuigd dat Erich von Orlepp in leven was en dat hij het Koningsboek in bezit had. De professor deed Joachim een aanbod. Hij was bereid een bedrag voor het Koningsboek neer te leggen dat zijn vader zou bepalen. Joachim schudde alleen maar zijn hoofd, glimlachte naar de professor en herhaalde wat hij al had gezegd: dat hij niet wist waar het boek was. De professor geloofde het niet toen Joachim zei dat hijzelf ernaar op zoek was; Joachim meende dat het voor iedereen voor het grijpen lag die er genoeg geld voor bood. De reden dat hij in contact met de professor trad, was dat hij uit hem wilde trekken wat hij over het lot van het boek wist en of het mogelijk was dat het zelfs in de Koninklijke Bibliotheek terug was beland. De professor was zwaar beledigd. Joachim probeerde het te doen voorkomen alsof ze een gezamenlijk belang hadden met de zoektocht naar het Koningsboek en ze zelfs moesten samenwerken. Joachim praatte op hun bijeenkomst in de Witte ook met hem over het verloren kwarto. Het was toen dat de professor zijn zoektocht opnieuw begon. Hij vond dat hij geen tijd kon verliezen. Hij had geen idee dat Joachim al zijn bewegingen volgde.

'Maar wat als Von Orlepp werkelijk het Koningsboek heeft verkocht toen hij op het punt stond uit Duitsland weg te gaan?' vroeg ik de professor op de veerpont van Rostock naar Denemarken.

'Het is een leugen,' zei de professor. 'Het houdt geen steek. Ik ken Erich. Hij zou al het andere verkocht hebben, behalve het Koningsboek.'

'Dan is het nog steeds in Europa,' zei ik aarzelend.

'Erich heeft het Koningsboek niet verkocht,' herhaalde de professor. 'Dat geloof ik niet. Hij zou eerder zijn zoon hebben verkocht! Ik hoorde er ook niets over toen ik in Berlijn was. Ik zou iets over een handel met het boek hebben gehoord als die had plaatsgevonden. Ik ben daar goed bekend, ik heb vrienden op dat terrein, het is geen grote groep mensen die zich voor oude boeken interesseert.'

'Wie zou een dergelijk boek na de oorlog hebben kunnen kopen?'

De professor zweeg lang. Het was alsof hij niet de gedachte tot een einde wilde denken dat het Koningsboek aan een zwerftocht door Europa of misschien wel de hele wereld zou kunnen zijn begonnen en helemaal afhankelijk was van de gunsten en de genade van speculanten in oude kunstvoorwerpen.

'Het kan iedereen zijn,' zei de professor. 'Zweden, Duitsers, Italianen, Amerikanen, Hollanders. Er zijn grote boekenverzamelaars in al die landen. Als het naar een openbare verzameling was gegaan, zouden we het al gehoord hebben.'

'Het moet een nachtmerrie voor je zijn,' liet ik me ontvallen, 'als het opeens opduikt in een boekenverzameling in Rome.'

De professor zeeg achterover in zijn zitplaats en werd weer zwijgzaam.

'Heb je gepraat met degenen die hem vasthielden?' vroeg ik na een lange stilte. 'Waren het de Amerikanen?'

'Ja, de Amerikanen hielpen hem te ontsnappen. De Russen arresteerden hem, de Britten hielden hem een tijd gevangen, en toen eindigde hij in handen van de Amerikanen. Zij waren het die hem uit Duitsland redden. Ik kwam erachter waar Von Orlepp in Berlijn woonde, maar het huis en de hele straat was al opgeblazen. Ik vond er niets behalve ruïnes.'

Toen de professor de Russen noemde herinnerde ik me dat hij over hen vroeg, de avond dat we voor het bureau van Jón Sigurðsson in het Proviandhuis stonden, of ik iets over Russen wist, in het bijzonder of ik mensen kende die de Sovjet-Unie waren ontvlucht. Ik herinnerde me ook een brief op zijn bureau die uit Moskou kwam.

'Wat zeiden de Russen die hem arresteerden?' vroeg ik.

'Ik heb nooit contact met hen gekregen,' zei de professor. 'Ze sloten elke samenwerking uit. Ik heb met de Britten gepraat die Erich van de Russen overnamen, maar hij was slechts een paar dagen bij hen in bewaring en ze wisten niets over cultuurschatten die met hem in verband stonden. Een Britse majoor die het eerste verhoor van Erich leidde zei dat hij meteen ontzettend coöperatief was geweest. Een officier met de naam Hillerman nam Erich over en hij was degene die hem hielp ontsnappen. Ik heb hem ontmoet, maar ik kreeg weinig uit hem los. Hij was van mening dat coöperatieve nazi's de vrijheid moesten krijgen, zelfs als ze oorlogsmisdaden hadden begaan. Je kunt je voorstellen hoe belangrijk hij mijn bezorgdheid over een oud boek vond.'

'Is het mogelijk dat deze Hillerman is omgekocht, dat Von Orlepp hem heeft omgekocht?'

'Met het boek, bedoel je? Dat kan ik me niet voorstellen. Ik kreeg bij Hillerman de indruk dat hij een debiel was van het ergste soort die zich niet druk maakte om een mensenleven, laat staan een cultuurschat.'

'Je geloofde het dus niet toen Joachim vertelde dat Erich dood was?'

'Ik geloof het als ik kan spugen op zijn stoffelijke resten. Eerder niet. Ik weet niet wat voor spelletje ze spelen, vader en zoon, maar ik heb me aangewend geen woord te geloven van wat ze zeggen.'

'Is het niet moeilijk voor jou om met die Joachim te praten? Hij is de zoon van je kwelgeest. Van Erich.'

'Het liefst zou ik hem totaal negeren. Maar ik wil niet dat hij met iemand anders praat. En hij heeft dat niet gedaan.'

'Als hij de zoon van Von Orlepp is en jou over het Koningsboek vraagt, is het dan niet waarschijnlijk dat hij niet weet waar het is?'

'God mag het weten,' zei de professor. 'Je zag hoe hij het verloren kwarto van ons afpakte! Hij heeft mij om de tuin geleid met die kletskoek dat hij niets over het Koningsboek wist. Hij achtervolgt me. Ik denk dat hij altijd naar het kwarto op zoek is geweest. Ik denk dat zijn vader hem vanuit Zuid-Amerika heeft gestuurd om mij in beweging te krijgen. Mij op gang te krijgen en te achtervolgen. Hij deed alsof hij zelf ooit bijna het kwarto had. Alsof hij op het punt stond het te vinden. Ik kreeg een rolberoerte.'

De professor zweeg.

'Je vroeg me een paar dagen geleden of ik soms op de hoogte was van Russen die de Sovjet-Unie waren ontvlucht,' zei ik.

'Ja?'

'Wat bedoelde je daarmee?'

'Dat is een van die doodlopende straatjes,' zei de professor. 'Ik heb lang geprobeerd de Rus te vinden die Von Orlepp heeft gearresteerd toen de oorlog was afgelopen. Het is me niet gelukt. Ik heb vrienden in Moskou die mij hebben geholpen en ik weet dat hij naar het Westen is gevlucht. Het is lang geleden sinds ik het spoor ben kwijtgeraakt.'

'Hoe kan hij je helpen?'

'Ik heb geen idee.'

'Maar je verwacht iets.'

'Het is zo weinig dat ik in verband met Von Orlepp kan brengen nadat hij uit Kopenhagen met het Koningsboek vertrok. Ik weet niets over zijn doen en laten voor hij werd gearresteerd en ik weet niets van wat er met hem is gebeurd nadat men hem hielp te vluchten.'

Er lag een vermoeide klank in de stem van de professor.

'Om eerlijk te zijn heb ik alle hoop ooit het Koningsboek weer in handen te krijgen al opgegeven,' verzuchtte hij.

Ondanks het trieste einde van onze reis naar Schwerin bleek tijdens de dagen daarop dat de professor geenszins had opgegeven. Het was daarentegen alsof hij door de tegenslag nieuwe kracht had gekregen. Hij verscheen met dubbele energie op colleges aan de universiteit en hij werkte de weken daarna keihard. Na het college-uur praatten we een beetje met elkaar en hij leek niet onder invloed te zijn, hij schoor zich en het leek me zelfs dat zijn witte haardos in contact met een kam was gekomen. Ik kon zijn volharding slechts bewonderen en tevens besefte ik dat ik niet meer met hem op reis zou gaan en dat ik me eerder op mijn studie moest concentreren. Maar ik stond in dubio. Ik kon natuurlijk niet ontkennen dat de vondst van het kwarto en de belevenissen in Schwerin bij mij een enthousiasme hadden losgemaakt voor datgene waar de professor mee bezig was. Het was allemaal ontzettend spannend en ver verwijderd van de academische boekenwijsheid. Ik had nooit iets anders gekend. Ik had het verloren kwarto uit het Koningsboek gezien! Het zou nooit meer uit mijn gedachten verdwijnen en als ik mijn bijdrage kon leveren om het terug te krijgen, dan zou ik daartoe bereid zijn. Ik erken grif dat ik half-en-half bang was verder in de zaken van de professor en de wagnerianen verwikkeld te raken. Waarschijnlijk had ik het liefst met mijn studie willen doorgaan alsof er niets tussen was gekomen. Dat zou echter niet aan mij liggen.

'Wil je eventjes wachten, Valdemar,' zei de professor aan het eind van het college op vrijdag. Het weekend stond voor de deur en ik wilde het gebruiken om aan een opdracht te werken waar ik nog niet aan toe was gekomen.

Ik keek hem wantrouwig aan. Er was iets in zijn stem, een spanning die me deed denken aan die ene avond toen hij mij meenam naar Oost-Duitsland.

'Herinner je je waar we het over hadden op de terugreis van Schwerin?' vroeg de professor. 'Ik maakte een losse opmerking omdat we het over de Russen hadden, degenen die Erich de Kletsmajoor hadden gearresteerd.'

'Ja?' zei ik voorzichtig.

'Ik dacht erover toen ik die avond thuiskwam,' zei hij, 'en ik kwam op de naam van het Russische regiment en zijn officier toen ik na het einde van de oorlog naar Duitsland ging. Ik bekeek ook de briefwisseling met degenen die ik in Moskou kende. Ik vroeg of zij van zijn lot af wisten.'

'Ja, precies,' zei ik.

'Ik heb jaren achtereen geprobeerd hem te vinden, maar het is niet gelukt. Ik heb al lange tijd niets van mijn vrienden in Moskou gehoord, maar nadat wij twee met elkaar praatten kwam het bij me op het contact met hen weer aan te halen.'

'En?'

'Vanochtend kreeg ik een aanwijzing die ik moet onderzoeken.'

'Een aanwijzing?'

'Had ik je al verteld over mijn vrienden aan de universiteit van Moskou?' zei de professor.

'Nee,' zei ik.

'Nou, ze verrichtten toentertijd onderzoek voor mij. Degene die het bevel voerde over het regiment dat Von Orlepp arresteerde, ontvluchtte in 1949 de Sovjet-Unie. Hij zat toen nog steeds in het leger en hij was gelegerd in Oost-Berlijn en op een dag vluchtte hij en liep over naar het Westen. Hij woonde een tijdje in West-Berlijn en zwierf overal rond, hij ging onder andere naar Amerika. Hij leeft en is weer naar Europa gekomen, naar ik gisteravond hoorde. Hij onderhoudt contacten met zijn verwanten in de Sovjet-Unie. Hij heeft een moeder daar die hem vreselijk mist.'

'Ja, en?' zei ik terwijl ik nauwelijks mijn enthousiasme kon verbergen.

De professor zweeg en keek mij vol verwachting aan.

'Wat?' zei ik.

'Heb je nooit naar Holland willen gaan?' vroeg hij.

'Daar heb ik nog nooit over nagedacht,' antwoordde ik.

'De Rus woont in Holland,' zei hij, en ik merkte hoe hij hernieuwde kracht had gekregen sinds hij uit Schwerin was teruggekomen. Ik nam aan dat dat kwam door het laatste nieuws over deze Rus. Ik wilde hem vertellen dat de kans niet groot zou zijn iets van de Rus te horen te krijgen tenzij er een wonder zou gebeuren, vooropgesteld dat hij erin zou slagen hem te vinden. Hoe moest die man zich een onbelangrijke arrestatie herinneren binnen het kader van alles wat er gebeurde op het einde van de oorlog? Hoe kon hij weet hebben van Von Orlepps belangstelling voor boeken?

'Wat denk je dat je nu nog bij hem kunt bereiken, tien jaar nadien?' vroeg ik voorzichtig.

'Ik vertel je dit omdat jij het was die me weer aan hem deed denken. Misschien lukt het me hem te vinden, misschien niet. Ik denk dat het de moeite van het proberen waard is. Von Orlepp verdween op het einde van de oorlog uit Berlijn. Daar kan het antwoord liggen waarnaar ik heb gezocht. Ik ga naar Holland. Ga je met me mee?'

Ik merkte dat hij me uitdaagde.

'Je mist niets, dit kost je een weekend,' zei hij. 'Op maandag zullen we hier weer terug zijn. Het kan geen kwaad.'

Hat kan geen kwaad, dacht ik bij mezelf. Mist niets.

'Ik denk dat ik het moet laten schieten,' zei ik aarzelend. 'De hele studie...'

'Maak je geen zorgen over de studie,' zei de professor. 'Ik ben de studie! Je neemt die met je mee.'

'Ik ben amper bekomen van wat er in Schwerin is gebeurd,' zei ik tactvol.

De professor keek me lang aan en ik merkte dat ik hem in de steek liet en ik voelde me er niet lekker bij. Toch hield ik voet bij stuk. We hadden samen ongelooflijke dingen beleefd en ik had meer sympathie voor hem gekregen, maar misschien was ik hiervoor een te kleine jongen. Ik had geen trek in dit avontuur van de professor en op de een of andere manier kon ik het niet rechtstreeks tegen hem zeggen. Hij had mij meegesleept in een riskante, gevaarlijke onderneming waarvan ik vond dat het mij niet echt raakte. Ik hoorde niet iemands persoonlijke belangen te beschermen. Waarom moest hij mij hiermee lastigvallen? Ik had iets dergelijks niet verwacht toen ik naar Kopenhagen ging, en na de reis naar Schwerin dacht ik dat mijn aandeel erop zat. Het enige wat ik wilde was in alle rust mijn tijd aan mijn studie Oudijslands besteden. Iets anders deed er voor mij niet toe. Zo dacht ik erover en ik durfde de professor niet eens in de ogen te kijken, maar ik deed alsof ik het schaakspel achter hem bestudeerde.

Ik zag het verloren kwarto in zijn handen, het brandende kruis, de zelfgenoegzame grijns op het gezicht van Joachim.

'In orde,' zei de professor ten slotte. 'Ik begrijp je. Ik kan je niet steeds maar weer hierin betrekken. Hopelijk kun je zwijgen over wat ik je heb verteld. Wij zijn de enigen die van het Koningsboek af weten en het is belangrijk dat het een tijdje zo blijft.'

Hij pakte zijn tas en liep de collegezaal uit. Ik keek hem na en had van schaamte een knalrode kleur gekregen. Hij stond op het punt door de deur te verdwijnen toen ik niet langer kon blijven zitten.

'Waar woont die Rus?' riep ik hem na met een snelgroeiende knoop in mijn maag.

De professor draaide zich om.

'In Amsterdam,' zei hij. 'Midden in de hoerenbuurt.'

XV

De professor had geen woord te veel gezegd dat de Rus midden in de hoerenbuurt van Amsterdam woonde. Ons logement was op de Nieuwendijk, op een steenworp afstand van de Dam, waar het beroemde hotel Krasnapolsky stond. We liepen van daaruit naar de Oude Hoogstraat en sloegen af op de Oudezijds Achterburgwal. De rosse buurt lag voor ons uitgespreid, aan beide kanten uitgeleefd door de droesem van de maatschappij. Vrouwen die zich te huur aanboden zaten achter grote ramen. Sommigen rookten en deden alsof ze thuis zaten. Anderen probeerden zich presentabel te maken met netkousen, schoenen met hoge hakken en verleidelijk ondergoed dat slechts het allerheiligste verhulde. Eentje had haar borsten bloot en ik probeerde mijn blik er niet op te laten rusten. Sommigen waren bloedmooi en glimlachten naar mij, dus ik voelde me in verlegenheid gebracht. In plaats van opgewonden te raken voelde ik alleen maar gêne, vermengd met een vreemde triestheid als ik naar die vrouwen keek. Ze deden me denken aan gapende vissen in een tonnetje. Ik vond ze in die omgeving niet bepaald verleidelijk, eerder nogal meelijwekkend, en ik voelde dat ik meehielp ze te kleineren door ze als een hoerenloper aan te gapen.

De professor schonk helemaal geen aandacht aan de prostituees, hij struinde langs ze heen alsof ze niet bestonden. Een vrouw van rond de vijftig, dronken en met gore lippenstift, pakte mijn hand vast en zei iets in het Nederlands, maar ik trok mijn hand terug en schudde mijn hoofd zonder stil te blijven staan. We sloegen de Monnikenstraat in, een vieze zijstraat met het ene uitstalraam na het andere. Een man die redelijk goed gekleed was lag tegen de muur en verroerde geen vin, hetzij totaal bezopen, hetzij high door drugs. De professor had een stukje papier bij zich en zocht het huisnummer. Hij vond ten slotte het juiste nummer, dat aan een oud, armzalig krot van drie verdiepingen was bevestigd. Op de begane grond was een morsige kroeg en ernaast, bij de ingang naar de bovenverdiepingen, hing een bordje waarop stond: kamer te huur. Een Aziaat van middelbare leeftijd zat achter de tapkast. De professor praatte even met hem en noemde de naam van de Rus. Boris Grutsjenko.

'Nummer 3,' zei de Aziaat in het Engels en hij wees naar de bovenste verdieping. 'Hij slaapt,' voegde hij eraan toe. Hij glimlachte zodat je in zijn gehemelte kon kijken, waar verspreid nog drie tanden zaten.

'Bedankt,' zei de professor.

'Pas op voor hem,' zei de Aziaat. 'Hij is weken achtereen dronken geweest.'

We keken elkaar aan en toen ging ik vlak achter de professor omhoog naar de verdieping naar de Rus. Luidruchtig gepraat van beneden uit de kroeg drong door tot de overloop, afgewisseld door gekrijs van vrouwen en diepe wodkastemmen bij een liefdeslied van een Amerikaanse smartlappenzanger. De deur van nummer 3 zat niet op slot en de professor aarzelde geen moment na een paar keer geklopt te hebben. We gingen naar binnen. Rood neonlicht dat buiten aan het huis ernaast hing verlichtte de kamer met tussenpozen van een paar seconden. In de kamer stond een stoel, een tafeltje en een bed zonder beddengoed tegen de muur. Er lag een man op te slapen met een vrouw naast hem. Ze lagen als een stel voddenbalen tegen de muur. Dat kwam door de hellende vloer. Het hele huis, de muren en de vloer waren op de een of andere manier schots en scheef als een oud spookschip op zijn eeuwige vaart.

De professor schraapte zijn keel, maar de Rus noch de vrouw die bij hem was verroerde zich. Over hen lag een versleten beddensprei vol gaten, maar dat was nauwelijks genoeg om hun naaktheid te bedekken. Bier- en wodkaflessen lagen als sprokkelhout in de kamer.

'Boris,' zei de professor nogal luid.

Dat leverde niets op.

Toen hij een paar pogingen had gedaan om de Rus vanaf een redelijk veilige afstand te wekken, ging hij naar het bed en pookte met zijn stok tegen de man en noemde een paar keer zijn naam. 'Boris. Boris Grutsjenko!' Dat leek effect te hebben. De Rus werd half wakker. Hij kwam in bed overeind als in een oude stomme film, belicht door flitsend neonlicht, en hij gaapte de professor en vervolgens mij aan. Toen ging hij helemaal in z'n nakie rechtop staan. De professor deinsde achteruit en we waren beiden al bij de deur toen de Rus zich in het flikkerlicht uitrekte en een zwak peertje in de kamer aandeed. Ik stond helemaal klaar om weer de straat op te rennen.

'Boris?' zei de professor.

De man zei iets in het Russisch. Hij leek niet bepaald enthousiast of verbaasd over deze onverwachte storing.

De professor antwoordde in het Russisch. Ik keek hem aan.

'Ken je ook Russisch?' vroeg ik.

'Een paar woordjes,' antwoordde hij.

'IJsland?' zei de man en hij ging over op het Engels. Hij was nogal lang en krachtig gebouwd met lang zwart haar, en hij had een slanke gestalte. Hij rukte de sprei van de vrouw af die nu naakt lag, wikkelde hem om zich heen, keek ons om beurten aan en leek ontzettend wantrouwig.

'Ben jij Boris Grutsjenko?' vroeg de professor, en waarschijnlijk vond de Rus het gedrag van deze onbekende man die daar bij hem in de kamer stond nogal brutaal.

'Dat gaat je niks aan,' antwoordde de naakte man.

Toen bulderde hij iets in het Russisch en in een flits maakte hij zijn hoofd tot een stormram en viel mij aan terwijl ik naast de professor stond, hij smeet mij op de grond en ging boven op mij liggen. Ik rook zijn afschuwelijk slechte adem in mijn gezicht en met zijn grote knuisten nam hij mij in een wurggreep. Ik piepte iets toen ik probeerde om hulp te schreeuwen. Hij verstevigde zijn greep om mijn hals zodat ik geen adem kreeg. Ik zag met de ogen van een stervende de professor achter hem oprijzen met zijn stok in de lucht en hij sloeg hem met de zilveren knop hard op zijn hoofd. Dat had niet het geringste effect. De professor probeerde het weer en ik hoorde hoe de knop op de schedel weerklonk. Hierdoor werd de Rus wat meegaander en ik merkte dat de enorme knuisten hun greep wat verslapten. De professor legde de stok dwars over de Rus zijn hals en trok er met beide handen uit alle macht aan, dus de man rekte en strekte zich helemaal uit. Ik had tot dan toe geen idee hoe sterk de professor ondanks zijn leeftijd was. De man werd vuurrood en het lukte mij om me van de knuisten rond mijn hals te bevrijden en onder zijn gewicht uit over de vloer te kruipen. Hij probeerde de professor te pakken, die nu boven op hem zat, maar dat lukte niet. Hij probeerde op te staan en de professor schreeuwde tegen mij ook op hem te gaan zitten en samen lukte het ons hem onder op de vloer te houden.

'We willen je geen kwaad doen,' zei de professor kalmerend tegen de man. 'Vertrouw me. We moeten slechts inlichtingen hebben.'

De man gromde iets onverstaanbaars.

'Het duurt niet lang en dan gaan we weer en zie je ons nooit meer terug. Snap je wat ik zeg?'

Een poosje verstreek eer de man met zijn hoofd knikte, voor zover hij dat kon met de stok die wij nu beiden onder zijn kin hielden. We zagen bijna heel zijn gezicht.

'Wij willen je geen kwaad doen,' herhaalde de professor en hij zei dat we hem los zouden laten als hij beloofde ons pas aan te vallen als hij had gehoord wat we kwamen doen.

Langzamerhand verslapten we onze greep op de stok en het hoofd van de man zonk weer op de vloer. De professor zei me te gaan staan en toen ging hij zelf van de man af, die daar lag en zich niet verroerde. De vrouw sliep als een blok op het bed en liet zich door dit onverwachte bezoek niet storen.

'Ik ben Boris,' zei de man en hij stond op van de grond en keek ons met van haat vervulde ogen om beurten aan.

'Ik moet je wat over de oorlog vragen,' zei de professor. 'Vanaf het moment dat je in Berlijn was na de overwinning op de nazi's.'

'Komen jullie uit IJsland?' vroeg Boris en hij begreep dit onverwachte bezoek nog steeds niet. Hij vond zijn broek en trok die aan.

'Ja,' zei de professor.

'Jullie moeten het me niet kwalijk nemen,' zei Boris, en alle woede leek uit hem geweken. 'Ik dacht dat jullie uit Moskou kwamen.'

'De zaak waarvoor we jou komen opzoeken is misschien vreemd, maar hopelijk kun je ons behulpzaam zijn,' zei de professor zo beleefd als hij kon. Hij trok voorzichtig zijn jas uit, liep naar het wrakke bed en legde het kledingstuk over de slapende vrouw.

Ik wreef over mijn hals, die pijnlijk aanvoelde.

'Ik was in Berlijn nadat de oorlog was afgelopen op zoek naar een man die jij arresteerde,' zei de professor. 'Je was met het Rode Leger in Berlijn, nietwaar?'

De Rus gaf hem geen antwoord. Hij keek ons om beurten aan en het wantrouwen straalde van zijn gezicht.

'De man uit Berlijn die we zoeken heet Erich von Orlepp,' ging de professor verder. 'Hij stond hoog aangeschreven in de nazipartij. Jullie droegen hem over aan de Britten en toen namen de Amerikanen hem over. Ik heb met de Britten en de Amerikanen gepraat, maar ik heb nooit met de Russen kunnen praten. Nu heb ik jou gevonden.'

'Hoe?' vroeg de Rus.

'Ik heb jarenlang geprobeerd degenen te vinden die Von Orlepp arresteerden, maar het systeem bij jullie Sovjets is ondoorgrondelijk... Hoe het ook zij, ik hoorde dat je een paar jaar na de oorlog de Sovjet-Unie via Berlijn bent ontvlucht. Ik heb vrienden in Moskou die mij hebben geholpen. Ze hebben contact met je moeder gehad.'

'Heb je mijn moeder gesproken?' vroeg de Rus.

'Nee, ikzelf niet. Mijn vrienden hebben dat gedaan. Ze doet je de groeten. Ze woont in Moskou, nietwaar?'

'Ik mis Moskou,' zei Boris triest. 'Ik heb brieven gestuurd, maar kreeg niets terug. Ik weet niet zeker of ze op hun bestemming zijn aangekomen.'

'Sommige lijken te zijn aangekomen,' zei de professor. 'Je moeder wist dat je uiteindelijk hier in Amsterdam was.'

De professor draaide zich naar mij om en beval me naar de bar beneden te gaan om een fles wodka te halen. Hij gaf me een paar gulden en zei dat ik moest voortmaken. Ik ging ervandoor, rende de gang af, de trap omlaag, de straat op en meteen de kroeg ernaast binnen. Volgens mij stond er op het armzalige bord dat bij de ingang hing dat het café De vette kater heette. Ik vroeg om een fles wodka en liet het geld zien. De barkeeper bediende me vlot. Beroerd uitziende klanten staarden me door een alcoholwaas aan, anderen voerden eindeloze gesprekken en ik hoorde Perry Como uit de jukebox zingen. Meteen toen ik de fles kreeg, rende ik weer terug omhoog naar de kamer met de professor.

De man bleek met zekerheid de Rus Boris Grutsjenko te zijn, deserteur uit het Rode Leger, balling en stateloos na te zijn teruggekeerd uit de Verenigde Staten, waar hij met het kapitalistische systeem in al zijn glorie had kennisgemaakt – maar er niet van onder de indruk was geraakt. Hij had door Europa gezworven en was in Holland geëindigd, waar hij een verblijfs- noch een werkvergunning had. Hij zei dat hij zijn kostje bij elkaar scharrelde met zwart werk, nu eens als uitsmijter, dan weer als souteneur en vaak allebei.

Hij zei dat zijn familie het niet bepaald goed had gehad nadat hij de Sovjet-Unie was ontvlucht. Zij moesten het ontgelden. Hij durfde aan de andere kant niet terug te gaan, want hoogstwaarschijnlijk zou hij worden vermoord.

'Ik mis Rusland,' zei hij.

Hij dronk flink van de wodka en had zich op de een of andere manier verzoend met ons, twee onbekende lieden die van ver kwamen voor een eigenaardige aangelegenheid. De vrouw sliep nog steeds op het krakkemikkige bed met de jas van de professor over zich heen. Boris bleek ontzettend spraakzaam toen hij eenmaal door de wodka was opgewarmd. Hij had een hoog, intelligent voorhoofd, kleine ogen boven een imposante aardappelneus, en onder zijn kaakbeen zat een kleine wrat. Langzaamaan begon de professor de Rus over het einde van de oorlog en Von Orlepp te vragen. De Rus had een goed geheugen en was er trots op te hebben deelgenomen aan de oorlog tegen de nazi's. Hij vertelde ons de naam van het regiment, waar het had gevochten, bij de belegering rond Stalingrad onder andere, hoe het er de hand in had gehad de Duitsers uit Rusland en door heel Oost-Europa naar het Westen te jagen. Ze hadden dorpen en steden in Duitsland veroverd onder leiding van maarschalk Georgi Zjoekov en ze kenden geen genade toen ze op een dag Berlijn bereikten en de rode vlag op de ruïnes van het parlement, de Rijksdag hesen.

'Een schitterende dag,' zei Boris, 'toen ze de vlag hesen en de oorlog voorbij was. We omarmden en kusten de Britse en Amerikaanse soldaten, onze bondgenoten, onze vrienden. Ik dacht dat de dingen zouden veranderen. We hadden samen Hitler en de nazi's verslagen en ik dacht dat we altijd bondgenoten zouden blijven. Dat gebeurde natuurlijk niet.'

'Je besloot ertussenuit te knijpen,' zei de professor voorzichtig.

'Wat denk jij over mij te weten?' zei Boris alsof het hem niet beviel dat vreemden van zijn levensloop op de hoogte waren. 'Heb je mij bespioneerd?'

'Nee, helemaal niet,' haastte de professor zich te zeggen. 'Ik ben ooit naar jou op zoek geweest en wist dat je uit de Sovjet-Unie was gevlucht. Mijn vrienden in Moskou zeiden dat je naar de Verenigde Staten was gegaan.'

'Verdomde kapitalisten,' zei Boris en hij zette de fles wodka aan zijn mond. 'Zijn jullie daar geweest? Ze dachten dat ik hun kon helpen. Ze wilden inlichtingen over Oost-Berlijn. Over het Rode Leger. Ik heb geen enkele kolereonthulling gedaan. Zei dat ik niet van plan was over mijn kameraden te ouwehoeren. Ze kregen genoeg van mij. En ik kreeg genoeg van hun.'

'Het moet moeilijk geweest zijn uit Oost-Berlijn te vluchten,' zei de professor. Ik wist dat hij zich uit de situatie probeerde te redden door niet al te voortvarend tegen de Rus te zijn.

'Er was geen sprake van vluchten,' zei Boris. 'Ze hadden de grenzen beter kunnen afsluiten. Ik wou niet meer in het oosten blijven. Ik kreeg vlak na de oorlog te horen dat mijn broer thuis in Moskou was gearresteerd. Niemand wist waarvoor. Hij was journalist. Hij stierf later bij Moermansk. Mijn broer heeft zoals ik in de oorlog gevochten. Het was een held. Dat heeft hem niet geholpen. Zelf werd ik gedegradeerd. Ik wist niet waarom. Ze zouden me terug naar huis sturen.'

De Rus zuchtte diep.

'Ik haat Rusland.'

De vrouw op bed snurkte zacht.

'We weten dat hooggeplaatste nazi's veelal probeerden uit Berlijn te vluchten, sommigen gingen dwars door Oostenrijk,' zei de professor. 'Ze verborgen zich tussen het gewone volk in de treintunnels en de gebouwen en staken de Oostenrijkse bergen over. Herinner je je een man gearresteerd te hebben met de naam Erich von Orlepp? Weet je wie hij was?'

De Rus schudde het hoofd.

'Het was een Duitse officier. Rijk. Hij was waarschijnlijk in burger. Je droeg hem over aan de Britten. Ik weet niet waarom. De Britten noemden jouw naam. Ik vond je naam in de overdrachtspapieren. Herinner je je een Duitse officier aan de Britten te hebben overgedragen?'

'Een officier?'

'Het was een naziofficier. Erich von Orlepp.'

'Mijn regiment arresteerde niet veel volk,' zei de Rus.

'Hij kan jullie iets aangeboden hebben als jullie hem vrijlieten,' zei de professor om zijn geheugen op te frissen. 'De Britten wilden hem hebben toen ze over de arrestatie hoorden.'

Boris zweeg.

'Hij werd beschuldigd van oorlogsmisdaden. De Polen wilden hem gevangennemen. Anderen ook.'

'Executie,' zei Boris opeens. 'Zou hij het zijn?'

'Executie?!' zei de professor.

'Ik was het niet die hem arresteerde,' zei Boris. 'Ik heb hem wel aan de

Britten overgedragen. Von Orlepp? Hij stal kunst of zoiets. Deed alsof ie in het geld zwom. Klopt dat?'

De professor knikte.

'Ben je zeker dat je je hem herinnert?' vroeg hij.

'Er werd ons gezegd met hem naar het hoofdkwartier van de Britten in Berlijn te gaan en hem daar aan de leiding over te dragen,' zei Boris. 'We kregen geen uitleg waarom. Het was gewoon een opdracht zoals elke andere. We leverden hem af en dat was het.'

'Ben je zeker dat het Erich von Orlepp is geweest?' vroeg de professor weer.

'Ik herinner me de naam,' zei Boris. 'Maar er was nog iets, hij probeerde ons om te kopen. Je zei dat hij ons iets kon hebben aangeboden en ik herinner me dat hij ons geld aanbood. Hij zei dat hij dollars had. Ladingen. Hij zei dat hij het niet bij zich had maar dat het op een bepaalde plek in Berlijn lag, we hoefden alleen maar met hem erheen te gaan en dan zouden we rijk zijn. Hij probeerde ons zover te krijgen hem vrij te laten.'

'Maar dat hebben jullie niet gedaan?' vroeg de professor.

'Nee,' zei Boris. 'We riskeerden het niet. Ze vertelden van alles en nog wat om maar te ontsnappen.'

'Wat bedoelde toen je "executie" zei?' was ik zo vrij om te vragen.

Boris keek mij aan.

'Het liefst wilden we die Orlepp vermoorden,' zei hij. 'Omdat ie een nazi was en dat ze hem vanwege oorlogsmisdaden wilden hebben. Dat was voor ons meer dan genoeg. Maar het kon niet. Er was al iets voor hem geregeld. We deden alsof we toch van plan waren hem te vermoorden. Hem bang maken. We zetten een executie in scène op weg naar de Britten. We stopten de truck, zetten hem tegen een muur en ze richtten hun geweer op hem, de jongens, ik telde af en ze schoten overal om hem heen. Ik dacht dat ie een zenuwinzinking had gekregen. Griende de hele tijd als een kleuter.'

Ik keek naar de professor toen de Rus dit zei, maar hij toonde geen enkele reactie.

'Waarom waren de Russen in onderhandeling om hem aan de Britten over te dragen? Wat bedoelde je toen je zei dat er al iets voor hem was geregeld?'

'Wij kregen iemand in zijn plaats.'

'Iemand in zijn plaats?'

'We leverden hem af bij het hoofdkwartier van de Britten en zij gaven ons een nazi die zij hadden gearresteerd. Een gelijke ruil.'

De Rus dronk van de wodka. De vrouw in het bed werd half wakker.

'Het was politiek,' zei hij.

'Waarom werd Von Orlepp gearresteerd?' vroeg de professor.

'Waarom?' zei Boris. 'Is dat niet duidelijk? Wij maakten op nazi's jacht en we kregen er heel wat te pakken.'

'Ik bedoel, hoe werd hij gearresteerd?'

'Ik arresteerde hem niet,' zei Boris weer. 'Dat heeft mijn vriend gedaan. Hij stierf. Vlak buiten Berlijn. Stapte op een mijn toen de vrede al verklaard was. Zo is het leven.'

'Ken je iemand anders uit zijn ploeg die hem gevangennam?'

'Nee, niemand.'

De professor zeeg achterover in zijn stoel. Het zag ernaar uit dat de Rus hem niet van dienst kon zijn.

'Zei Von Orlepp iets?' vroeg ik. 'Toen jullie hem meenamen? Herinner je je iets bijzonders? Iets in zijn gedrag? Iets wat hij zei?'

'Waarom stellen jullie vragen over die man?' vroeg de Rus. 'Waarom is hij zo belangrijk?'

'Hij stal kunstwerken,' haastte ik me te zeggen.

Ik keek naar de professor, die zwijgend naar buiten in het rode neonlicht zat te staren. Ik realiseerde me pas ten volle hoezeer hij op hulp van de Rus had gehoopt toen ik de wanhoop op zijn gezicht zag.

'Heeft ie van jullie gestolen?' vroeg Boris.

De vrouw in het bed kwam op haar ellebogen overeind en keek afwisselend naar de professor en mij. Ze had rood haar, een mollig gezicht en zat goed in het vlees. Toen ging ze weer op bed liggen met de jas van de professor over haar heen alsof wij haar niet aangingen.

'Hij stal van ons een grote schat,' zei ik. 'Een schat van het volk. Wij proberen die terug te vinden, maar Von Orlepp is waarschijnlijk dood of in ieder geval van de aardbodem verdwenen, en we weten niet wat hij ermee heeft gedaan.'

'Wat was het?' vroeg Boris. 'Wat heeft ie van jullie afgepakt?'

Ik keek naar de professor, die ver weg leek te zijn.

'Een boek,' zei ik.

'Een boek?' zei Boris en de verwonderde blik liet zich niet verbergen. 'Wat voor boek? Hoe kan een boek zo belangrijk zijn?'

'Het kan ontzettend belangrijk zijn.'

'Hebben jullie mij, een deserteur, een landverrader, een verbannen Rus in Amsterdam gezocht voor één boek?'

'In de psyche van de IJslanders is het het boek aller boeken,' zei ik. 'Een perkamenten boek. Het Koningsboek. Het IJslandboek.'

De Rus keek de professor en mij om beurten aan.

'Het is het allerbelangrijkste boek dat wij kennen,' zei de professor moedeloos.

'Dan kan het kloppen,' zei de Rus.

'Wat?'

'Zo'n beetje wat hij zei.'

'Wie wat zei?'
'Mijn vriend die op een mijn stapte. Degene die Von Orlepp arresteerde. Hij vertelde me dat ze hem hadden gevonden in de puinhopen van een antiquariaat.'
De professor had triest naar de vloer gekeken, maar nu hief hij zijn hoofd en staarde de Rus aan.
'Wat zei je?'
De Rus keek hem aan.
'Er lagen overal boeken.'
'Overal boeken?'
'Mijn vriend zei dat hij hem uit de puinhopen van een antiquariaat had gesleept,' zei Boris.
'Was hij in een antiquariaat toen jullie hem gevangennamen?' fluisterde de professor.
Boris knikte.
'Was hij binnen in het antiquariaat toen hij werd gearresteerd?' herhaalde de professor alsof hij zijn eigen oren niet geloofde.
'Dat was wat mijn vriend zei. Erbinnen of erbuiten. Hij scharrelde in ieder geval bij een antiquariaat rond.'
'Had hij boeken bij zich?'
'Daar had hij het niet over.'
'Wat was Von Orlepp daar aan het doen?'
'Zou het niet kunnen dat hij zich daar heeft verborgen? Ze scheten allemaal in hun broek, die oude nazilafbekken, toen Berlijn werd veroverd.'
'Welke winkel was het?'
'Hoe kom je erbij dat ik dat weet?'
'Waar is die winkel? Hoe heet de winkel?'
'Hij was rijk, zei je?' vroeg de Rus.
'Wie?'
'Die Orlepp?'
'Rijker dan je denkt,' zei de professor.
De Rus zweeg. Misschien dacht hij terug aan die tijd en waarom hij het smeergeld niet van Von Orlepp had geaccepteerd.
'Weet je waar dat antiquariaat was in Berlijn?' vroeg de professor.
'Nee. De stad lag in puin.'
'Was het groot of klein?'
'Groot of klein? Daar weet ik niets van.'
'Ik ben een beetje thuis in de wereld van antiquariaten,' zei de professor. 'Als je me iets over die boekhandel kunt vertellen, het doet er niet toe hoe onbeduidend het is, dan kan het voor ons van nut zijn.'
'Ik weet niet veel over die boekhandel,' zei Boris. 'We hebben het er niet

over gehad. Dimitri vermeldde het alleen maar. Het huis was gebombardeerd en een totale ruïne, maar de boekenrekken stonden nog steeds overeind in de puinhopen.'

'Je weet dus ook niet van wie die winkel was?'

'Nee, geen idee.'

'In welk deel van Berlijn was het? In welke buurt? Zei je vriend daar iets over?'

De Rus dacht na. Een kalm gesnurk steeg weer op van de vrouw met het mollige gezicht op het bed.

'Het ligt nu in het westelijk deel,' zei de Rus. 'Ik herinner me dat Dimitri voor het toezicht in Charlottenburg moest zorgen. Ik woonde zelf een tijd vlak in de buurt nadat ik was gevlucht. Voordat ik naar de Verenigde Staten ging. Zijn jullie daar geweest? In de Verenigde Staten?'

Ik schudde het hoofd.

'Verdomde kapitalisten,' zei hij.

Toen keek hij oneindig triest naar het rode neonlicht buiten en zuchtte.

'Ik mis Rusland.'

De professor kon de hele nacht geen rust vinden. Na al die jaren, na al die tijd en de ondraaglijke psychische kwelling, bestond er een sprankje hoop dat hij op het spoor kwam van het boek dat hij in de oorlog was kwijtgeraakt. Een opgeblazen antiquariaat in Berlijn kon de sleutel zijn tot zijn herwonnen levensgeluk. Het kwam niet bij me op hem te vertellen hoe onrealistisch het was te denken dat die trivialiteit een overwinning zou zijn. Omdat de professor op dat moment overliep van vreugde wilde ik het niet voor hem bederven. Hij zei dat hij nooit had geloofd dat Von Orlepp het boek zou verkopen zelfs al zou hij in moeilijkheden geraken, maar nu was waarschijnlijk iets anders aan het licht gekomen. Hij hield zich krampachtig vast aan de bewering van de Rus dat de nazi een enorme hoeveelheid dollars had gehad. Alles wees daarop. Von Orlepp had vanaf de laatste dag van de oorlog kunstobjecten verkocht en onder andere contact opgenomen met een antiquaar die goede connecties had met boekenverzamelaars, zelfs over de hele wereld. De antiquaar kende heel goed de waarde van het Koningsboek, anders had Von Orlepp geen contact met hem opgenomen. De professor dacht dat de antiquaar naar alle waarschijnlijkheid eerder een tussenpersoon was geweest voor de verkoop van het boek dan dat hij het boek voor zichzelf had gekocht. Als het ons lukte hem te vinden, dan kon hij ons inlichtingen geven over het lot van het boek. Waarschijnlijk was het nog steeds in Duitsland. 'Dat zou het beste zijn,' zei de professor. Hij ging zover dat hij verschillende manieren overwoog om het boek bij de huidige eigenaar op te sporen, waarbij een diefstal helemaal niet werd uitgesloten. Hij praatte haast alsof hij het boek al in zijn handen had en ik merkte die lange nacht, nadat we met de Rus hadden gepraat en terug in het logement waren, meer dan ooit hoezeer hij ernaar verlangde het te vinden.

'Morgen gaan we in alle vroegte naar Berlijn,' zei de professor met een ernstig gezicht. 'Zou je vanuit Amsterdam een rechtstreekse trein naar Berlijn kunnen nemen?'

Ik was op het bed geploft toen we in onze kamer kwamen, maar hij ging op een stoel tegenover mij zitten en ik had hem nog nooit zo hard op zijn tabaksdoosje horen trommelen.

'Ik dacht dat ik met de meesten had gesproken toen ik na de oorlog in Berlijn was,' zei hij opgewonden. 'Ik bedoel antiquaren en boekenverzamelaars. Geen van hen had gehoord dat het Koningsboek op de markt was. Maar ze kunnen ook tegen mij gelogen hebben. Geen mens ter wereld kan zo liegen als een antiquaar. Geen mens, Valdemar.'

Hij maakte het doosje open en nam een stevige snuif.

'Denk je dan niet dat Von Orlepp nog steeds het boek heeft?'

'Nee, niet als hij het heeft verkocht, Valdemar. Dat is de kern van de zaak. Als hij het niet meer heeft, dan laat dat verscheidene mogelijkheden open waarvan ik niet dacht dat ze zouden bestaan.'

'Joachim weet dan niet wat zijn vader met het boek heeft gedaan, nietwaar?'

'Dat blijkt niet zo te zijn.'

'Zou het niet makkelijk zijn voor Joachim, de zoon van Von Orlepp, degene te vinden die het in bezit heeft gekregen? Als iemand het in bezit heeft gekregen?'

'Ik ken niet de hele geschiedenis, Valdemar. Misschien zal dit allemaal beter aan het licht komen. Ik heb niet alle antwoorden. We hebben nu waarschijnlijk een aanwijzing die de moeite waard is te onderzoeken, iets anders is er niet. We moeten er niet te veel van verwachten, maar ook niet te weinig. Het is gewoon wat het is. We gaan het onderzoeken en zien of er iets in zit.'

Maar ik kon niet ophouden.

'Had een boek als het Koningsboek niet boven water moeten komen als het in handen van een gewone boekenverzamelaar was geraakt?'

Ik wilde niet zijn plezier vergallen, maar ik wilde ook niet dat hij te veel irreële verwachtingen koesterde. Ik geloofde niet dat deze aardse, intelligente man bereid was alle logica overboord te gooien; een man die eeuwig en altijd in de kracht van de rede geloofde en het zichzelf nooit toestond luchtkastelen te bouwen.

'Absoluut niet,' antwoordde hij. 'Men loopt niet te koop met zijn bezit en vooral niet met oude boeken waarvan het niet zeker is dat ze op een rechtmatige wijze zijn verkregen. De meeste serieuze boekenverzamelaars kennen het Koningsboek en weten dat het in het bezit van de Denen is. Ze zouden nooit publiekelijk zeggen dat het boek in hun handen is gekomen. Dat kan voor hen ongekende problemen geven. Dus dit hoeven niet eens boekenverzamelaars te zijn, het kan elk soort kunstverzamelaar zijn die er maar is.'

'Wat verwacht je in Berlijn te vinden?'

'Ik herinner me in ieder geval twee antiquaren in die wijk, Charlottenburg. Een van die twee was een van de grootste in Duitsland. Het is waarschijnlijk dat Von Orlepp met hem zaken heeft gedaan. Ik weet niet wat we vinden, hopelijk kunnen we meer te weten komen.'

'Je zegt altijd "wij".'

'Ja, is daar iets mee? Jij en ik. Wij.'

'Ik ben met je hiernaartoe gegaan, maar ik weet niet zeker of ik met je naar Berlijn ga.'

'We zijn waarschijnlijk het boek op het spoor gekomen, Valdemar. Denk je dat je nog iets in je leven moet presteren als we het vinden? Zie je niet hoe fantastisch dat is?!'

'Fantastisch? Niemand weet dat het weg is! Nog steeds niet, in elk geval. En als we het vinden, als jij het vindt, zal niemand er ooit achter komen. Je kunt het moeilijk overal rondbazuinen als een prachtige overwinning. Je glipt er waarschijnlijk in het holst van de nacht stiekem weer de bibliotheek mee binnen en doet net of je het onderzoek ernaar hebt afgesloten. Wat is daar fantastisch aan? Wie moet zich met jou erover verheugen? Je staat hierin alleen en dit is jouw geheim. Als je je doel bereikt hebt, dan is de grootste beloning die erop volgt dat niemand het ooit te weten komt.'

Een diepe stilte volgde op wat ik zei.

'Je bent een vreselijke stomkop, m'n arme,' zei de professor ten slotte nors.

'Zal niet blijken wie van ons de stomkop is?' zei ik en ik realiseerde me te laat dat ik precies dat deed wat ik helemaal niet van plan was: zijn plezier bederven.

'Wat zeg je nou, Valdemar?' fluisterde de professor verbaasd. 'Denk je dat ik me druk maak om... om een of ander... een of ander lintje? Ben ik in jouw ogen zo min? Denk je dat ik erop zit te wachten tot ridder geslagen te worden? Denk je dat ik dit uit pure ijdelheid doe? Kom ik zo op je over? Denk je dat ik zo... zo kleingeestig ben...?'

'Ik bedoelde...'

De professor slaakte een diepe zucht alsof hij weer eens een student moest terechtwijzen die te traag van begrip was.

'Wil je nou nooit begrijpen wat ik zeg? Het kan me niet schelen. Niet meer dan jou. In dit verband kan het ons niet schelen, Valdemar, en het heeft ons nooit wat kunnen schelen. Het enige wat ertoe doet is het Koningsboek. Dat is het enige wat ertoe doet!'

Ik durfde me niet te verroeren.
'Snap je dat?' zei hij.
'Natuurlijk is het een belangrijk boek,' zei ik beschaamd. 'En het was niet bij me opgekomen...'
'Je voelt het als je het oppakt,' zei de professor. 'Als je het openmaakt en de bladzijden omslaat en als je zijn adem voelt. Als het dwars door je vingertoppen tintelt en je zijn ondraaglijke lichtheid en zijn onmetelijk gewicht voelt. Dan pas begrijp je wat het boek is.'
Hij kwam twee stappen mijn richting op.
'Op dit moment zijn wij het die het behoeden. Dit uiterst korte ogenblik zijn wij zijn hoeders en ik denk dat als je ook maar een beetje serieus met je studie Oudijslands bezig bent, echt serieus, je zou moeten proberen te begrijpen wat jouw taak is, voordat het te laat is. Anders kun je ophouden, vertrekken, tot ziens. We hebben niets aan liefhebbers zoals jij. Niets! Helemaal niets! Niets!'
De professor stond over me heen gebogen als een dondergod en ik, die van plan was voet bij stuk te houden door niet met hem naar Berlijn te gaan omdat ik me op mijn studie moest concentreren, bevond me op een hellend vlak.
'Ik begrijp heel goed de ernst van de zaak,' zei ik.
'Denk je dat?' zei de professor. 'Denk jij, Valdemar, dat iets in dat hoofd van jou het begrijpt?!'
'Ja, vanzelfsprekend. Ik ken het belang van het Koningsboek. Natuurlijk is het een historisch belangrijk boek. Dat weet iedereen.'
'Je weet niets,' zei de professor. 'Je dondert morgen maar weer op naar Kopenhagen. Ik heb geen behoefte aan jou. Ik heb geen behoefte aan uilskuikens zoals jij.'
Ik had hem gechoqueerd en ik wist niet hoe ik het weer goed kon maken. Ik merkte dat ik niet meer naar de universiteit verlangde en al mijn zorgen over de studie waren in rook opgegaan.
'Ik denk dat ik iets begrijp van wat je hebt moeten doormaken,' zei ik voorzichtig. 'Ik begrijp het natuurlijk niet tot in de finesses. Dat doet niemand behalve jij. Ik wil je niet beledigen door te beweren dat ik je ken. Ik wil graag met je mee naar Berlijn. En verder als het moet.'
Ik weet niet of hij naar me luisterde. Hij was weer op de stoel gaan zitten met een hand onder zijn kin en hij leek ontzettend ver weg, verdwenen uit het kleine logement. Ik zweeg. De nachtelijke geluiden uit de rood verlichte stad drongen tot onze kamer door, getoeter van auto's en geschreeuw, en ik zag de prostituees voor me in de ramen. Bestond er een grotere vernedering?
'We zullen het vinden, Valdemar,' zei de professor ten slotte. 'Het kan me niet schelen hoe langzaam het gaat, het kan me niet schelen hoe onbedui-

dend de aanwijzingen zijn, het kan me niet schelen wat het moet kosten, wij halen het terug. In dit verband kletsen over een lintje is vulgair. Begrijp je dat? Dom gezwets. Hier is geen sprake van een persoonlijke zege. Je bent gewoon een kind! Hier is geen sprake van heldendaden of dat ik door dit alles word ontmaskerd of dat ik eeuwig te schande gezet zal worden. Dat doet er niet toe. Het enige wat ertoe doet is het boek. Het Koningsboek! Probeer dat te begrijpen.'

De professor was een beetje bedaard. Hij maakte zijn tabaksdoosje open.

'We zien wel wat we in Berlijn vinden,' zei ik.

Hij knikte.

'We zien wel,' zei hij en hij leek al vergeten te zijn dat hij me terug naar Kopenhagen had willen jagen.

Lange tijd verstreek. De professor was in gedachten verzonken.

'Hoe zit het met het verloren kwarto?' vroeg ik ten slotte. Ik had vaak gedacht aan de bladen die we in Schwerin hadden gevonden.

'We moeten Joachim weer opzoeken,' zei de professor.

'Je denkt dus dat het geen verloren zaak is?'

'Ik denk dat als we het boek vinden, we een beter uitgangspunt hebben om met Joachim te praten,' zei de professor en ik zag de blonde man met zijn klassieke gelaatstrekken voor me en degene die bij hem was en die Helmut heette. Ik zag er daarom tegen op hen weer te ontmoeten.

'Hij is ook naar het Koningsboek op zoek,' zei ik.

'Misschien is dat de reden dat hij opeens contact met mij heeft gezocht. Ik denk dat ze het Koningsboek nog steeds hebben en dat hij op zoek was naar het kwarto. Hij was misschien naar allebei op zoek. Als ze het boek niet hebben, is het een heel andere zaak. Dan is er een reële hoop dat wij het vinden, Valdemar. Een reële hoop dat niet alles voor ons eeuwig verloren is!'

XVI

Berlijn tien jaar na de Tweede Wereldoorlog was een deprimerende stad. Hoewel de wederopbouw in korte tijd vele vruchten had afgeworpen, waren overal de restanten van de oorlog duidelijk zichtbaar, zoals in andere Duitse steden. We waren onderweg van Amsterdam een paar van die steden doorgekomen. We kwamen langs half ingestorte huizen en gebouwen die het in de bommenregen zwaar te verduren hadden gehad, maar we zagen ook bouwkranen die getuigden van de wederopbouw, misschien van een nieuwe en betere wereld. Het kostte ons de hele dag om door Duitsland naar het oosten te reizen en we kwamen pas laat in de avond in Berlijn aan.

De professor was wat de reis betreft nog steeds de baas en toen we op Bahnhof Zoölogischer Garten uitstapten liep hij snel de binnenstad in in de richting van het logement waarvan hij zei dat hij het altijd nam als hij in de stad was. De straatverlichting was schaars en ik, die er nog nooit eerder was geweest, vond Berlijn bij de eerste kennismaking somber en verlaten. Misschien kwam dat omdat de stad in mijn gedachten stond gegrift als waarschuwing tegen het fiasco dat begon met de Tweede Wereldoorlog; daar sloeg het hart van het kwaad dat de wereldgeschiedenis veranderde en tien miljoen mensen het leven kostte.

De vrouw die eigenaresse van het logement was en het ook runde heette Frau Bauer en ze ontving de professor met open armen. Ze was van dezelfde leeftijd als hij en ze leken elkaar al lang te kennen en goede vrienden te zijn. Ze praatten in het Duits met elkaar en ik, met mijn beperkte kennis van de taal, kon ze nauwelijks volgen, maar ik hoorde dat ze het over Charlottenburg hadden en waarschijnlijk kwam het antiquariaat ter sprake. De professor had niet meer dan gewoonlijk tijd om over koetjes en kalfjes te praten, maar hij kwam meteen ter zake. Frau Bauer zei dat ze niet zo goed in Charlottenburg bekend was en ze kon de professor niet helpen met het boven water halen van het adres van het antiquariaat daar.

‘Er is zoveel veranderd na de oorlog,’ zei zij. ‘De geallieerden hebben zoveel verwoest. Ik betwijfel of er nog iets van de huizen daar overeind staat.’

Zelfs ik merkte de pijn in haar stem, maar de professor keek haar lang aan zonder iets te zeggen. Frau Bauer was slank, had het haar in een knot, was nogal klein van stuk, en verfijnd met een oude schoonheid in haar gezicht, dat nog steeds vriendelijk oogde ondanks de oorlog en de benarde omstandigheden.

'Ja, natuurlijk,' ging ze met een boze blik verder, maar ik wist niet tegen wie haar boosheid was gericht. 'Natuurlijk hebben we het onszelf te verwijten. Alsof ik dat niet weet! Ben je nog steeds op zoek naar die nazi van je?' vroeg ze.

'Ja,' zei de professor. 'Indirect.'

'En heb je daarom die knul bij je?' zei ze en ze keek naar mij.

'Ja, hij helpt me. Hij is eigenlijk een student van mij.'

'Zo zo, heeft ie een beetje verstand?'

'Hij is niet dom,' zei de professor terwijl hij naar me keek. 'Hoe gaat het met de wederopbouw?'

'Hier beter dan in het oosten,' antwoordde Frau Bauer haastig. 'Waarom heb je geen das om? Het is koud buiten.'

'Het is niet zo koud,' zei de professor.

Frau Bauer haalde een sleutel uit een lade en ging ons voor de gang in op de eerste verdieping. Daar was een nette tweepersoonskamer die wij in gebruik kregen. Ze gaf de professor de sleutel.

'Je kunt komen en gaan wanneer je maar wilt,' zei zij.

Ze keken elkaar in de ogen en het was duidelijk, zelfs voor een stomkop als ik, dat ze meer dan alleen oude vrienden waren.

Ik was doodmoe na de treinreis en ging meteen liggen om te gaan slapen; de professor deed hetzelfde. Hij had gezegd dat we de dag erop vroeg zouden opstaan om naar Charlottenburg te gaan. We hadden ieder ons eigen bed met een klein nachtkastje ertussenin. Waarschijnlijk dacht hij dat ik sliep toen ik in de schemer zag dat hij op zijn ellebogen overeind kwam, even wachtte alsof hij naar iets luisterde en toen zijn bed uit ging. Hij deed stilletjes zijn broek aan en trok de bretels over zijn nachthemd voor hij de deur opendeed en de gang op glipte. Ik stond op het punt naar hem te roepen, maar ik aarzelde en keek hoe hij de kamer uit ging. Hij sloot voorzichtig de deur achter zich. Ik had geen idee waar hij heen ging en wist alleen dat hij met zijn bretels niet ver zou komen. Ik moest aan Frau Bauer denken. De professor noemde haar onderweg naar Berlijn toen ik vroeg waar we zouden overnachten. Ze was weduwe. Haar man was kort voor het einde van de oorlog bij een bomaanval van de geallieerden op de stad omgekomen. Frau Bauer had haar kostje bij elkaar gescharreld. Hun huis was er voor het grootste gedeelte met schade van afgekomen en ze opende er vlak na de oorlog een logement. De professor had daar altijd zijn onderkomen als hij naar Berlijn reisde.

Ik viel met deze gedachten in slaap en was me tot de volgende ochtend vroeg nergens van bewust. De professor was weer naar de kamer teruggekomen en sliep een kalm hazenslaapje. Hij werd wakker toen ik de boel omverliep, me aankleedde en hem goedemorgen wenste. Ik was niet zo stom hem over zijn nachtwandeling te vragen. Ik vermoedde dat hij een rendez-vous met zijn oude vriendin had gehad en mij ging dat niets aan. Zelf deed hij alsof er niets aan de hand was en hij was erop gebrand naar Charlottenburg te vertrekken. Frau Bauer had voor ons een copieus ontbijt klaargemaakt met broodjes en zuurdesembrood en ik had sterk de indruk dat ze vrolijker was dan de avond ervoor.

Ze vroeg me de hemd van het lijf en ik vertelde haar over mijn studie aan de universiteit van Kopenhagen en hoe de kennismaking tussen mij en de professor tot stand was gekomen. Ik vond het niet gepast over zijn drankzucht te vertellen en dat hij op het punt stond zijn betrekking als professor aan de universiteit te verliezen, laat staan dat hij het Koningsboek was kwijtgeraakt. Frau Bauer merkte dat ik niet bijzonder spraakzaam was en zei dat ze alle IJslanders eender vond, zwijgzaam en zwaar op de hand. Ik glimlachte en knikte.

Ik vroeg hoe zij de professor kende. Hij was eventjes de deur uit gegaan en had gezegd dat hij meteen terug zou komen. Frau Bauer zei dat ze hem al lang kende, al jaren, zelfs voordat hij Gitte had ontmoet. Herr Bauer en hij waren dikke vrienden geweest, ze hadden samen op de universiteit van Kopenhagen gestudeerd. Herr Bauer sprak IJslands en vertaalde IJslandse literatuur in het Duits en bovendien had hij Oudijslandse literatuur aan de universiteit van Berlijn gedoceerd. De professor was vaak bij hen thuis te gast geweest en Gitte ook nadat ze getrouwd waren.

'Het was een lieve vrouw,' zei Frau Bauer. 'Hij is er nooit echt bovenop gekomen nadat ze stierf.'

'En u heeft uw man verloren,' zei ik.

'Iedereen heeft iemand verloren,' zei Frau Bauer.

'Men heeft beweerd dat hij een tijdlang het nazisme welgezind is geweest,' zei ik. 'De professor, bedoel ik.'

'Dat heeft hij nooit gedaan,' zei Frau Bauer. 'Hij haatte de nazi's door en door.'

'En uw echtgenoot?'

Ze keek me aan en ik kreeg een kleur. Ik was te ver gegaan en ik zag het aan haar strenge blik. Wat ging een broekie uit IJsland dat aan?

'We kwamen er te laat achter,' zei zij.

Het bleef een tijdje stil.

'Heeft hij u verteld wat hem in de oorlog is overkomen?' vroeg ik.

'Je bedoelt in Denemarken? Hij heeft mij verteld over de arrestatie en het Deense meisje dat vermoord werd.'

'Weet u wat ze van hem wilden, de nazi's?'

'Hij werkte samen met de ondergrondse,' zei Frau Bauer. 'Tot ieders geluk voerden de Britten een bomaanval uit op het gebouw.'

'En u weet over Von Orlepp?'

'Hij heeft me over hem verteld.'

'En waarom hij hem wil vinden?'

'Hij wil dat Von Orlepp zijn straf krijgt. Ik denk dat hij niets anders in gedachten heeft. De professor is altijd zo geweest. Koppig en onverzoenlijk. Hij vergeet niets. En hij heeft een sterk rechtvaardigheidsgevoel.'

Ik knikte. Hij had zijn vriendin niet over het boek verteld, en als hij het wel gedaan had, vermeed ze het erover te vertellen.

'Is er iets anders?' vroeg zij, haar nieuwsgierigheid gewekt. 'Waarom vraag je me dit?'

'Ik ken hem niet zo goed,' haastte ik me te zeggen. 'Hij vertelt niet veel over zichzelf.'

'Nee, dat doet hij niet,' zei Frau Bauer. 'Hij moet een goede docent zijn. Hij heeft dat altijd in zich gehad. De behoefte naar kennis en onderzoek.'

'Hij is een uitstekende docent,' zei ik.

Op dat moment kwam de professor binnen met een klein boeket bloemen dat hij vlakbij op de markt had gekocht en hij gaf het aan Frau Bauer. Ze bedankte hem en kuste hem op zijn wang. De professor keek in verlegenheid gebracht naar mij.

'We zijn oude vrienden,' zei hij.

'Dat weet ik,' zei ik.

Later op die dag waren we in de beroemdste straat van Charlottenburg, de Kurfürstendamm oftewel de Kudamm. Tien jaar eerder was ze volkomen vernietigd, maar nieuwe gebouwen waren verrezen op de fundamenten van de verwoestingen en de straat had een nieuw en modern aanzien gekregen. Na de verdeling van Berlijn in een oostelijk en een westelijk deel was besloten dat ze de beste winkelstraat van het westelijk deel zou worden. Het enige wat bleef staan als gedenkteken van de ellende van de Tweede Wereldoorlog was de ruïne van de Gedächtniskirche van keizer Wilhelm. De professor en ik stonden ervoor en keken omhoog naar de kapotgeschoten toren en de professor schudde het hoofd.

'Waarvoor?' hoorde ik hem in zichzelf mompelen.

Frau Bauer had hem een das geleend die van haar man was geweest. Het was die herfstdag koud in Berlijn en we waren te voet na in en uit ratelende trams te zijn gesprongen. Voordat we vertrokken had de professor naar een boekhandelaar gebeld die hij kende en hij vroeg de namen van antiquariaten die hij zich herinnerde van voor de oorlog en die in Charlottenburg waren gesitueerd. Dit was geen uitputtende lijst, maar een redelijk begin. Het bleek dat niets was overgebleven van de huizen die vroeger oude boeken herbergden. Op sommige plekken was men begonnen nieuw te bouwen, op andere plekken was een omheinde plek leeg, het huis was helemaal verdwenen. We vroegen mensen in de buurt naar huisnummers en antiquariaten, maar we kwamen niemand tegen die inlichtingen over hun lot kon verschaffen.

Pas toen we op de Kurfürstendamm kwamen, begon het op te klaren. Een oude vrouw op de tweede verdieping van een huis dat aan het lot van verwoesting was ontsnapt en dat na de oorlog was opgeknapt, zei dat er welzeker een antiquariaat was geweest, en zelfs een heel bijzonder antiquariaat. Ze kende de boekhandelaar goed, hij was nog steeds in leven en ze wist waar hij woonde. Maar ze was voorzichtig en wantrouwig tegenover twee mannen uit IJsland terwijl ze in haar deuropening stond en de professor moest alles uit de kast halen om de inlichtingen uit haar te trekken. Hij was zo charmant dat toen we bij haar weggingen, ze bijna verlegen naar hem glimlachte.

De antiquaar woonde in een zijstraat van de Kurfürstendamm. Op de begane grond was een klein bedrijfje en een winkel, een fietsenmakerij en een antiekzaak. We vonden de naam van de man bij de intercom, Henning Klotz, derde verdieping. De professor herkende de naam niet. Hij drukte op de bel maar er gebeurde niets. Ik probeerde de deur open te trekken en hij bleek niet op slot te zijn. We kwamen in een donker trappenhuis en gingen de trap op. Ik kon nergens een lichtknopje vinden en we zagen amper een hand voor onze ogen. Op de derde verdieping waren twee appartementen en op de deur van het tweede stond de naam Klotz. De professor klopte en we hoorden een gestommel aan de andere kant van de deur. Een ogenblik later ging de deur open en een man verscheen in de deuropening.

'Wat is er?' vroeg hij met een schorre stem terwijl hij ons om beurten aankeek.

'Excuus voor het ongemak,' zei de professor in zijn voortreffelijke Duits, vleiend zoals hij het bij de oude vrouw had gedaan. 'We probeerden de deurbel beneden, maar dat leverde niets op.'

'Die is stuk,' zei de man. 'Die is al jaren stuk. Er is niemand hier om hem te repareren.'

Hij droeg een gebreid vest met knopen en vilten pantoffels, een man van in de tachtig. Hij zei dat hij Henning Klotz was en voor de oorlog had hij een antiquariaat aan de Kurfürstendamm. 'Ja,' ging hij verder, 'toen de boeken nog wat waard waren. Ik weet niet of ze dat nog zijn,' zei hij. 'Of überhaupt nog iets waarde heeft.'

'Herinnert u zich een boekenverzamelaar, een Duitser, voor en tijdens de oorlog die Erich von Orlepp heette?' vroeg de professor. 'Een nogal grote verzamelaar, voor zover ik weet.'

Henning Klotz keek ons nog steeds om beurten aan, verwonderd over de vraag.

'Wat moet u van mij?' vroeg hij wantrouwig, klaar om de deur voor onze neus dicht te gooien.

'We proberen de transacties na te gaan die Von Orlepp deed op het einde van de oorlog,' zei de professor.

'Transacties in boeken?' vroeg de oude antiquaar en hij deed de deur half dicht.

'Hij had een grote verzameling en ik denk dat hij in de laatste dagen van de oorlog veel daarvan heeft geprobeerd te verkopen.'

'Hij heeft met mij geen zaken gedaan,' zei Henning Klotz. 'Ik kan jullie niet helpen. Mijn boekhandel werd opgeblazen en brandde tot op de grond toe af, vele schatten werden toen vernietigd. Ik kende Von Orlepp als boekenverzamelaar en occultist. Verzamelde hij niet vooral oude Oudijslandse werken?'

'Dat klopt,' zei de professor.

'Waar komen jullie vandaan?' vroeg Herr Klotz.

'Van IJsland,' antwoordde de professor.

'En hebben jullie interesse in boeken?'

'Ja,' zei de professor.

'En zoeken jullie die Von Orlepp?'

'Dat kun je zo stellen.'

'Willen jullie boeken kopen?'

De professor keek mij aan.

'Misschien,' zei hij.

De oude man aarzelde een moment, toen maakte hij de deur open en nodigde ons uit binnen te komen. We kwamen in een klein appartement waar je door de boeken nauwelijks de wanden zag en het me deed denken aan de werkkamer van de professor. Een zware lucht van boeken vulde onze zintuigen. Ze stonden in open en gesloten boekenkasten, in stapels over de hele vloer, de ene stapel naast de andere, in de gang en in de twee slaapkamers, waar in een ervan de heer des huizes sliep. Er waren zelfs boeken in de keuken tegen de muren opgestapeld.

'U heeft een groot gedeelte kunnen redden,' zei de professor, die nieuwsgierig om zich heen keek.

'Het is me gelukt er een paar te redden,' zei Herr Klotz.

'Dit is een imposante verzameling.'

'Desondanks is het slechts een gedeelte van wat ik bezat, en niet allemaal het meest waardevolle,' zei Herr Klotz. 'Het is me niet gelukt er een goed onderdak voor te vinden. Ik ben opgehouden met het hele boekengedoe, afgezien van het feit dat ik een paar oude, goede zakenvrienden van toentertijd bedien. Dat doe ik hier in het appartement. Ik heb geen andere plek voor de boeken. Vertel me eens, waar zijn jullie naar op zoek?'

De professor glimlachte en keek in mijn richting.

'Het is een oud perkamenten manuscript.'

'O, ik heb iets dergelijks nog nooit gezien.'

'Nee, ze zijn heel zeldzaam.'

'Ik heb niet veel van IJsland,' zei Herr Klotz en hij begon in de boekenstapels te snuffelen. 'Ik heb ergens een sprookje van Jón Árnason in een eerste druk. Waren het niet een paar delen? Gedrukt in Leipzig?'

'Twee,' zei de professor knikkend.

'Dan heb ik iets van Konrad Maurer. Hij was een grote IJslandvriend. Ik heb ook *Reis naar het middelpunt van de aarde* door Jules Verne, derde druk, Parijs. Heeft u daar geen interesse in?'

De professor schudde het hoofd.

'En u?' zei Herr Klotz terwijl hij mij aankeek. 'Zegt u nooit wat?'

'Ik heb geen interesse,' zei ik.

'Ik heb ook boeken van jezuïeten. Het zijn een paar eerste drukken. Heeft u daar interesse in? Jón Sveinsson? Dan weet ik zeker dat ik iets van Gunnarson heb, een ontzettend goede schrijver. Is dat iets wat...?'

'Het is allemaal zeer interessant,' zei de professor beleefd. 'Kunt u ons vertellen met welke, wat voor andere antiquariaten hier in Charlottenburg Von Orlepp zaken kan hebben gedaan?'

Herr Klotz keek ons beurtelings aan en zag de volhardende blik van de professor. Hij kon geen zaken met ons doen tenzij er iets tegenover stond. De oude antiquaar deed alsof hij eventjes nadacht en hij wipte tussen zijn boekstapels van de ene voet op de andere.

'Wat vraagt u voor Nonni-boeken?' vroeg de professor en ik merkte dat zijn geduld aan het opraken was.

Dat vrolijkte de antiquaar op.

'Daar zijn ze met zorg mee omgesprongen,' zei hij en hij dook in een boekenstapel en kwam terug met een exemplaar van het eerste boek van Jón Sveinsson, *Nonni*, uitgegeven in Duitsland bij Herder in 1913. De antiquaar had gelijk. Het boek was in goede staat.

'Wat wilt u ervoor hebben?' vroeg de professor.

De antiquaar noemde een getal dat de professor absurd vond en ze begonnen te sjacheren. De professor wees op een bruine vlek op de titelpagina van het boek die een koffievlek kon zijn, maar de boekhandelaar hemelde de boekband op en zei dat een eerste druk van *Nonni* ontzettend zeldzaam was. Uiteindelijk kwamen ze tot een akkoord. Door al het gesjacher had de boekhandelaar rode wangen gekregen en hij wilde kost wat kost ons een borrel aanbieden om de koop te bezegelen. Hij verdween naar de keuken en kwam

terug met een wijnfles en drie vuile kelkjes en we proostten op de transactie.
'Ad fundum,' zei de professor.

Ik had nog nooit van mijn leven iets ergers geproefd dan deze borrel, ik kokhalsde en kreeg een onstuitbare hoestaanval. Mijn ogen vulden zich met tranen. Ze keken mij verwonderd aan.

'U kunt waarschijnlijk het beste met Frau Katharina Berg praten,' zei de antiquaar. 'Haar vader, Victor, had het gerenommeerdste antiquariaat in Charlottenburg, klein en niet erg bekend, maar hij is in ieder geval de enige die ik ken die echt rijk is geworden van de handel in oude boeken. Ik geloof dat hij is overleden. Frau Katharina bekommert zich om de winkel. Hij bestaat nog steeds, maar op een nieuwe plek. Das Charlottenburger Antiquariat. Voor minder kon het niet met zo'n naam.'

Ik keek naar de professor, die te kennen gaf dat hij die zaak niet kende. We bedankten Herr Klotz voor de koop. De borrel was er bij hem goed ingegaan en hij was erop gebrand ons meer boeken uit zijn verzameling te laten zien die met IJsland in verband stonden, maar wij zeiden dat we haast hadden en uiteindelijk kwamen we van hem af zonder al te onbeleefd te zijn en de professor had *Nonni* in zijn zak.

Das Charlottenburger Antiquariat prees zichzelf niet aan. Het antiquariaat was in de kelder van een gebouw dat zo nieuw was dat er nog steeds niet de laatste hand aan was gelegd. De schilders werkten aan de bovenste verdieping en volgens mij waren de timmerlui in het gebouw aan het werk.

Zoals in alle antiquariaten hing de zware lucht van boeken in de kelder, de lucht van verguld papier en stofomslagen, oude tijdschriften en overvolle boekenschappen. Tussen de boekenrekken stonden een paar klanten die naar de boeken keken, ze van de schappen trokken, voorzichtig openmaakten en de bladzijden streelden. Helemaal achterin aan een kleine toonbank zat een vrouw van ruim veertig die boeken catalogiseerde die ze naast zich had opgestapeld.

'Frau Katharina Berg?' zei de professor op vragende toon.

De vrouw keek op van haar catalogus, keek ons beurtelings aan en zette de bril af die ze op haar neus had.

'Ze is er niet,' zei ze koel.

'Weet u waar ik haar kan vinden?' vroeg de professor.

'En wie zijn jullie?' vroeg de vrouw.

'Wij komen uit IJsland en we wilden haar ergens over spreken.'

'Kent zij u?'

'Nee.'

'Waar gaat het over?'

'Zaken, natuurlijk,' zei de professor.

De vrouw aarzelde een moment, vroeg ons even te wachten en ze verdween door een deur helemaal achter in de winkel. De professor keek rond en ik volgde zijn voorbeeld. Het waren vooral oude Duitse uitgaven voor zover ik kon beoordelen.

De vrouw met de bril kwam terug en zei dat Frau Berg ons kon ontvangen. Haar woning was op de etage boven de boekhandel en de vrouw liet ons zien dat we zoals zij door de winkel konden gaan of naar buiten weer de straat op en op de deurbel drukken. We gingen door de winkel.

Katharina Berg leek alleen te wonen en niet veel om daglicht te geven. Haar appartement was verduisterd alsof het avond was. Zware gordijnen hingen voor de ramen, dus het lichtschijnsel drong nauwelijks van de straat naar binnen. Een paar kaarsen brandden in de kamer waar zij zat en ons ontving. De professor stelde ons voor en zij groette met een handdruk, krachteloos. Ze was gekleed in een smaakvolle, groene jurk, had blond haar en een klein, rond gezicht met volle lippen, een neus van het grotere soort en grote ogen die vreemd levenloos waren. Een fraaie houten kruk stond tegen haar stoel geleund.

'Excuses voor het ongemak,' zei de professor, zoals altijd zeer hoffelijk. Ik had hem nog nooit zo vaak tegen de mensen 'u' horen zeggen als op die dag.

'U zei dat u met mij zaken wilt doen,' zei Frau Berg.

'Dat is helemaal juist,' zei de professor, 'maar eerst wil ik u bedanken voor de welwillendheid ons te ontvangen.'

'Het is moeilijk mensen niet te ontvangen die helemaal uit IJsland zijn gekomen,' zei Frau Berg. 'Wat is het dat u van mij wilt? Een of andere transactie of zo?'

'Ja, maar niet zo'n belangrijke,' zei de professor.

Frau Berg keek hem met vragende ogen aan.

'Vergeef me mijn vrijpostigheid,' zei de professor, 'maar ik ben nieuwsgierig te weten of u zich een man herinnert met de naam Erich von Orlepp, een boekenverzamelaar die gespecialiseerd was in oude, Oudijslandse manuscripten.'

Katharina Berg gaf geen antwoord.

'Ik heb gehoord dat hij iets van die manuscripten heeft verkocht op het einde van de oorlog, misschien zelfs nadat Berlijn was veroverd,' ging de professor verder.

Nog steeds keek Frau Berg hem zwijgend en aandachtig aan.

'Ik zou graag bij u willen informeren of uw vader met hem in die tijd, of eerder, zaken heeft gedaan. Ik weet dat het moeilijk later kan zijn geweest omdat Von Orlepp uit Europa is gevlucht en in Zuid-Amerika woonde.'

'Is hij gestorven?' vroeg Frau Berg.

'Dat weet ik niet zeker,' zei de professor.

'Ik heb de naam Von Orlepp lang niet gehoord,' zei Frau Berg.

'Kende u hem dan?' vroeg de professor.

Frau Berg gaf hierop geen antwoord.

'Ik dacht dat dit over zaken zou gaan, niet over het verleden,' zei zij. 'Hopelijk bent u niet onder valse voorwendsels naar mij gekomen.'

'Het was niet mijn bedoeling u een gebrek aan respect te tonen,' zei de professor. 'Ik heb een eerste druk van *Nonni* bij me, van onze beminde Jón Sveinsson, schrijver en jezuïet,' zei hij en hij haalde het boek uit zijn zak dat hij van Herr Klotz had gekocht.

'Ik ken de boeken over Nonni en Manni goed,' zei Frau Berg. 'Ik las ze in mijn jeugd.'

'Ik zou het u graag als geschenk aanbieden,' zei de professor en hij reikte haar het exemplaar aan.

Ze keek aarzelend naar de professor, vervolgens naar mij en ten slotte naar het boek en nam het toen aan.

'Dat is heel vriendelijk van u,' zei ze en ze betastte het boek voorzichtig alsof het om een schat ging. 'Ik herinner het me,' zei ze toen ze het titelblad opsloeg. 'Gedrukt bij Herder.'

'Hij schreef mooi over IJsland,' zei de professor.

'Hij wekte met zijn boeken mijn interesse voor dat verre land. Mijn dank, maar ik kan het niet aannemen.'

Ze gaf de professor het boek terug.

'Dat is jammer,' zei de professor.

'Ik begrijp niet,' zei Frau Berg, 'waarom u, een vreemde, mij dit prachtige boek ten geschenke wilt geven.'

De professor keek mij in verlegenheid gebracht aan.

'Wie zijn jullie?' vroeg Frau Berg. 'En wat willen jullie van mij?'

'We zijn op zoek naar een boek,' zei de professor. 'Een ontzettend belangrijk en bijzonder boek voor ons IJslanders. Het is mogelijk dat het van Kopenhagen naar Berlijn is gegaan tegen het einde van de oorlog en voor een of andere handel is gebruikt. We weten dat Von Orlepp het als laatste in handen heeft gehad. We denken dat hij het voor contant geld heeft geprobeerd te verkopen. Hij zat in een benarde situatie, hij werd gezocht en was op de vlucht, dus hij kan niet veel kansen hebben gehad de juiste koper te vinden of al te veel trammelant over de verkoopprijs te maken. Waarschijnlijk heeft hij elk bod aangenomen wat ze hem voor het boek hebben aangeboden, op een zekere dag zelfs onderdak. We weten dat hij door de Russen werd gearresteerd en aan de Amerikanen werd overgedragen. Toen de Russen Von Orlepp arresteerden hing hij vermoedelijk rond bij een antiquariaat hier in Charlottenburg.'

De professor laste een pauze in zijn verhaal.

'Vermoedelijk uw antiquariaat, of dat van uw vader,' zei hij.

Frau Berg keek ons om beurten aan.
'Ik hoop dat u dit niet verder vertelt,' zei de professor. 'We zijn op een vertrouwelijke missie,' voegde hij eraan toe.
'Het waren net wilde beesten,' zei Frau Berg, zachtjes zodat we het nauwelijks konden horen. 'Vielen ons aan als dieren.'
Ze keek omlaag naar de grond. De professor en ik durfden ons niet te verroeren. Ze pakte de kruk en we dachten dat ze wilde opstaan. Ze deed dat echter niet, maar bleef stil zitten met een hand op de kruk en een ogenblik lang was het alsof we niet meer met haar in de kamer waren, maar dat zij er alleen was met haar herinneringen. Een tijd verstreek eer ze weer begon te praten.
'Wat voor boek is het?' vroeg ze. 'Dat wat u zoekt?'
De professor schraapte zijn keel.
'Het heet het Koningsboek, de *Edda*, een klein boekje dat in een bruine kaft zat. Het is in de dertiende eeuw op IJsland samengesteld en het bevat gedichten over de oude goden en een aantal heldendichten, onder andere over Sigurd de Drakendoder. Geen woorden kunnen het belang ervan uitdrukken voor de geschiedenis en kennis van de cultuur voor de tijd van het christendom op het noordelijk halfrond. Denkt u dat het na het einde van de oorlog uw pad heeft kunnen kruisen?'
'Ik kan me dat boek niet herinneren,' zei Frau Berg. 'Het spijt me. Ik geloof niet dat het in mijn bezit is gekomen. Ik kan het me niet voor de geest halen.'
De schouders van de professor zakten omlaag.
'We begrepen dat u met Erich Von Orlepp zaken had gedaan, dat is kennelijk een misvatting.'
'Ik ben het niet geweest,' zei Frau Berg, 'maar mijn vader kende hem goed en hij had een langdurige zakenrelatie met hem.'
De professor trok zijn wenkbrauwen op.
'Is dat zo?' vroeg hij. 'Maar uw vader, hij is gestorven, hoorde ik.'
'Nog niet,' zei Frau Berg. 'Hij is oud en ziek en hij ontvangt geen bezoekers meer.'
'Ik begrijp het,' zei de professor. 'Denkt u dat ik hem die ene vraag over het Koningsboek en Von Orlepp kan stellen?'
'Dat is uitgesloten,' zei Frau Berg. 'Mijn vader is op sterven na dood. Ik laat niets zijn rust verstoren.'
'Is het u bekend dat ze na de oorlog zaken hebben gedaan?'
'Ons boekendepot is in de oorlog grotendeels verwoest,' zei Frau Berg. 'De stad was helemaal gebombardeerd en ons appartement werd opgeblazen en viel ten prooi aan het vuur. We waren onvermoeibaar bezig iets van het boekenassortiment te redden en we concentreerden ons natuurlijk op het allerkostbaarste, maar ik herinner me niet dat dat boek ertussen zat. Als mijn

vader het van Von Orlepp had gekocht, dan had het tussen die boeken moeten zitten. Aan de andere kant was ik in die tijd niet op de hoogte van alle zaken van mijn vader vanwege...'

Frau Berg zweeg en haalde diep adem.

'...vanwege de totale ontreddering die volgde op het einde van de oorlog, de capitulatie, de nederlaag, de invasie, de invasie van de geallieerden en de Russen.'

'Wilt u hem iets voor ons vragen?' vroeg de professor. 'Woont uw vader bij u? Ligt hij in het ziekenhuis?'

'Ik zou denken dat het nu genoeg is geweest,' zei Frau Berg en ze ging op de rand van de stoel zitten, steunde op de kruk en stond op.

Het waren duidelijke tekens dat ons bezoek was afgelopen. Ze stak haar hand uit om afscheid te nemen en dat deden we, de professor nogal terneergeslagen. Hij had geprobeerd de vrouw met respect te behandelen, beleefd te zijn, niet te vergeten haar te vousvoyeren en hij had haar ook het boek over Nonni gegeven, hetgeen in feite absoluut niet vooropgezet was voor zover ik kon opmaken, hoewel je nooit zeker kon zijn als het de professor betrof.

'Excuus voor het ongemak,' zei hij en een flauwe glimlach verscheen op zijn lippen. 'Doe uw vader van ons de groeten. We zullen u niet verder lastig vallen.'

Misschien was het die fraaie ootmoed van de professor die haar zover kreeg zich te bedenken; in ieder geval gebeurde het, toen we op het punt stonden de kamer uit te gaan en dezelfde weg terug door de boekwinkel wilden lopen, dat we haar hoorden vragen even te wachten.

'Ik zal het mijn vader vragen,' zei zij. 'Wacht hier.'

Ze hinkte de deur door aan het andere eind van de kamer en verdween. De professor en ik gingen weer de kamer binnen en wachtten; we vroegen ons beiden af waarom de vrouw opeens van mening was veranderd.

'Wat is hier aan de hand?' vroeg ik en ik durfde alleen maar te fluisteren.

'Ik wist dat Nonni mij niet teleur zou stellen,' zei de professor.

'Hoe bedoel je?' fluisterde ik. 'Nonni?'

'Sta niet zo te gapen. Zwijg en hou je koest.'

En zo wachtten we op Katharina Berg. Na een poosje hoorden we een gestommel op de gang en ze kwam weer de kamer binnen terwijl wij nog steeds bij de deur stonden.

'Zei u niet dat het het Koningsboek heette?' vroeg ze terwijl ze de professor aankeek.

'Ja, dat klopt.'

'Hij wil u ontmoeten,' zei zij.

'O ja?' zei de professor blij.

'Als u zo vriendelijk wilt zijn,' zei Frau Berg. 'Volgt u mij maar.'

We gingen achter haar de gang in en vervolgens een kleine, duistere kamer binnen waar een kaars op het nachtkastje flakkerde en Victor Berg op zijn sterfbed lag. Je zag niets behalve zijn gezicht met ingevallen wangen onder een wollen deken, zijn grijze haren en een witte, gerafelde geitensik. Frau Berg wees de professor een stoel bij het bed en hij ging zitten. De oude man in het bed had zijn ogen gesloten en het was alsof hij sliep, maar toen deed hij zijn ogen open en keek dof om zich heen.

'Katharina, ben je daar?' vroeg de man. 'Mijn arme Katharina.'

'Ze zijn hier, de mannen die over het boek vroegen,' zei zijn dochter.

De oude man draaide zijn hoofd en keek de professor lang aan.

'Bent u van IJsland?' vroeg hij zo zachtjes dat we het nauwelijks hoorden.

De professor knikte.

'U bent op zoek naar een boek,' zei de oude man.

'Ja,' antwoordde de professor.

'Von Orlepp probeerde mij het Koningsboek te verkopen toen de oorlog verloren was,' zei hij.

De professor wisselde een snelle blik met mij en leunde voorover om de stervende man beter te kunnen verstaan.

'Ik had er...'

Victor Berg nam een pauze. Zijn dochter volgde hetgeen er voorviel en haar gezicht stond bezorgd. Ik wist dat de professor niet veel tijd had. Frau Berg zou deze vreemde ontmoeting bij de eerste de beste gelegenheid afbreken.

'Ik had er de middelen niet voor,' ging Herr Berg verder. 'Hij vroeg er een ongehoorde prijs voor.'

'Hoe weet u dat het het Koningsboek was?' vroeg de professor.

'Hij liet me erin bladeren,' zei Herr Berg.

'Had hij het bij zich?'

'Ja.'

'Weet je wat ermee gebeurd is?'

De professor was in zo'n opgewonden gemoedstoestand geraakt dat hij vergat de oude man te vousvoyeren.

'Ik had toentertijd geen ruime middelen,' zei Victor. 'En sindsdien ook niet. Von Orlepp vroeg zoveel voor het boek dat het gewoon een belediging was.'

'Het is van onschatbare waarde,' zei de professor.

'Hij zei het op IJsland te hebben gekregen,' zei de oude man.

'Dat is een leugen. Hij stal het in Denemarken.'

Victor keek naar zijn dochter. Hij leek uitgeput te zijn.

'We moeten dit afsluiten,' zei Frau Berg. 'Hij heeft rust nodig.'

'Weet je waar hij verder heen is gegaan, met wie anders hij heeft gepraat?' vroeg de professor rap.

'Praat met Herr Färber. Hij kan u helpen. Ik weet dat ze met elkaar zakendeden.'

'Färber?' zei de professor. 'Bedoel je Hinrich Färber? Op de Neufertstraße?'

De oude man sloot weer de ogen.

'Is het die Färber?' vroeg de professor.

'Nu moet u ophouden,' zei Frau Berg, die naar voren kwam. De professor keek haar aan en vervolgens naar de stervende man, die in slaap gevallen leek te zijn. Toen kwam hij langzaam overeind.

'Ik hoop dat wij uw vader niet vermoeid hebben,' zei hij tegen Frau Berg.

'Hij heeft niet lang meer,' antwoordde zij en ze liep achter ons aan de slaapkamer uit, de gang op en de woonkamer binnen.

'Wie is die Färber?' vroeg ik aan de professor.

'Hij had het beslist over Hinrich Färber,' zei Frau Berg. 'Ze waren lange tijd concurrenten, mijn vader en hij.'

'Ik heb Färber ontmoet toen ik vlak na de oorlog hier in de stad naar het boek op zoek was,' zei de professor. 'Hij beweerde niets over IJslandse manuscripten te weten. Beweerde niet te weten dat het Koningsboek in Berlijn te koop was.'

'Kan hij hebben gelogen?' vroeg ik.

'Daar komen we achter,' zei de professor.

'Het ga jullie goed,' zei Frau Berg, die op haar kruk steunde. 'Ik hoop dat we u behulpzaam zijn geweest.'

'Zeer zeker,' zei de professor.

'Jammer genoeg kon het gesprek niet langer duren. U zag dat mijn vader geen bezoek kan hebben.'

'Nee, natuurlijk,' zei de professor. 'En nogmaals excuus voor het ongemak. Het spijt me u te hebben gestoord in zo'n moeilijke tijd.'

'Hij is erg zwak. En ik weet dat hij meer lijdt dan hij laat merken.'

Ze zei dit op zo'n manier dat zelfs ik, die niet bijzonder goed was in het Duits en niet de nuances van het gesprek begreep, het gevoel kreeg dat het geen geringe opgave van haar was zijn lijden in stilte te dragen. Ik begreep dat de professor hetzelfde gevoel had en even heerste er een stilte in de duistere kamer. De professor ging naar haar toe, pakte haar hand, en bedankte haar en haar vader hartelijk voor de hulp en verontschuldigde zich voor het ongemak dat we hun hadden aangedaan.

XVII

Het was avond geworden toen we voor het huis van de kunsthandelaar Hinrich Färber stonden. Onderweg van vader en dochter Berg vertelde de professor mij over hem. Hij kende de kunsthandelaar, hij had hem voor het eerst ontmoet toen hij vlak na de oorlog naar Berlijn kwam op zoek naar het Koningsboek. Herr Färber stond in die jaren vooral bekend om handel in gestolen goed van de nazi's, zoals werd gezegd, hoewel hij nooit ontmaskerd was. Er werd beweerd dat hij vanaf het einde van de oorlog door zulk soort handel ongelooflijk rijk was geworden. De professor had toentertijd speciaal naar Färber gezocht om te vragen of hij van het lot van het Koningsboek af wist of dat het boek door zijn handen was gegaan, maar de professor kreeg als antwoord dat hij nooit iemand over dat boek had horen praten.

Die avond toen we hem opzochten, lang geleden, kon je zien dat Hinrich Färber geen gebrek leed. Hij woonde in een villa van drie verdiepingen en de professor vertelde mij dat het een van de duurste buurten van Berlijn was. Hij had een stuurse butler. Deze maakte de deur open en vroeg nogal onverschillig of Herr Färber ons verwachtte. De professor zei dat dat niet het geval was, gaf de bediende onze naam en zei dat we uit IJsland kwamen.

'IJsland?' bauwde de bediende hem na.

'Ja,' zei de professor.

De bediende keek ons lang aan tot de professor erachter kwam dat hij waarschijnlijk verwachtte een visitekaartje overhandigd te krijgen. Hij legde de bediende uit dat hij zoiets niet bij zich had. De bediende vertrok geen spier. Hij vroeg ons niet binnen te komen, maar sloot de deur voor onze neus en we moesten buiten op de trap wachten terwijl hij Herr Färber de boodschap overbracht. Een poos verstreek eer de deur opnieuw werd opengemaakt en de bediende weer verscheen. Herr Färber wilde ons een audiëntie verlenen.

We kwamen binnen in een grote entree met een enorme trap omhoog naar de volgende verdieping, met marmer op de vloeren en kunstwerken aan de wanden. De bediende ging ons naar rechts voor en we kwamen in een grote woonkamer, achterin ging het verder naar de werkkamer van Herr Färber.

De bediende zei dat de heer des huizes zo zou komen en hij vroeg of hij iets voor ons te drinken kon halen. 'Koffie,' zei de professor, die nauwelijks de drank had aangeraakt sinds we uit Kopenhagen vertrokken. Ik vroeg om water. De bediende verdween net zo stil als hij met ons door het huis was gegaan.

In de werkkamer stond aan de ene kant een groot bureau. Er stonden twee telefoons op die de gewichtigheid van de eigenaar benadrukten. Boekenschappen stonden tegen de twee lange wanden en beeldjes en sierobjecten op de tafels.

'Wat kan ik voor u doen, heren uit IJsland?' werd met een luide, resolute stem achter ons gevraagd en we zagen Hinrich Färber onze richting op komen. Hij groette met een handdruk, stelde zich voor en wij deden dat eveneens. Hij droeg een pak, een lange man van rond de vijftig die er duidelijk blijk van gaf te weten hoe te genieten van de geneugten des levens; hij had donker haar en een nogal duistere uitstraling, een kille glimlach waar hij als beleefdheidsgebaar veelvuldig gebruik van maakte.

De professor herinnerde Herr Färber aan hun ontmoeting op het einde van de oorlog. Ze waren het beiden gewend meteen ter zake te komen en Herr Färber vroeg of ze elkaar konden tutoyeren.

'Ja, Klaus vertelde me dat jullie uit IJsland kwamen,' zei hij, waarmee hij ongetwijfeld zijn bediende bedoelde. 'Ik kan me niet herinneren dat we elkaar eerder hebben ontmoet. Wat ik wil zeggen, hoe hebben jullie mij gevonden?'

'We komen van Victor Berg,' zei de professor.

'Herr Berg? Is hij niet dood?'

'Nog niet,' zei de professor. 'Het is spijtig dat je niet meer weet wie ik ben, maar ik hoef je slechts te herinneren aan het feit dat ik je toen opzocht vanwege een boek waarvan ik redenen heb om aan te nemen dat het tijdens de oorlog naar Duitsland is gegaan, zelfs Berlijn. Dit boek is een grote schat in mijn vaderland en overal waar de Germaanse talen worden gesproken. Je zei het niet te kennen.'

'Het spijt me, zoals ik zei, ik kan me je niet herinneren,' zei Herr Färber. 'Je moet me verontschuldigen. Het was een grote chaos hier in de stad op het einde van de oorlog en na de oorlog, zoals je je kunt voorstellen. Zoveel mensen zochten zoveel dingen.'

'Degene die, voor zover bekend, het boek als laatste in handen had, heet Erich von Orlepp,' zei de professor. 'Ken je hem?'

'Zeker. Degenen die in kunstobjecten handelen kenden Von Orlepp allemaal. Is hij niet uiteindelijk naar Zuid-Amerika gegaan?'

'Hij is daarheen gevlucht,' zei de professor.

'Ik heb hem sinds het einde van de oorlog niet gezien,' zei Herr Färber.

'Hij verdween echter niet voordat hij kunstobjecten van onschatbare waarde had verkocht die hij, hoe zal ik het stellen, tijdens de oorlog had verworven. Een van die objecten was het boek dat wij zoeken. Het Koningsboek van de *Edda. Codex Regius. Die Edda.* We begrepen dat jij zaken met hem hebt gedaan.'

'Zei Victor dat?'

De professor knikte.

'Ik heb met hem geen zaken gedaan,' zei Herr Färber. 'Zoals ik zei, we kenden Von Orlepp allemaal. Hij was een verzamelaar en kunsthandelaar. Victor kende hem ook.'

Er zat iets verontschuldigends in zijn toon, alsof hij niet wilde erkennen nauwe banden met Von Orlepp te hebben gehad, alsof het iets smerigs, zelfs misdadigs was met hem zaken te hebben gedaan.

'Heeft hij je het Koningsboek te koop aangeboden?' vroeg de professor.

'Ik heb als regel niet over mijn zaken uit te weiden, vooral niet met mensen die ik nog nooit eerder heb gezien en die ik helemaal niet ken. Ik wil niet onbeleefd zijn, maar ik denk dat ik jullie niet behulpzaam kan zijn. Klaus zal jullie naar de deur begeleiden. Tot ziens.'

Van de zijde van Herr Färber was het gesprek afgelopen.

'We hebben je hulp nodig,' zei de professor, die zich niet verroerde.

'Waarom komen jullie dan in mijn huis om mij te beledigen?' zei Herr Färber scherp. 'Ik handel niet in gestolen waar.'

'Mijn excuses als ik iets beledigends heb gezegd, dat was helemaal niet de bedoeling. We hebben vanwege dat boek een lange reis ondernomen en het enige wat we moeten weten is of je het hier in Berlijn hebt gezien. Verder niets.'

'Ik heb het niet gezien,' zei Herr Färber.

De bediende verscheen achter de heer des huizes.

'Begeleid ze naar buiten,' zei Herr Färber.

'Ik heb niet gezegd dat het Koningsboek gestolen waar was,' zei de professor.

'Hoe bedoel je?'

'Toen ik het Koningsboek noemde, zei je dat je niet handelde in gestolen waar. Ik heb nooit gezegd dat het gestolen waar was. Ik zei alleen dat het tijdens de oorlog hierheen was gebracht. Aan de andere kant kan ik de indruk hebben gewekt dat Von Orlepp in gestolen waar heeft gehandeld.'

Herr Färber keek de professor en mij om beurten lang aan. Klaus wachtte erop tot hij ons naar buiten kon begeleiden, maar de professor had geen haast.

'Ik aarzel niet de politie erbij te halen als ik een ernstig vermoeden heb dat het boek hier is,' zei de professor.

'De politie?'

'Het boek was toentertijd gestolen. U heeft gelijk, het is gestolen waar. Het is een misdrijf het in bezit te hebben. Ik hoop dat ik de politie niet hoef te laten komen.'

De professor uitte zijn dreigement zo ijskoud dat het zelfs mij niet onverschillig liet. Ik had geen idee of het waar was wat hij zei, maar ik zag dat Herr Färber aarzelde. Hij had zo'n overval in zijn privéleven niet verwacht, zeker niet in zijn eigen huis.

'Wat zei Herr Berg precies?' vroeg hij.

'Niets,' zei de professor. 'Hij is op sterven na dood.'

'Het lijkt erop dat je hierheen komt met vooropgezette ideeën. Over mij. Over wat ik doe.'

'Dat is niet juist,' zei de professor. 'Ik ken je niet. Maar je moet weten dat wij het serieus menen.'

'Heb je zijn dochter ontmoet, Frau Berg?'

'Ja.'

'Een lieve vrouw.'

'Ja.'

'Ze loopt met een kruk,' zei Herr Färber. 'Vanwege een voorval op het eind van de oorlog. Toen de Russen Berlijn binnenstormden. Ze vermoordden haar zuster. Verkrachtten Frau Berg en verminkten haar. Ze heeft jullie er niet over verteld?'

Ik schudde het hoofd.

'Jullie waren ook geen lieverdjes toen jullie Rusland binnenvielen,' zei de professor.

'Nee, waarschijnlijk niet.'

Herr Färber keek ons nog steeds beurtelings peinzend aan en zo verstreek een tijdje. Ik voelde me steeds minder op mijn gemak en verlangde ernaar weer buiten te zijn in de frisse lucht. De professor gaf geen duimbreed toe. De bediende Klaus volgde het geheel niet bijzonder geïnteresseerd. Ten slotte was het alsof Herr Färber een beslissing zou nemen.

'Ik herinner me dat je mij op het einde van de oorlog kwam opzoeken,' zei hij.

'Dat dacht ik al,' zei de professor.

'Ik herinner het me omdat...'

'Ja?'

'Ik wil niet onbeleefd zijn.'

'Niets wat je zegt kan mij beledigen.'

'Ik herinner me hoe... slecht je eraan toe was, neurotisch, bijna doorgedraaid.'

'Het drukte zwaar op me, dat boek,' zei de professor.

'Ik kan jullie het volgende vertellen: drie maanden geleden hoorde ik over een man die tussenpersoon was bij de verkoop van een Oudijslands literair werk. Als ik het goed heb begrepen werd het bij toeval onlangs, misschien een paar jaar geleden, hier in de stad gevonden. Ik weet niet of de verkoop is doorgegaan. Ik weet niet of er sprake is van oude gestolen waar. De tussenpersoon heet Arthur Glockner en het weinige dat ik over hem weet is dat hij een of andere zakenrelatie heeft met IJsland.'

'IJsland?'

'Ja, IJsland. Hij heeft een grote onderneming in Bremerhaven, maar hij heeft ook een bedrijf hier in Berlijn.'

'Weet je ook met wie? Op wat voor manier? Wat voor soort contacten?'

'Nee, ik ken de man niet persoonlijk. Ik veronderstel dat het IJslandse vis is. Hebben jullie iets anders dan vis te bieden?'

'En je weet niet of hij het al verkocht heeft?'

'Over het algemeen gaat het nieuwtje rond als iets echt zeldzaams of belangrijks op de markt komt. Dat gebeurde niet met dat boek. Ik hoorde het zelf bij toeval en datgene wat ik hoorde was heel vaag. Dit leek een heel persoonlijke, geheime transactie te zijn geweest.'

'Glockner?'

'Ja. Herr Glockner is een... hoe zal ik het zeggen... een amateur, hij is geen professionele verzamelaar maar een liefhebber. Er bestaat een groot verschil tussen die twee. Zijn gebrek aan kennis is lachwekkend.'

'Weet je wie de koper was?'

'Nee, zoals ik zei, ik heb niet meer hierover gehoord en ik weet niet of er sprake is van hetzelfde werk als datgene wat je zoekt. Het verhaal wil dat hij het boek toevallig in bezit heeft gekregen of via ongebruikelijke wegen, ik weet niet welk van de twee. En nu denk ik dat ik jullie verder niet van dienst kan zijn. Klaus, wil je hen naar buiten begeleiden? Tot ziens.'

Een ogenblik later stonden we op de buitentrap bij Herr Färber. De professor keek op zijn horloge. Het was half elf, te laat om nog achter die Glockner aan te gaan. We besloten naar het logement terug te keren en morgenochtend de zaak van de tussenpersoon te onderzoeken.

'Dit kan het boek geweest zijn,' zei de professor, die de kraag van zijn jas opzette. Het was 's avonds echt afgekoeld.

'Waarschijnlijk,' zei ik en we gingen op weg.

'Dat is juist, Valdemar, we moeten niet al te veel hoop koesteren. We proberen morgenochtend die Glockner te vinden en dan zien we wel. Het hoeft niet zo te zijn dat hier niets uit komt.'

We liepen verder in de kou.

'Er is één ding dat ik niet begrijp,' zei ik voorzichtig.

'Ja, wat dan, beste Valdemar?'

'Toen je dreigde de politie op hem af te sturen...'

'Ja?'

'Waar ik zo over nadenk... als je het boek vindt en het is in bezit van iemand die het van een ander heeft gekocht die er veel voor heeft... ik bedoel... hoe ben je van plan het boek weer in bezit te krijgen? Hoe ga je dat doen?'

'Dat zal gewoon blijken,' zei de professor.

'Je kunt het moeilijk kopen. Als wij de nieuwe eigenaar vinden, dan zal hij niet eens erkennen dat hij het in zijn bezit heeft. Hij weet dat het gestolen waar is.'

'Ik zal de politie tegen hem opjuinen,' zei de professor.

'Maar dan word jij ook ontmaskerd,' zei ik.

'Dat moet dan maar. Ik heb je al eerder gezegd dat het me niet kan schelen, alleen het boek doet ertoe, ik wil dat het weer terug op zijn plek komt. Iets anders staat niet op de agenda.'

'Maar zelfs de politie is geen garantie dat het boek wordt teruggegeven. Wat als je een fortuin op tafel moet leggen om het boek in handen te krijgen?'

'Valdemar, dat zal gewoon blijken,' zei de professor. 'Maak je daarover geen zorgen. Eerst moeten we het boek vinden. Eerst moeten we vaststellen of het nog steeds bestaat. Dat het niet verloren is of van de hand is gedaan. Dat het nog één geheel is en niet is opgedeeld. We moeten erachter zien te komen of het beschadigd is, of men er goed mee is omgesprongen en of het – God behoede ons voor iets anders – nog steeds is zoals toen het uit de Árni Collectie werd gehaald. Dit zijn vragen die dag in dag uit aan mij knagen. In mijn gedachten is het Koningsboek ons eigendom, van ons IJslanders, en dat zal altijd zo blijven, wie er ook geld voor heeft neergelegd en meent de eigenaar te zijn. Ik weet zeker dat als we het vinden, het een simpel probleem wordt. Ik maak me daarover helemaal geen zorgen. Helemaal niet.'

'Je erkent dan niet het eigendomsrecht van degene die het boek heeft?'

'Dat zou belachelijk zijn,' zei de professor en hij rende naar een tram.

We kwamen kort na middernacht doodmoe terug in het logement van Frau Bauer. Ze was nog op en ze ontving ons bezorgd en zei dat ze had gedacht dat ons iets was overkomen. De professor bood zijn excuses aan dat we zo laat nog op pad waren, en zei dat de dag niet geheel en al nutteloos was geweest. Hij vroeg Frau Bauer of zij de mensen kende die wij die dag hadden ontmoet, maar ze zei dat ze geen van hen kende. Ten slotte vroeg hij haar over Arthur Glockner, maar ze schudde het hoofd.

Ze warmde een lekkere ragout op die ze voor ons had bewaard en we schrokten het op als hongerige wolven. Ik bedankte haar, zei dat ik bekaf was en naar bed ging, en ik sliep eer ik het in de gaten had.

Toen ik 's ochtends wakker werd, was de professor niet in de kamer en ik dacht meteen dat hij bij Frau Bauer was gebleven. Toen ik in de eetzaal kwam zag ik twee andere gasten van het logement die hun koffie dronken, maar de professor was nergens te bekennen. Ik knikte naar de gasten. Frau Bauer had het ontbijt geserveerd, verschillende lekkernijen die op een tafel in de eetkamer stonden, en ik nam brood, spek en goede, Duitse koffie. Frau Bauer had ons de avond ervoor verteld dat de ergste tijden van de rantsoenering achter de rug waren. Ik was aan mijn tweede broodje bezig toen ze in de deuropening verscheen en mij groette.

'Ik geloof dat we hem hebben gevonden,' zei zij.

'Gevonden?' vroeg ik verstrooid. 'Wie? De professor?'

'De professor?' zei zij. 'Nee, Herr Glockner. Arthur Glockner. We zijn al vanaf vanochtend in alle vroegte op om te proberen hem te vinden, en ik geloof dat het ons gelukt is. De professor telefoneert met hem. Ik geloof dat Herr Glockner heeft toegestemd jullie vandaag tegen de middag te ontmoeten.'

'Fantastisch,' zei ik half beschaamd omdat ik had vermoed dat de professor tot ver in de ochtend bij Frau Bauer in bed had liggen pitten.

'Hij loog dat jullie kunsthandelaren waren,' zei Frau Bauer. 'Jullie hebben een zeldzaam object te verkopen.'

'O?' zei ik.

'Hij moest verdere uitleg geven en wilde niet... je snapt wel.'

'Ja,' zei ik. De professor verscheen in de eetzaal, energieker dan ik hem in lange tijd had gezien.

'Ben je eindelijk op, arme jongen?' zei hij vrolijk. 'Ongelooflijk, hoe jij kunt slapen.'

'Ik hoor dat je die Glockner hebt gevonden.'

'Hij wil ons nu meteen ontmoeten. We moeten voortmaken.'

'Hoe weet je dat hij de juiste is?'

'Frau Bauer en ik zijn die naam hier in Berlijn behoorlijk vaak tegengekomen. Dit is de enige die een importbedrijf heeft, een handel in vis met IJslanders, en hij zei dat hij me een koper kon bezorgen voor een heel belangrijk kunstobject dat ik van plan was te verkopen.'

'Dat is hij dan.'

'We zullen zien,' zei de professor. 'Drink je koffie op en laten we voortmaken.'

Een deftige koperen naamplaat hing bij de entree van een huis aan de Savignyplatz, waar de kantoren van Herr Glockner waren. Op de naamplaat was met moderne letters gegraveerd: A. Glockner. Import / Export. De professor haalde zijn schouders op.

'Wat dat nou weer betekent,' zei hij en we gingen naar binnen.

De kantoren van Herr Glockner waren op de derde verdieping en we lieten de aftandse lift die met zijn staalwerk bijna het hele trappenhuis vulde links liggen en we namen de uitgesleten trap naar boven. Ik bedacht dat dit gebouw aan de verwoestingen van de oorlog moest zijn ontkomen. De secretaresse, een duffe vrouw van rond de zestig, ontving ons op de derde verdieping en wij beaamden dat Herr Glockner ons verwachtte, we hadden eerder die ochtend met hem over de telefoon gesproken. De secretaresse verdween ergens in het kantoor en wij wachtten. Toen ze weer terugkwam glimlachte ze naar ons en zei dat Herr Glockner ons meteen kon ontvangen. Ze ging ons naar hem voor.

Herr Glockner was bijna helemaal kaal, een corpulente, kalme man, ergens in de zestig, onberispelijk gekleed in een maatkostuum dat op een voortreffelijke manier zijn imposante gestalte verhulde. Hij stond van zijn bureau op om ons met een handdruk te begroeten terwijl hij zei dat IJslanders op zijn kantoor altijd welkom waren. Hij had een grote gouden ring aan zijn pink. Hij bood ons een sigaar aan, die we afsloegen. Hij besloot er zelf eentje te nemen en zei tegen de duffe secretaresse ons koffie te brengen. Alles rond Herr Glockner getuigde van een comfortabele rijkdom, waarbij hij zijn best deed er ten volle van te genieten.

'Ik importeer de beste vis ter wereld,' zei hij en hij knipte een stukje van zijn sigaar af. 'IJslandse kabeljauw, gezouten vis, schelvis, koolvis.'

'Er is geen betere vis,' zei de professor glimlachend.

'U weet dat natuurlijk zelf het beste,' zei Herr Glockner.

'Dus u doet grote zaken met IJslanders?' vroeg de professor, die graag meteen ter zake wilde komen.

'Behoorlijk,' zei Herr Glockner. 'Ik ben met veel andere dingen bezig. Ik weet niet of het u interesseert dat te horen. Als ik u vanochtend goed heb begrepen, dan heeft u iets wat u wilt verkopen.'

Herr Glockner was weer aan zijn bureau gaan zitten. Geen beleefd gebabbel meer over IJslandse vis.

'Dat klopt,' zei de professor. 'Het is in feite mogelijk dat het object u bekend is. Het gaat om een oud boek dat op IJsland in de dertiende eeuw is samengesteld, het zit in een perkamenten band en bevat oude Oudijslandse gedichten, het Koningsboek genaamd. Kent u iemand die interesse heeft voor een dergelijk boek?'

Herr Glockner legde zijn sigaar neer.

'Het Koningsboek?'

'U kent het?'

'Ik kan niet zeggen dat dat zo is,' zei Herr Glockner voorzichtig.

'Het is niet door uw handen gegaan?'

'Mijn handen? Nee.'
'Weet u het zeker?'
'Wat heeft dit te betekenen?' zei Herr Glockner en het liet zich niet verhelen dat hij beledigd was. Zijn houding sloeg helemaal om.
'Is het boek u absoluut niet bekend?' vroeg de professor.
'Noemt u mij een leugenaar?'
'Nee, maar...'
'Wie zijn jullie?' vroeg Herr Glockner. 'Op wiens instigatie zijn jullie hier?'
'We zijn op zoek naar het Koningsboek,' zei de professor. 'We hebben begrepen dat het onlangs door uw handen is gegaan. Is dat juist?'
Herr Glockner kwam overeind. Wij bleven als vastgelijmd zitten.
'Ik heb nog nooit van dat boek gehoord,' zei hij. 'Komt u onder valse voorwendsels hierheen?'
'Weet u het zeker?'
'Zeker? Zo zeker als wat! Ik weet niet waar u het over heeft.'
'Wij hebben iets anders gehoord,' zei de professor.
'Iets anders gehoord? Wat voor... u kunt beter hier weggaan,' zei Herr Glockner bruusk.
'Volgens onze bronnen bent u nog niet zo heel lang geleden tussenpersoon geweest bij de verkoop van dat boek,' zei de professor.
'Wie beweert dat?'
'Ik geloof niet dat dat ertoe doet. Kunt u ons vertellen wie de koper was?'
'Ik heb jullie niets te vertellen,' zei Herr Glockner. 'Als u zo vriendelijk wilt zijn om te vertrekken.'
'U heeft contacten met IJsland, is het een IJslander?'
'Eruit,' beval Herr Glockner en zijn gezicht was rood opgezwollen. Hij drukte de sigaar kapot in een grote asbak op het bureau.
'Het boek is gestolen,' zei de professor beslist. Hij gebruikte dezelfde tactiek die hij had benut om Herr Färber te intimideren, hoewel hij wist dat hij zich op glad ijs begaf, om het zacht uit te drukken. Hij had de verdwijning van het Koningsboek nooit bekendgemaakt, er had geen onderzoek plaatsgevonden en er was geen politierapport opgemaakt, dus officieel was het helemaal niet gestolen. De professor had het er in onze gesprekken soms over gehad dat hijzelf ongetwijfeld als eerste ervan verdacht zou worden het te hebben gestolen, als de verdwijning ooit openbaar werd gemaakt en een onderzoek in gang zou worden gezet.
'Elke handel in dit boek is volstrekt illegaal,' ging hij verder met een strenge blik. 'Ik weet dat u wilt voorkomen dat een grondig politieonderzoek uw bedrijf en u persoonlijk tot doel zal hebben. Ik denk dat het mogelijk is dit op een aimabele manier op te lossen.'
'Het boek is mij niet bekend.'

'Het is gestolen waar,' zei de professor en hij stond op. 'Handel in gestolen waar is een misdrijf, zoals u vermoedelijk weet.'

'Beschuldigt u mij van diefstal?' riep Herr Glockner. 'Haal de politie erbij! Weet dat me dat niks kan schelen! Eruit met jullie, zeg ik! Eruit!'

Hij was begonnen te schreeuwen en hij duwde me vooruit zodat ik het kantoor uit werd gejaagd. De professor kwam er na mij uit en Herr Glockner smeet de deur voor onze neus dicht. We keken elkaar aan en wisten niet wat we moesten doen toen de duffe secretaresse verscheen en ons vroeg haar te volgen. We gehoorzaamden nogal schaapachtig. Herr Glockner leek het serieus te menen. Hij was niet bang voor de politie zoals Herr Färber, hij leek niets op zijn geweten te hebben inzake de verkoop van gestolen waar, integendeel, hij daagde ons uit en moedigde ons aan de politie erbij te halen. Hij leek niets te verbergen te hebben.

De secretaresse ging ons voor uit het kantoor en toen we bij de lift vooraan in het trappenhuis kwamen, draaide ze zich naar ons om en fluisterde: 'Ik kon niet helpen te horen wat er tussen jullie voorviel,' zei zij.

'Ja, mijn excuses,' zei de professor afwezig. 'We hadden niet zo hard moeten praten.'

'U wou iets weten over het oude boek dat Herr Glockner heeft gehad?'

'Dat klopt,' zei de professor.

'Weet u er iets over?' vroeg ik.

De secretaresse praatte nog steeds heel zacht.

'Een vrouw die het boek bij zich had kwam hier en liet het aan Herr Glockner zien. Ze werkte vroeger voor het bedrijf. Ik ken haar. Was het een waardevol boek?'

'Als dat het boek is dat wij zoeken, dan is de waarde niet in geld uit te drukken,' zei ik.

'Wat voor een boek was het?' vroeg de professor. 'Het boek dat de vrouw bij zich had.'

De lift kwam ratelend omhoog naar onze verdieping alsof hij hard moest zwoegen en op het punt stond het op te geven.

'Het boek leek eeuwenoud,' zei de secretaresse. 'Ze liet het me zien. Ouderwetse letters, de bladzijden oud en versleten. Ik had zo'n boek nog nooit eerder gezien. Is het veel waard?' vroeg ze weer.

De professor stond als door de bliksem getroffen voor de lift en staarde de secretaresse aan. Ik kon mijn eigen oren niet geloven. De vrouw keek ons aan. Ze was heel dun, had een paarse trui en dito rok aan, en ze had haar blonde haar in een knot in de nek.

'Jullie mogen niet zeggen dat ik jullie dit heb verteld,' zei zij en ze keek snel naar het kantoor van Herr Glockner.

'Daar kunt u gerust over zijn,' zei de professor. 'Kunt u mij zeggen waar ik die vrouw kan vinden?'

De secretaresse haalde een snipper papier tevoorschijn en reikte die de professor aan.

'Ik heb het opgeschreven,' zei zij. 'Hilde is een alleenstaande moeder. Het is moeilijk voor haar buitenshuis te werken. Vooral als mensen zoals Herr Glockner de macht in handen hebben.'

De professor pakte het papiertje aan.

'Waarom... hoezo helpt u ons?' vroeg hij.

De secretaresse liep achteruit.

'Herr Glockner is geen goed mens,' zei zij.

En toen verdween ze weer in het kantoor. De liftdeur ging met gepiep en gekraak open. De professor keek in de lift en aarzelde of hij erin zou stappen.

'We nemen de trap,' zei hij en hij stoof ervandoor. 'Eén ding komt ons nog steeds goed uit, als Glockner het boek heeft!'

'Wat dan?' zei ik en ik snelde achter hem de trap omlaag.

'Hij leek geen idee te hebben wat hij in handen had,' zei de professor. 'Als hij het wist, zou hij er al een goede prijs voor hebben gevraagd, het bij opbod hebben aangeboden en er een geschikte koper voor hebben gevonden.'

XVIII

De vrouw naar wie de secretaresse ons verwees woonde in de Heerstraße, in een van de armste delen van de stad. De tram raakte onderweg defect en we moesten een flink stuk lopen, gewapend met een stadsplattegrond. De professor leek zowel hier als elders heel goed de weg te weten en hij vertelde me verschillende dingen die hem onderweg opvielen, over de straten en de huizen die hij bijzonder vond. Ik bedacht dat, waar we ook heen gingen, het hetzelfde was: de professor was altijd bereid te doceren en zijn kennis over te dragen.

Zijn hoop om het Koningsboek te vinden was enigszins getemperd na de ontmoeting met Glockner en in het bijzonder de wonderlijke informatie van zijn secretaresse. Hij kon zich niet voorstellen dat het boek in het bezit was gekomen van een gewone, behoeftige vrouw uit een van de ellendigste delen van Berlijn. Ik geloof dat de professor zich het boek altijd had voorgesteld in ridderzalen, paleizen of plechtstatige cultuurgebouwen, maar niet onder de mensen, het gewone volk, in woningen van de eenvoudige proletariërs, hoewel hij wist dat de armste IJslanders het hadden bezeten, bewaard en ervoor gezorgd. En het was heel goed mogelijk dat het boek in een IJslandse boerenhut had gelegen voor het in het bezit van bisschop Brynjólf was gekomen. Boeken vinden overal hun weg, zowel belangrijke als onbelangrijke. Ze kiezen niet hun eigenaar, of ze nu goed of slecht zijn, en ze bepalen niet de keuze van het huis of waar ze op het schap belanden.

Ik probeerde met de professor over die dingen te praten toen hij onderweg op onze wandeling zijn bezorgdheid over het lot van het boek uitte: dat wij het waarschijnlijk nooit zouden vinden en dat het voor eeuwig was verloren. Het zou dwaasheid zijn iets anders te geloven. Wij wisten niet eens of het Oudijslandse literaire werk waarvan Herr Färber had gehoord dat Herr Glockner erin had bemiddeld, datgene was wat wij zochten. Het kon om honderd, misschien wel duizend andere boeken gaan. Wat was 'het literaire werk'? Het kon een boek uit de vorige of eervorige eeuw zijn. Ik vreesde dat de professor zichzelf tot wanhoop bracht en algauw zou hij opnieuw troost in de fles zoeken en alles zou weer hetzelfde liedje zijn.

We vonden het huisnummer, we gingen twee verdiepingen omhoog en klopten op de deur. Alles was zoals de secretaresse aan ons duidelijk had gemaakt. De huizen links en rechts waren gebombardeerd en de ruïnes ervan stonden nog steeds rechtovereind tegen het intacte huis als gedenkteken van het toeval en het ongelijke aardse geluk.

De deur ging open en het gezicht van een vrouw verscheen in de deuropening. Ze keek ons om beurten aan. Het gehuil van een kind was vanuit het appartement te horen.

'Frau Kamphaus?' vroeg de professor. 'Hilde Kamphaus?'

'Ja,' zei de vrouw.

'De secretaresse van Herr Glockner zei ons waar u woonde en wees ons erop dat we met u moesten praten over een oud boek dat u aan Herr Glockner heeft gegeven.'

De vrouw staarde de professor aan. Vervolgens keek ze naar mij. Het wantrouwen was van haar gezicht af te lezen.

'Wie zijn jullie?' vroeg ze aan de professor.

'We komen uit Denemarken...' begon de professor, maar toen zweeg hij, niet zeker hoe precies hij zou zijn in zijn beschrijving van de reis die ons tot haar deur had gebracht.

'We zijn op zoek naar een boek,' zei ik. 'Een oud boek.'

'Een boek?'

'Ja, we hebben begrepen dat u het in bezit heeft gehad.'

'Hij heeft ze niet gestolen,' zei Hilde Kamphaus.

'Ze? Gestolen?!'

'Hij heeft het niet gedaan.'

'Wie?'

'Mijn man. Hij heeft ze niet gestolen. Hij heeft ze gevonden.'

'Uw man?'

'Ja.'

'Hoezo, uw man?'

'Hij zei dat als ik ooit geld nodig had, ik moest proberen de boeken te verkopen. Ik wil niet dat de politie denkt dat hij ze heeft gestolen.'

'Wij zijn niet van de politie,' zei ik. 'Kunnen we misschien binnenkomen?'

De vrouw aarzelde.

'Het was een goede man. Hij was er niet op uit die boeken te stelen. Hij vond ze, wist niet wie de eigenaar was en meende ze te kunnen houden.'

'Daar twijfel ik niet aan,' zei de professor. 'We zijn niet op zoek naar een boosdoener. Kunnen we u een paar vragen stellen?'

De professor was beleefd maar volhardend. De vrouw weifelde. Het was duidelijk niet haar gewoonte onbekenden in haar woning binnen te laten. Ze keek naar de professor, toen naar mij, en weer naar de professor.

'Ik heb hier geen tijd voor,' zei zij. 'Ik heb niets verkeerds gedaan.'

'Natuurlijk niet,' haastte ik me te zeggen.

'Het duurt maar een paar minuten,' zei de professor. 'Weest u zo vriendelijk dat voor ons te doen, Frau Kamphaus.'

Het gehuil van het kind was erger geworden en na wat aarzelingen maakte de vrouw de deur voor ons open en ging toen snel de slaapkamer in. Toen ze terugkwam hield ze een kind vast dat in de armen van zijn mama stil was geworden en nu keken twee even grote vraagogen naar ons en naar de moeder.

'Wat willen jullie van mij?' vroeg zij.

'We willen graag iets weten over het boek dat u aan Herr Glockner heeft gegeven of over de boeken die uw man heeft gevonden. Kunnen we met hem praten?'

'Hermann stierf bijna twee jaar geleden,' zei Hilde. 'Het was een arbeidsongeval. Hij werkte in de bouw. De steiger stortte in. Ze kwamen met z'n drieën om.'

'Dat is tragisch om te horen,' zei de professor met empathie in zijn stem. 'Ik betuig u mijn innige deelneming.'

'Kreeg u geen compensatie?' vroeg ik.

'De aannemer was failliet,' zei Hilde. 'Een of ander schandaal dat ik nooit heb begrepen. We waren toen niet getrouwd, Hermann en ik. Hij geloofde niet in zo'n verbintenis. Hij zei dat er niets veranderde als een ambtenaar ons geluk bezegelde. Ik word nauwelijks als weduwe gezien.'

De woning van Hilde – een woonkamer, keuken en een slaapkamer waar ze met haar twee kinderen sliep – was armoedig maar warm. Ze hield haar dochtertje in haar armen en ze zei dat ze een zoon had die ouder was, zes, en buiten speelde. Ze zag er vermoeid uit, met wallen onder haar ogen, ze had een rond gezicht, donker haar, ze was gekleed in een zwarte rok, dikke zwarte sokken en versleten pantoffels. Ze leek openhartig en eerlijk te zijn, maar er was iets wanhopigs in haar blik, zoals bij mensen die volledig murw zijn door de harde strijd om het bestaan.

'Dus hij heeft de boeken gevonden?'

'Heeft u met Herr Glockner gesproken?'

'Ja, hij wilde niets met ons te maken hebben,' zei de professor.

'Hij beloofde mij weer in dienst te nemen, maar ik heb niets van hem gehoord.'

'Was dat nadat u hem het boek had gegeven?'

'Ja. Ik wist niet waar ik ermee heen moest. Hij is een boekenverzamelaar en de enige van wie ik wist dat hij wat geld had.'

'Ik begrijp dat hij geen professionele verzamelaar is maar een amateur?'

'Daar weet ik niets van. Iedereen bij het bedrijf kent zijn interesse voor boeken.'

‘U heeft niet geprobeerd ermee naar een antiquariaat te gaan?’ vroeg ik.
‘Herr Glockner was de eerste die bij me opkwam,’ zei Hilde. ‘Ik had bij hem gewerkt en hij beloofde me weer in dienst te nemen toen ik hem het boek gaf.’
‘Wat zei hij?’ vroeg ik.
‘Hij dacht dat het iets met IJsland had te maken, en omdat hij met IJslanders zakendoet, wou hij weten of ze het boek kenden.’
‘Hoe lang is dat geleden?’ vroeg de professor.
‘Het is beslist meer dan een jaar geleden,’ zei Hilde.
‘Heeft hij u voor het boek betaald?’ vroeg ik.
‘Ja,’ zei Hilde.
‘Hoeveel was het?’
‘Twintig mark,’ zei zij.
De professor en ik keken elkaar aan.
‘Is het waardevol?’ vroeg Hilde terwijl ze ons aankeek. ‘Is het meer waard dan dat?’
‘Hoe heeft uw man de boeken gevonden?’ vroeg de professor.
‘Hij vond ze in de ruïnes in de Tauentzienstraße. Ze ruimden het hout op van huizen die daar stonden, want op het bouwterrein zouden nieuwe flats worden gebouwd. Ze vonden vaak iets in het puin wat ze konden bewaren.’
‘Weet u wat voor ruïnes het waren?’
‘Nee, maar het was in een oude winkelstraat.’
‘Kan het een antiquariaat zijn geweest?’
‘Dat is mogelijk,’ zei Hilde. ‘Hij zei dat er veel boeken daar in het puin lagen.’
‘Of was het een privéwoning?’ merkte ik op.
‘Ik weet het niet,’ zei Hilde schouderophalend.
‘Hoe lang geleden was dat?’
‘Een paar jaar.’
‘En vorig jaar was het voor het eerst dat u probeerde de boeken te verkopen?’
‘Ja, maar alleen dat boek. Ik dacht dat ik er het meeste voor zou krijgen. Ik vond het triest. Het was het lievelingsboek van onze Hermann.’
‘Kunt u het boek voor mij beschrijven?’ vroeg de professor.
Hilde Kamphaus dacht na.
‘Ik vond het mooi, een bruinkleurige kaft. Ik wou het helemaal niet verkopen. Ik wou het houden, maar...’
‘Dat klopt,’ zei de professor, die mij aankeek. ‘Het boek was gekaft in een bruine band uit de achttiende eeuw.’
‘U heeft het natuurlijk niet kunnen lezen,’ zei ik tegen Hilde.
‘Nee,’ zei zij. ‘Ik begreep die letters niet. Ik begreep geen enkel woord. De

letters waren ontzettend klein, maar ik vond het mooi. Het was geen groot boek, eerder een zakboekje, vuil en armzalig om te zien. Ik weet niet eens of een "boek" het juiste woord is. Het leek eerder op een oud handschrift. Ik dacht dat het moeilijk iets bijzonders kon zijn. Alsof het bij arme sloebers had gelegen, in een keuken zoals deze, bij mensen zoals ik.'

'Waren de bladzijden gekreukeld?' vroeg de professor.

'Ja. Er zaten ook gaten in de huid op een bepaalde plek. En het was zo vreemd licht. Vederlicht.'

De professor keek mij aan en ik zag de spanning in zijn ogen.

'Ik herinner me dat op één bladzijde een klein gezichtje was getekend,' zei zij.

'Dat is het boek,' fluisterde de professor. 'Ze heeft het Koningsboek gevonden!'

'En u heeft het aan Herr Glockner gegeven?' vroeg ik.

'Herr Glockner heeft het boek, tenminste ik heb het hem in ieder geval gegeven,' zei Hilde.

'Weet je wat hij ermee wilde doen?'

Hilde schudde het hoofd. Het kind werd onrustig in haar armen en ze legde het naast zich op de vloer. Het meisje begon weer te huilen en keek op naar haar moeder.

'Wat voor andere boeken heeft uw man gevonden?'

'Het waren twee andere boeken waarmee hij thuiskwam, maar dat waren totaal andere boeken.'

Ik knielde neer om de aandacht van het kind te trekken zodat de professor het gesprek met Hilde in alle rust kon afsluiten. Het kind hield op met huilen en gaapte me aan. Ik glimlachte en aaide het over de bol. Hilde liet de professor twee boeken zien die ze uit de slaapkamer had gehaald. Hij keek ernaar en gaf ze haar weer terug. Het kind kalmeerde bij de onverwachte aandacht die het van mij kreeg, maar dat duurde slechts eventjes. Toen begon ze opnieuw te grienen en Hilde pakte haar op.

'Hoe heet ze?' vroeg ik.

'Ze heet Maria en ze wil bij niemand anders zijn, behalve haar moeder,' zei Hilde terwijl ze haar over de bol streelde.

Ik glimlachte in mezelf.

'Kunt u mij wat nauwkeuriger vertellen hoe uw man dat boek heeft gevonden?' vroeg de professor.

'Hij vertelde mij dat het in een koffer zat, gewikkeld in een of ander doek. Het was het enige boek in de koffer. De andere twee vond hij onder wat stukken hout. Wilt u mij nu vertellen wie jullie zijn? Wat is er zo bijzonder aan dat boek?'

'Het behoort aan IJsland toe en het is een nationale schat,' zei de professor.

'Het werd in Denemarken bewaard, maar het is daar gestolen en wij proberen het weer terug te krijgen. We hopen dat het op een mooie dag weer op IJsland wordt bewaard. Als dit het juiste boek is, heeft u ons een onmetelijke dienst bewezen, en wij zijn u daar dankbaar voor.'

'U moet met Herr Glockner praten als u het boek wilt hebben. Hij heeft het.'

'Ja, we hebben met Herr Glockner gepraat,' zei de professor. 'En als er sprake is van het juiste boek, dan zal ik ervoor zorgen dat u het vindersloon krijgt dat u toekomt.'

'Ik vind dat niet nodig,' zei Hilde. 'Ik vond het triest het boek weg te moeten geven. Ik hield van dat boek en had het graag willen houden. Ik voelde me goed met dat boek in mijn hand, zo'n oud, mooi iets.'

'Ik zal ervoor zorgen dat u wordt beloond,' zei de professor en hij boog tegelijkertijd voorover naar Hilde Kamphaus en nam met een handdruk afscheid van haar.

Afgaand op de beschrijving van Hilde waren we met zekerheid op het spoor van het Koningsboek gekomen en ik meende te merken dat de energie van de professor toenam met elke stap die hij deed toen we haastig vertrokken op zoek naar de dichtstbijzijnde tram.

'Een fantastische vrouw,' zei hij. 'Fantastische vrouw. Absoluut fantastisch.'

'Wat nu?' vroeg ik terwijl ik hem amper kon bijbenen.

'Nu begrijp ik waarom de jonge Von Orlepp opeens in Kopenhagen verscheen. De oude Kletsmajoor had geen idee wat er met het Koningsboek was gebeurd nadat hij het in Berlijn had verkocht... áls hij het toen heeft verkocht. Het is in de ruïnes verloren geraakt en heeft daar al die tijd in een koffer gezeten. Zijn zoon Joachim wilde weten of ik iets erover had opgedolven. Ik dacht stellig dat hij het in zijn bezit had en dat hij slechts op het verloren kwarto uit was. Hoe stom kan iemand zijn? Ik leidde ze als een idioot naar het kwarto.'

De professor ging steeds harder lopen.

'Ze mogen het boek niet in handen krijgen,' zei hij. 'Dat mag niet gebeuren!'

'Moeten we niet Glockner weer opzoeken?'

'Jawel, we moeten weer met die Glockner gaan praten. We zoeken hem thuis op als het moet. Hoorde je wat hij haar voor het boek had gegeven? Verrekte ellendeling!'

'Ze praatte mooi over het boek,' zei ik en ik overwoog of ik de moed zou hebben datgene ter sprake te brengen wat mij inviel toen ik Hilde over de dood van haar man hoorde vertellen. Het had een tijdje in me gesluimerd, misschien onbewust, maar het kreeg meer gewicht bij het verhaal van Hilde.

Het was daarentegen mijn aard dat ik aarzelde het bij de professor te opperen.

'Absoluut fantastisch, die vrouw,' zei de professor.

Ik vatte moed.

'Maar... er is iets wat ik... nee, bij nader inzien, het doet er niet toe.'

'Wat? Wat dan?'

'Nee, men heeft het er vaak over... kijk, vaak als er sprake is van dergelijke oude dingen, vooral als ze belangrijk of bijzonder zijn...'

De professor ging langzamer lopen en bleef ten slotte helemaal staan.

'Vooruit ermee,' zei hij.

'Het is gewoon een gedachte die bij me opkwam en ik weet niet waarom. Misschien toen ik hoorde over de dood van die arbeider die het boek in een koffer vond.'

'Ja,' zei de professor, die ongeduldig op het vervolg wachtte.

Ik besloot het eruit te gooien.

'Ben je ergens op een verhaal gestuit over een vloek die de bezitters van het Koningsboek kan achtervolgen?'

De professor staarde mij als door de bliksem getroffen aan.

'Waar heb je het over?' zei hij.

'Is het mogelijk dat er een vloek rust op het Koningsboek?'

'Kun je dat nader verklaren?'

'Het lijkt mij dat het alleen ellende brengt.'

'Zoals in mijn geval, bedoel je?'

'Het is jou natuurlijk niet al te best vergaan,' permitteerde ik mij te zeggen. 'De boer die je op IJsland in het graf vond. De arbeider die het boek hier in Berlijn vond, de man van Hilde. En...'

'En wat?'

'Nee, ik...'

'Er rust geen vloek op,' zei de professor beslist. 'Bijgeloof, volksverlakkerij! Hou op met die onzin. Ik dacht dat jij een wetenschapper wou worden. Heb je ze wel alle zeven op een rijtje?' zei hij en hij struinde weer verder. 'Hou op met die doemdagonzin!'

Maar ik kon niet ophouden erover na te denken en de hele weg in de tram naar het logement zeiden we weinig.

Frau Bauer verwelkomde ons zichtbaar in de war.

'Hebben jullie de kranten gezien?' hakkelde ze meteen toen ze ons zag, en het was duidelijk dat ze een schok had gekregen.

'De kranten?' zei de professor. 'Nee, we hebben geen enkele krant gezien. Wat staat erin?'

'Herr professor,' zei Frau Bauer, die hem anders nooit zo vormelijk aansprak. 'Ik geloof niet dat dit echt gebeurd is.'

Ze keek snel om zich heen alsof ze bang was dat andere gasten in het logement ons zouden horen en toen ging ze met ons rechtstreeks de keuken in.
'Wat is er?' vroeg de professor, die meteen probeerde haar te kalmeren.
'Ik geloof dit gewoon niet, het moet een misverstand zijn!' fluisterde Frau Bauer.
'Vertel me wat er is!'
'Het is Hinrich Färber,' zei Frau Bauer. 'Hij is gisteravond meer dood dan levend in zijn huis hier in Berlijn gevonden. Het staat in de kranten, hebben jullie het niet gelezen?'
'Nee, we hebben geen krant gezien. Wat... wie? Wie heeft Hinrich Färber aangevallen?'
'God sta ons bij,' zei Frau Bauer. 'Ik weet niet wat ik met jullie moet doen. Dit is afschuwelijk! Echt afschuwelijk!'
'Je hoeft helemaal niets met ons te doen,' zei de professor.
'Ons?' zei ik en ik kreeg het echt te kwaad. 'Wat bedoel je?'
'Je weet niet hoe ernstig dit is, Herr professor,' zei Frau Bauer en ze pakte de krant, die ze hem aanreikte.
De professor nam hem aan en las eerst de voorpagina, waar een verslag op stond van de brutale aanslag op Hinrich Färber, en vervolgens de binnenpagina, waar het verhaal verderging. Ik zag dat hij van kleur verschoot naarmate hij verder las.
'Dit is onmogelijk,' kreunde hij.
'Zie je nu wat ik bedoel?' zei Frau Bauer.
'Mijn hemel,' zei de professor. 'Ze kunnen dit niet serieus menen!'
'De bediende is getuige,' zei Frau Bauer. 'Hij was het die hem vond.'
'Wat is er?' vroeg ik, half in paniek door hun reactie.
'Wat moet ik doen?' zei Frau Bauer nogmaals. 'Wat moet ik met jullie doen? Moet ik met de politie gaan praten? Is het niet beter dat jullie met de politie praten?'
'We moeten niet overhaast handelen,' zei de professor.
'Wat is er?' herhaalde ik.
De professor reikte mij de krant aan.
'Ze denken dat wij het hebben gedaan,' zei hij.
'Wat?!'
'Ze denken dat wij Hinrich Färber hebben aangevallen,' zei de professor. 'Ze denken dat wij hem bijna dood hebben geslagen!'
Ik gaapte hem aan en het enige wat ik kon bedenken was mijn pas opgekomen gedachte over de vloek van het Koningsboek en dat ons avontuur slechts met een ramp kon eindigen.

XIX

Ik herinner me nog steeds de blik van de professor toen hij erachter kwam dat wij in verband werden gebracht met de aanslag op Hinrich Färber. Hij keek mij aan als iemand die niet meer wist hoe hij het had; hij zeeg neer op een stoel en staarde in totale ontreddering voor zich uit. Ik keek in de krant en haspelde me door het Duits heen. Er was geen twijfel mogelijk, wij waren de twee mannen over wie in de krant werd beweerd dat ze kort voor de aanslag bij Herr Färber op bezoek waren geweest en die waarschijnlijk 's avonds weer naar zijn woning waren teruggekomen en hem zo grof hadden toegetakeld dat hij bewusteloos was vervoerd naar het ziekenhuis, waar hij nauwelijks nog in leven werd bevonden.

Als ik na jaren terugkijk en denk aan die stille wanhoop van de professor terwijl hij daar in de keuken van Frau Bauer zat, zag ik over hoeveel kracht hij ondanks alles beschikte. Zijn wereld was ingestort. Het was niet genoeg dat het Koningsboek onder zijn neus was verdwenen, dat het verloren kwarto uit het boek van hem was afgepakt en een ontslag van de universiteit van Kopenhagen hem te wachten stond, ook een aanklacht in Duitsland voor geweldpleging kwam er nog bij. Hij moest bij zichzelf hebben gedacht dat nu alles verloren was. Voor mij stond dit vast en ik schaamde me er niet voor. Ik rekende erop dat we naar de politie zouden gaan, onze onschuld zouden bewijzen en afwachten wat er zou gebeuren. De uitkomst was onmogelijk te voorspellen. Het was slechts zeker dat we achter de tralies zouden belanden en dat we in de gevangenis zouden moeten blijven terwijl over onze schuld of onschuld geoordeeld zou worden. Hij moet over alle ophef hebben nagedacht die ervan zou komen als het nieuws de ronde zou doen van twee IJslanders in handen van de Duitse politie op verdenking van een gewelddadige aanval op een Duits staatsburger. Hij zou dat nooit te boven komen, en wat erger was, het Koningsboek zou waarschijnlijk voor eens en altijd verdwijnen. De diefstal zou ontdekt worden en hoe hij het al die jaren geheim had gehouden.

Zelf was ik gek van angst. Ik werd slap in mijn benen toen ik besefte wat er aan de hand was en ik kreeg maagzuur en sterke angstaanvallen. Ik wilde graag de professor kastijden en zeggen dat hij ons in deze situatie had gebracht, maar ik kon niets uitbrengen. Ik was sprakeloos. Ik staarde naar het nieuws in de krant en vocht tegen de neiging gewoon over te geven. Het zweet brak uit op mijn voorhoofd en ik voelde een onpasselijkheid die moeilijk is te beschrijven, maar die leek op wat mij overviel toen in de gevangenis in Schwerin de celdeur achter ons werd dichtgedaan.

'Wat staat er in de andere kranten?' vroeg de professor, die na de eerste schok zijn hersens weer bij elkaar leek te hebben.

Frau Bauer liet ons de andere kranten zien die ze had gekocht en in elk ervan stond het nieuws van de onverhoedse aanval op de kunsthandelaar Hinrich Färber. Zijn butler die voor ons de deur opendeed en die, naar ik me herinner, Klaus heette, was de belangrijkste bron voor de politie en duidelijk ook voor de krant. Hij zei dat hij die avond twee mysterieuze mannen had binnengelaten die onaangekondigd bij het huis van Herr Färber verschenen en vroegen hem te mogen spreken. Ze waren welkom. De mannen waren het huis binnengekomen en Herr Färber had een kort gesprek met hen gehad. De heer des huizes had een tijdje later de bediende geroepen om de twee heren weer naar buiten te begeleiden. Ze waren nogal opgewonden en Klaus kon horen dat ze in de tuin van Herr Färber dreigementen uitten. Nadat de bezoekers weg waren gegaan, had Herr Färber een tijdje in zijn studeerkamer gewerkt voordat hij naar bed ging. Even later ging de bediende eveneens naar bed. Hij was zich nergens meer van bewust tot hij de volgende ochtend wakker werd en de heer des huizes zijn ontbijt wilde brengen zoals altijd om half acht, maar hij vond hem toen in zijn bloed. Via de keukendeur aan de achterkant van het huis was er ingebroken; de criminelen waren de trap op gegaan naar de slaapkamer van Herr Färber en hadden hem daar in elkaar geslagen.

Toen wij Herr Färber opzochten, hadden we de bediende onze namen gegeven en volgens zijn getuigenverslag kon hij zich die namen goed herinneren en had hij die aan de politie doorgegeven. Alle kranten publiceerden deze met de toevoeging dat de politie graag een gesprek wilde hebben met die onverwachte bezoekers, die vermoedelijk uit IJsland kwamen. Uit het nieuws bleek dat Herr Färber alleen woonde en kinderloos was en dat er geen duidelijke verklaring naar voren was gekomen omtrent de reden van de brute aanslag.

'Worden we nu in Duitsland gezocht?' kreunde ik toen ik me uiteindelijk de ernst van de zaak ten volle realiseerde.

'Het ziet er naar uit,' zei de professor.

'Ik kan dit niet geloven. Wat moeten we doen?'

'We moeten in de eerste plaats proberen kalm te blijven.'

'Wie zou Färber hebben willen aanvallen?'

'Het lijkt erop dat wij het zijn,' zei de professor.

‘Wat zijn jullie van plan te doen?’ fluisterde Frau Bauer terwijl ze vlug de gang in keek.

‘Hoe komen ze erbij dat wij dit hebben gedaan, dat wij die... die gruwelijke gewelddaad hebben gepleegd?’ vroeg ik. ‘Het is totaal absurd. Ongelooflijk. Het is een vreselijk misverstand, dat we meteen moeten rechtzetten.’

‘Het is misschien het verstandigste naar de politie te gaan,’ zei de professor peinzend. Ik zag dat hij de mogelijkheden overwoog die wij in deze situatie hadden, dat hij de problemen analyseerde om oplossingen te vinden, uit te zoeken wat we moesten doen en hoe we het beste op dit nieuws konden reageren.

‘Ze zullen beslist de hotels en logementen afgaan,’ zei Frau Bauer. ‘Wat moet ik ze vertellen?’

We keken beiden naar de professor.

‘We moeten wat meer tijd hebben,’ zei hij.

‘Waar wil je ons nu weer in verstrikken?’ kreunde ik wanhopig.

‘We hebben niets verkeerds gedaan, Valdemar. Onthou dat.’

‘Doet dat er iets toe? Ze denken dat wij die man hebben aangevallen. Ze zijn naar ons op zoek. Misschien denken ze wel dat we hem hebben vermoord. Ze zeiden dat hij amper nog in leven was. Wat dan? Wat als hij doodgaat?’

‘Waarom gaan jullie niet met de politie praten, dit in het reine krijgen?’ vroeg Frau Bauer.

De professor keek haar aan.

‘Tenzij natuurlijk... Herr professor... je hebt het toch niet...?!’

‘We hebben het niet gedaan, beste vriendin,’ zei de professor. ‘We hebben Färber niet aangevallen. Ik weet dat je dat niet echt serieus meent. Het is zo absurd dat ik het nauwelijks kan verwoorden zonder dat het klinkt alsof ik gek ben. We hebben hem opgezocht, met hem gesproken, en toen zijn we vertrokken, rechtstreeks hierheen gegaan en ’s nachts hebben we hier overnacht. Je hebt ons gezien.’

‘Jullie zijn nogal laat thuisgekomen,’ zei Frau Bauer.

‘Elsa,’ zei de professor, ‘we hebben niets gedaan. We hebben een gesprek met hem gehad en zijn toen vertrokken.’

‘Ga dan en vertel ze dat,’ zei Frau Bauer.

‘Heeft ze geen gelijk, is het niet juist als we dat doen?’ vroeg ik aarzelend en me geen raad wetend.

‘We moeten niets overhaast doen,’ zei de professor.

‘Overhaast? We worden ervan verdacht dat we geprobeerd hebben hem te vermoorden,’ siste ik.

‘Blijf kalm, Valdemar. Dit komt in orde. We moeten een aantal dingen doen voor we naar de politie gaan.’

'Doen? Wat, bijvoorbeeld?'
'We lossen dit op. Dit moet geen probleem zijn.'
'Geen probleem? We worden gezocht!'
'Denken jullie dat het in verband staat met waar jullie mee bezig zijn?' vroeg Frau Bauer.
De professor keek mij aan.
'De aanslag op Herr Färber, bedoel ik,' zei Frau Bauer. 'Staat dat op de een of andere manier met jullie in verband?'
'Denk je niet dat dit met het boek te maken heeft?' vroeg ik.
'Dat is niet bij me opgekomen,' zei de professor. 'Het is wel erg toevallig dat hij is aangevallen op dezelfde avond dat wij een gesprek met hem hadden.'
'Hoe?' zei ik. 'Hoe heeft het met het Koningsboek te maken?'
'Ik heb geen idee, afgezien van het feit dat wij natuurlijk weten dat Joachim von Orlepp ook naar het boek op zoek is.'
'Zou hij zoiets doen?'
De professor haalde zijn schouders op.
'Ik acht het heel waarschijnlijk dat ze hier achter zitten, Valdemar. Alles wijst daarop. Ze achtervolgen ons naar Schwerin en ze kunnen ons ook hiernaartoe hebben gevolgd zonder dat we het in de gaten hadden.'
'Wat moeten we als eerste doen?' vroeg ik.
'Hoe bedoel je?'
'Je zei dat we een aantal dingen moesten doen voor we naar de politie gaan.'
'Ja, we moeten één bezoek afleggen,' zei de professor.
'Een bezoek?' zei Frau Bauer.
'Aan wie?' vroeg ik.
'We moeten Herr Glockner weer te spreken zien te krijgen,' zei de professor.
'Glockner?' zei ik.
'We gaan eerst naar hem en dan naar de politie.'
'Maar...'
'Het boek heeft prioriteit,' zei de professor beslist.
'Maar...'
'Niks te maren, Valdemar, zo gebeurt het en we moeten voortmaken. Elsa, als de politie komt en naar ons vraagt, dan moet je niet liegen. Zeg ze even te wachten. We geven ons over meteen als we van Herr Glockner weer terug zijn.'

Het liep al een eind tegen de avond toen we bij Frau Bauer vertrokken. Ze liet ons als een stel gedetineerden uit bij de achterdeur en keek ons met een bezorgde blik na. Ze vroeg de professor dringend om voorzichtig te zijn. Hij kuste haar op beide wangen en zei haar zich niet te veel zorgen te maken, dit zou allemaal goed aflopen, maar op de een of andere manier klonk het niet overtuigend. We durfden geen taxi te nemen en ook geen tram. Frau Bauer had uitgerekend dat we minstens een uur naar Herr Glockner zouden lopen en ze waarschuwde ons dat we zo onopvallend mogelijk moesten doen. We gingen stilletjes de smalle trap tussen de achtertuinen omlaag en binnen achter de ramen zag ik mensen die zich klaarmaakten om naar bed te gaan. Er hing een kalmte en rust die mij kwelde en ik wenste dat ik weer terug in Denemarken of zelfs IJsland was en dat niets van wat ik de laatste tijd had ervaren ooit was gebeurd. Ik kon er met mijn verstand niet bij hoe ik hier in deze compleet onbekende, vreemde stad een gezochte misdadiger was geworden. Ik kon het slechts met grote moeite accepteren, en mijn angst en woede namen hand over hand toe hetgeen ik naar de professor uitte.

'Kijk wat je hebt gedaan,' zei ik tegen hem terwijl hij met de stok in zijn hand een paar passen voor me liep.

'Wat is er?' hoorde ik hem zeggen.

'Wat er is?! Je hebt van ons een stel gezochte misdadigers gemaakt!'

'Dat is natuurlijk niet waar, Valdemar, ik heb niets gedaan. Waarom richt je je kwaadheid op mij?'

'Jij en je verdomde Koningsboek,' zei ik.

'Het heeft geen zin het Koningsboek erbij te halen.'

'Er rust een vloek op,' zei ik. 'Een vloek. Kijk naar Färber. Hij is op sterven na dood. Iedereen die in de buurt van het boek komt gaat dood.'

'Begin niet tegen mij over die verdomde vloek,' zei de professor die steviger doorstapte.

'Toch moet je er rekening mee houden.'

'Ik geloof niet dat Färber in de buurt van het boek is gekomen,' zei de professor. 'Daar weten we niets van. En hoed je voor bijgeloof. Het kan je gek maken.'

Hier had ik geen antwoord op en ik liep zwijgend achter de professor door de donkere straten van Berlijn in de richting van de woning van Glockner. Ik was kwaad omdat hij mij in de zoektocht naar het Koningsboek had meegesleurd met dit resultaat, maar diep in mijn binnenste wist ik dat het niet direct zijn schuld was wat ons was overkomen. Hij kon er niets aan doen dat Färber in zijn woning was aangevallen. Het hoefde niet eens iets met het Koningsboek van doen te hebben. Het was heel goed mogelijk dat Färber een dief in zijn huis had aangetroffen die tot de aanval was overgegaan. De professor was vastbesloten zich bij de politie te melden en ik vond het prettig dat te weten. Misschien zou onze naam vanavond meteen gezuiverd worden. De politie moest inzien dat we helemaal niet bij de aanval betrokken waren, we waren niet in het huis rond de tijd dat de aanval plaatsvond en er was beslist niets dat ons met Färber in verband bracht, behalve het korte gesprek dat we met hem hadden op de avond dat hij werd aangevallen. Het meest waarschijnlijke was dat de aanval midden in de nacht had plaatsgevonden; wij waren toen in het logement en Elsa Bauer kon dat bevestigen. Er moesten getuigen zijn te vinden die een ander verhaal zouden vertellen dan dat van de bediende Klaus, over andere mensen die bij Färbers huis hadden rondgehangen, naar binnen waren geslopen en die afschuwelijke misdaad hadden gepleegd.

Zo dacht ik erover terwijl ik snel achter de professor aan stapte. Ik probeerde wanhopig het beste ervan te maken en beetje bij beetje werd ik kalmer in de wetenschap dat het ons zou lukken de politie te overtuigen dat we Färber nooit hadden kunnen aanvallen en dat de politie bewijzen moest hebben die dat bevestigden. Toch was ik er niet gerust op en ik maakte me zorgen over wat komen ging.

Glockner was net zo welgesteld als Färber, te oordelen naar zijn woning. Hij was nieuw, na de oorlog gebouwd, maar in de stijl van de negentiende eeuw, met drie verdiepingen. Hilde had ons verteld dat hij kortgeleden was gescheiden, maar de twee kinderen van het echtpaar waren volwassen en het huis uit. Het licht brandde achter de ramen op de onderste verdieping, maar de bovenverdiepingen waren donker. De professor drukte op de bel aan de buitendeur. We stonden en wachtten, maar er kwam niemand. Waarschijnlijk was Glockner even weg en had hij het licht aan gelaten. Er kwam geen bediende naar de deur. We drukten weer op de bel en wachtten. De professor klopte op de deur, eerst zachtjes en beleefd, toen harder en meer heetgebakerd. Er gebeurde niets.

'Zullen we op hem wachten?' vroeg ik.

'Misschien is het niet zo erg dat hij niet thuis is,' zei de professor en hij liep langs het huis de hoek om. Ik keek verbaasd hoe hij de hoek om verdween en ging hem achterna.

De achtertuin van het huis was fraai onderhouden en ik zag dat de professor bij de ramen naar binnen gluurde. Tot mijn schrik merkte ik dat hij probeerde ze open te krijgen. Een deur kwam uit op de tuin en hij pakte de deurknop om erachter te komen of hij op slot zat.

'Wat ben je aan het doen?' siste ik en ik keek snel om me heen. Gelukkig stond er een grote boom in de tuin die ons voor het grootste gedeelte in duister hulde.

'We moeten binnen zien te komen,' zei de professor.

'Binnen?'

'Het boek kan hier zijn.'

'Dat weet je helemaal niet!' zei ik en ik greep hem vast. 'We wachten bij de voordeur op hem. We kunnen hier niet inbreken!'

'Je kunt doen wat je wilt, Valdemar, ik ga naar binnen,' zei de professor en hij maakte zich los van mijn greep op zijn arm. 'Ik zou het waarderen als je op wacht wilt staan, anders kun je doen wat je goeddunkt.'

'We zijn in genoeg ellende verwikkeld,' zei ik. 'Maak de zaak niet erger. Ik smeek het je.'

'Maak je geen zorgen, het komt allemaal in orde,' zei de professor en ik zag tot mijn stomme verbazing hoe hij met zijn stok een ruit brak. Hij had een zakdoek om de zilveren knop gebonden om het geluid te dempen en hij gedroeg zich zo professioneel dat ik even dacht dat hij het ooit eerder had gedaan.

'Je bent gek,' zei ik. 'Ik hou ermee op. Ik werk hier niet langer aan mee. Ik ben vertrokken. De groeten. Ik ga terug naar Denemarken!'

Ik struinde giftig weg en liet hem in de tuin achter. Ik liep langs het huis de straat op zonder enig idee te hebben waar ik was of waar ik heen moest. Ik vertraagde mijn pas tot ik stilstond en keek om me heen. Ik was helemaal de koers kwijt. Zoals altijd had de professor de route bepaald en ik had nauwelijks opgelet welke kant we opgingen. Ik wist ook niet wat ik moest doen. Moest ik het dichtstbijzijnde politiebureau binnenlopen en mezelf aangeven? Was dat niet precies wat de professor van plan was te doen – nadat hij de inbraak had gepleegd? Ik was woedend op hem, om hoe hij zijn eigen gang ging, nooit luisterde naar wat ik zei, nooit met iemand rekening hield behalve zichzelf, de verrekte vent. Het deed er niet toe wat ik zei of deed. Waarom sleepte hij me door heel Europa op zoek naar dat vervloekte boek? Waarom kon hij me niet gewoon met rust laten?

Langzamerhand kreeg ik door dat ik kwaad op mezelf was en op de waarheid die tot me was doorgedrongen nu ik de professor beter had leren kennen. Ik was kwaad op mezelf vanwege mijn lafheid tegenover de onverschrokkenheid van de professor. Mijn zwakte tegenover zijn bekwaamheid. Mijn onwetendheid tegenover zijn kennis. Ik wist dat het misschien niet de moeite waard was de moed te hebben bij iemand in te breken, maar er kwam toch een zekere dosis lef bij kijken als er veel op het spel stond en die bezat ik niet. Er was hartstocht voor nodig om je op zo'n manier in te zetten, zoals de professor tijdens de oorlog in Denemarken had laten zien. Ik beschikte daar niet over. Je moest stevig in je schoenen staan om in stilte je geheim te dragen, en ook al had de professor zich soms bij die inspanningen vernederd, hij had desondanks laten zien dat hij een mens was. Menselijk. Wat was ikzelf dan? Een lafaard die van het strijdtoneel vlucht als het erop aankomt? Als de professor mij het hardst nodig had?

Ik bleef staan en vervloekte mezelf. Toen maakte ik rechtsomkeert en rende weer terug tot ik bij toeval op het huis van Glockner stuitte. De professor was nergens in de achtertuin te bekennen, maar ik vond de ruit die hij had gebroken om binnen te komen. Hij had zijn hand door het gat naar binnen gestoken en de grendel van het raam eraf gehaald, dus ik hoefde slechts het raam omhoog te schuiven en toen was ik binnen. Ik was ergens in de keuken en durfde de professor niet te roepen. Ik ging de gang op. Een grote staande klok telde de seconden en aan beide zijden ervan was een deur. Ik ging door een ervan naar binnen. Het was zo stikdonker dat ik geen hand voor ogen zag, en volgens mij stond ik in een provisiekamer, naar de lucht te oordelen. Ik ging de kamer weer uit en zag de trap naar de volgende verdieping, waar ik een grote werkkamer binnenliep.

Een kleine bureaulamp verspreidde een zwak schijnsel en in het licht zag ik de professor over een man gebogen die volgens mij Herr Glockner was. Een tafeltje was omgegooid.

'Ben je teruggekomen?' zei de professor zonder op te kijken.

'Wat is er gebeurd? Is dat niet Glockner?'

'Herr Glockner is dood,' zei de professor. 'Hij is gewurgd, volgens mij met een dunne staaldraad die nog steeds in zijn nek zit. Het kan niet lang geleden zijn sinds hij is aangevallen.'

De professor was uiterst kalm.

'Wat?!' siste ik. 'Vermoord! Is hij vermoord?'

'Daar ziet het naar uit.'

'Ik geloof je niet! Wat is er gebeurd?'

'Dat weet ik niet.'

'Wat moeten we doen?'

'We moeten dit kalm aanpakken,' zei de professor.

'Kalm! Moeten we niet maken dat we wegkomen!? We kunnen niet hier blijven. Wat als er iemand komt? Kom mee! We moeten hier weg.'

'Blijf kalm, Valdemar,' zei de professor, die absoluut geen aanstalten maakte om te vertrekken.

'Kalm!' zei ik en ik was echt opgewonden. 'Hoe kan ik kalm blijven? We zullen ook hiervan beschuldigd worden! Snap je dat niet? We zullen van deze moord beschuldigd worden.'

'Het is dringend geboden dat we kalm blijven, Valdemar. Je zou misschien beneden kunnen wachten. Ik wil alleen even rondkijken.'

'Zag je wie het was?'

'Nee, ik heb hem zo gevonden.'

Ik kwam een stap dichterbij en zag de levenloze torso van Glockner, de gouden ring aan zijn pink.

'Niet te dicht bij hem komen,' zei de professor, die opkeek. 'Ik raad je niet aan naar het lijk te kijken. Het is niet bepaald fraai, zo opgezwollen.'

'Ik kan dit niet geloven!' kreunde ik totaal hulpeloos.

'Ik heb niets aangeraakt en dat moeten we ook niet doen. We zijn de aanvaller waarschijnlijk net misgelopen.'

'Wie doet zoiets laags?'
'We moeten snel te werk gaan,' zei de professor. 'Ik vermoed dat degene die Glockner heeft aangevallen dezelfde is of dezelfden zijn die Färber hebben aangevallen. Ik denk dat hij dezelfde interessen heeft als wij. Hij wil in het bezit van het Koningsboek komen. Het is heel goed mogelijk dat het de kleine Orlepp is, maar het kan ook iemand anders zijn, iemand die wij niet kennen. Hij aarzelt in ieder geval niet om een moord te plegen, wie het ook is. We moeten heel goed oppassen, Valdemar, je weet nooit hoe zo'n moordenaar denkt. Ik weet niet wat Glockner heeft verteld voordat hij naar de andere wereld is geholpen, maar het zou me niet verbazen als hij het over onze ontmoeting heeft gehad.'
'Denk je dat wij in gevaar zijn?'
'Ik geloof van niet,' zei de professor, en hoewel hij dat kalm zei alsof hij mijn angst wilde wegnemen, voelde ik de koude rillingen over mijn rug naar mijn kruin kruipen. Ik keek vlug over mijn schouder en ging onwillekeurig dichter bij de professor staan.
'Denk je dat de moordenaar nog steeds in huis kan zijn?'
De professor kwam overeind van het lijk en keek in de werkkamer om zich heen. Hij ging naar het bureau, snuffelde in de losse papieren en maakte laden open. Hiervoor gebruikte hij zijn zakdoek om geen vingerafdrukken achter te laten.
'Nee, ik denk dat hij weg is. Hij heeft uit Glockner gekregen wat hij nodig had.'
'Moeten we de politie niet bellen?'
De professor trok een grimas.
'Dat is misschien te laat,' zei hij.
'Te laat?'
'Zorg ervoor niets aan te raken. Wij zijn hier nooit binnen geweest. We moeten alles achterlaten zoals het was. Ik vermoed dat Glockner zijn moordenaar heeft gekend. Tenzij hij bedreigd is geweest. Hij heeft hem in huis binnengelaten, hem gevraagd hier naar boven te komen. De moordenaar heeft niet ingebroken.'
'Nee, wij waren het maar die ingebroken hebben,' zei ik.
'Dat klopt, wij hebben ingebroken,' zei de professor. 'De politie zal denken dat de aanvaller dat heeft gedaan.'
'Wij moeten naar de politie gaan en vertellen hoe het allemaal in elkaar steekt,' zei ik.
De professor zweeg.
'We zouden naar de politie gaan,' zei ik. 'Dat heb je beloofd.'
'Ik weet het, maar de situatie is een beetje veranderd, vind je niet?'
'Hoe bedoel je?'

‘Dat moet je toch zelf inzien, Valdemar. We worden van de aanval op Färber verdacht en nu staan we bij het lijk van Glockner. Wat wil je precies aan de politie vertellen?’

‘De waarheid?’

‘Dat we hier in huis hebben ingebroken en het lijk van Glockner hebben gevonden?’

‘Ja.’

‘En jij denkt dat ze dat geloven?’

‘Ze moeten wel. Ze moeten ons geloven.’

‘Ze moeten helemaal niks,’ zei de professor. ‘Het is het beste dat ze er nooit achter komen dat wij hierbinnen zijn geweest. We kunnen niet naar de politie gaan. Niet nu. Niet meteen.’

‘Dit is afschuwelijk! Hoe moeten we hieruit raken? Wat kunnen we doen? Wat moeten we doen?’

‘We moeten onverschrokken zijn, Valdemar, en...’

‘Hoe kunnen we onverschrokken zijn?’ siste ik tegen de professor. ‘Hoe kun je zo kalm zijn?! Zie je dat lijk daar niet? Hij is met een staaldraad gewurgd en jij zegt dat we gewoon kalm moeten zijn?’

‘Het heeft geen zin je zo te laten gaan, Valdemar,’ zei de professor knorrig. ‘Gedraag je als een vent. We moeten erachter zien te komen wat Glockner met het boek heeft gedaan. Daarom zijn we hier gekomen. We moeten weten of hij het al had verkocht of dat hij het hier thuis bewaarde. Is dat gesnopen? Ik wil van jou verder geen gezever horen!’

De professor draaide zich weer om naar het bureau en trok de ene lade na de andere open. De twee onderste laden zaten op slot. Hij vond een briefopener en het lukte hem een lade open te krijgen. Hij rommelde erin maar vond niets bruikbaars. Hij ramde weer met de briefopener, opende de onderste lade en keek erin.

‘Wacht ’ns,’ zei hij.

‘Wat?’

Hij haalde een vel papier eruit dat met een paperclip aan een envelop vastzat. Het was een brief in het Duits, gericht aan Glockner, en het leek mij, toen ik probeerde over de schouder van de professor te turen, dat hij een paar weken geleden in Reykjavik was geschreven.

‘Wat is dat?’ vroeg ik.

‘Sigmund?’ zei de professor in zichzelf en de verwondering in zijn stem liet zich niet verhelen.

‘Welke Sigmund?’

‘Ik ken hem uit Reykjavik. Een boekenverzamelaar. Hij heeft met Glockner gecorrespondeerd.’

‘Sigmund?’

'*...en bevestig de tijd van onze bijeenkomst in oktober*,' las de professor voor uit de brief, die hij meteen in het IJslands vertaalde. '*Ik zal de genoemde som gelds meenemen en hopelijk kan de bijeenkomst op de afgesproken tijd plaatsvinden en op de wijze die we eerder hebben besproken. Mijn cliënt is u zeer dankbaar dat u hem op het boek attent heeft gemaakt en hij is ervan overtuigd dat het de zakelijke betrekkingen tussen de beide ondernemingen zal versterken. Zoals u weet, heeft hij een pure, levendige interesse voor Oudijslandse literatuur en hij heeft al een mooie collectie opgebouwd. Het is voor mij een eer in uw transactie te hebben bemiddeld, en dat mij de taak is toevertrouwd te bewijzen dat het desbetreffende boek het juiste boek is. Hierdoor heeft uw prestige geen schade ondervonden, het is slechts een formaliteit, zoals u begrijpt. Mijn cliënt wil voorts dat ik nogmaals de noodzaak benadruk dat deze transactie in alle stilte zal plaatsvinden...*'

De professor las verder, maar nu in stilte.

'Ze hebben elkaar onlangs ontmoet, misschien wel de afgelopen vierentwintig uur,' zei hij peinzend toen hij de brief had gelezen. 'Sigmund en Glockner. De koper is een IJslander, woonachtig op IJsland en vermoedelijk een zakenrelatie van Glockner. Hij heeft de oude Sigmund voor het boek gestuurd. Sigmund is waarschijnlijk erna weer naar huis vertrokken.'

Hij tuurde naar de brief.

'Wat staat hier?' zei hij terwijl hij mij de brief aanreikte.

'Waar?'

'Hier, die getallen, wat is dat?'

Iemand had onderaan de brief van Sigmund twee getallen geschreven, een 2 en een 9, naar wat ik eruit kon opmaken.

'Is dit de negende, oftewel september?' vroeg ik.

'Twee en negen? Twintig en negen? Is het niet twintig en negen?'

'Misschien.'

'Kan het een datum zijn?'

'Wat gebeurt er dan op de negenentwintigste?'

'Joost mag het weten.'

'Als het een datum is.'

'Wat kan het anders zijn?'

'Negenentwintig is een priemgetal,' zei ik.

'Priemgetal? Wat betekent dat?'

'Ik heb geen idee.'

'Priemgetal?'

'Heeft Glockner dat geschreven?'

'Het is niet het handschrift van Sigmund,' zei de professor. 'Het kan Glockner geweest zijn.'

We keken naar het lijk van Glockner dat op de vloer lag.

'Als de moordenaars achter het boek aan zitten dan heeft hij hun waarschijnlijk over Sigmund verteld,' zei de professor. 'Ze hebben net als wij Glockner gevonden door eerst Färber op te zoeken.'

'Denk je dat dit dezelfde mannen zijn?' fluisterde ik.

'Het boek is het enige wat ik me kan voorstellen dat die twee mannen met elkaar verbindt,' zei de professor. 'Nu is een van de twee dood en de ander op sterven na.'

'En wijzelf,' voegde ik eraan toe. 'Jij en ik. Wij zijn er dan ook mee verbonden. Denk je dat die Sigmund het boek kan hebben?'

De professor rommelde verder in de lade waar de brief lag en vond een paar foto's. Het waren zwart-witfoto's, en blijkbaar genomen aan het bureau van Glockner. Er stonden een oud ingebonden perkamenten manuscript, het frontomslag en die van het opengeslagen boek op. De professor hapte naar adem toen het onderwerp van de foto's tot hem doordrong.

'Dit is het boek,' fluisterde hij voor zichzelf. 'Dit zijn foto's van het Koningsboek! Glockner heeft het in zijn bezit gehad. Het heeft hier op zijn bureau gelegen! Hier in deze kamer!'

De professor viel stil terwijl hij de foto's bekeek. Ik volgde wat hij deed en durfde nauwelijks adem te halen. Hij naderde zijn doel en kwam daar zelf achter. Ik vroeg me af of hij besefte in wat voor een situatie hij zich bevond. De aanslagen op Färber en Glockner hadden de zoektocht naar het Koningsboek in een totaal andere context geplaatst. Ik geloof dat geen van ons eraan twijfelde dat de gewelddaden ermee in verband stonden en dat wij hetzelfde gevaar liepen als de twee Duitsers.

'Hij heeft de koper foto's gestuurd om hem het boek te laten zien,' zei de professor uiteindelijk. 'Om hem te bewijzen dat er sprake is van het juiste boek. Sigmund heeft ze bekeken. Hij is de tussenpersoon. Hij is de specialist. Sigmund herkent verschillende foto's, heeft de winst gezien en natuurlijk de roem om als tussenpersoon op te treden. De koper heeft hem in de arm genomen om er zeker van te zijn dat alles goed wordt afgewikkeld, dat Glockner hen niet zal belazeren. Sigmund had beter moeten weten. Hij weet dat hij een boekenvondst als deze bekend moet maken en aan het licht moet brengen, ongeacht wat men erover beweert.'

'Wie is de koper?'

'Waarschijnlijk is het iemand die met Glockner zakendoet. Misschien een groothandelaar, een reder of een visexporteur. Het is iemand met aanzienlijke financiële middelen en die er goed gebruik van maakt de Duitse visboeren te kennen.'

'Moeten we niet teruggaan?' vroeg ik. Ik wilde niet langer in het huis van Glockner blijven.

'Dat is waar,' zei de professor en hij stak de foto's en de brief van Sigmund in zijn zak. 'Laten we voortmaken!'

'Denk je dat het mogelijk is dat die Sigmund Glockner zo heeft aangevallen?' vroeg ik.

De professor keek mij verbaasd aan.

'Sigmund is een ouwe sok,' zei hij. 'Hij zou zich zelfs geen raad weten met iemand die bewusteloos is.'

Ik probeerde te glimlachen.

'Ik heb me toen straks vergist,' zei ik beschaamd. 'Hopelijk vergeef je me mijn stommiteit.'

'Maak je geen zorgen, ik begrijp je heel goed,' zei de professor. 'Het is geen pretje dit mee te maken. We moeten erachter zien te komen welke route Sigmund terug naar huis wil nemen. Of hij rechtstreeks vanuit Duitsland gaat of via Denemarken of via een andere route. Wij moeten hem zien te vinden en hem aan het verstand brengen dat hij dat boek niet kan kopen. Dat niemand het kan bezitten. Hij moet dat begrijpen. Hij moet ons het boek geven.'

'Denk je dat Glockner zijn reisschema kende?' vroeg ik, en voor de laatste keer keek ik naar de plek waar het lijk lag voordat we snel de deur van de werkkamer uit gingen.

'Ik ben bang van wel!' zei de professor, die de trap af snelde. 'Ik betwijfel of Sigmund weet wat voor ellende hij zich op de hals heeft gehaald.'

Opeens schoot een andere gedachte door mijn hoofd en ik pakte de professor beet.

'Als dit Joachim en zijn mannen zijn die ons op de hielen zitten...' zei ik panisch.

'Ja?'

'En ze deinzen voor niets terug...'

'Wat wil je zeggen, Valdemar?'

'Hoe hebben ze Färber gevonden? We hebben hem via een omweg opgespoord...'

'Ja?'

'Toen zijn ze naar Glockner gegaan...'

'Ja?'

'Nadat wij een gesprek met hem hebben gehad.'

De professor staarde me aan.

'Hilde!' riep hij en hij nam een sprint. 'Ze kunnen ons eerst naar Hilde hebben achtervolgd!'

XX

Ik was me er volledig van bewust hoe vreemd deze hele loop der gebeurtenissen en hoe ongelooflijk en gevaarlijk de reis van de professor en mij was geworden. Dat wat in Áros en vervolgens in Schwerin was begonnen als een spannend onderzoek naar een lang vergeten geschiedenis over een totaal onbekende zeventiende-eeuwse vrouw, Rósa Benediktsdóttir, was plotseling uitgelopen op een moordzaak in Berlijn die makkelijk met mij en de professor in verband kon worden gebracht. Ik had niet het flauwste vermoeden gehad dat ik in zo'n situatie verzeild zou raken, een knul, in het westen van IJsland opgegroeid in de schoot van zijn tante, en als iemand tegen mij had gezegd dat deze lawine van gebeurtenissen zou plaatsvinden, zou ik hem hebben uitgelachen.

Ik had geen tijd hierover na te denken terwijl het gebeurde en achteraf gezien betwijfel ik of we iets anders hadden kunnen doen. Ik was slechts de reisgezel van de professor, die de reis bepaalde, maar om eerlijk te zijn leek hij de loop der gebeurtenissen nauwelijks nog meester, hoogstens een klein beetje.

De trams gingen niet meer en wij liepen door de verlaten straten van Berlijn op zoek naar een taxi. De professor was vergeten dat we ons zo onopvallend mogelijk moesten gedragen en hij haastte zich voort met de stok in zijn hand en vloekte dat er op straat geen taxi was te bekennen. Pas na een volle tien minuten lukte het ons een taxi aan te houden. De professor drukte mij op het hart mijn mond niet open te doen en hij overlegde zelf in onberispelijk Duits met de taxichauffeur.

Het gebouw waar Hilde woonde was niet afgesloten en ik rende omhoog naar de overloop waar haar appartement was. De professor was langzamer op de trap, maar hij probeerde mij bij te houden en ging puffend en buiten adem naar boven. Ik klopte op de deur, legde mijn oor ertegen, maar hoorde niets. Ik klopte weer. De professor verscheen in de duistere gang en sloeg met zijn stok op de deur. Er gebeurde niets. We keken elkaar bezorgd aan.

'We moeten de deur openbreken,' zei de professor.

De deur van het appartement naast dat van Hilde ging open en een man

van rond de zestig met een bol gezicht stak zijn hoofd naar buiten.
'Wat is hier aan de hand?' vroeg hij.
'Excuus voor het ongemak,' zei de professor beleefd. 'We zijn naar Hilde op zoek. Weet u waar ze kan zijn?'
'Heb geen benul,' zei de man en hij keek ons wantrouwig aan. 'Wat willen jullie van haar?'
'Heeft u haar vanavond gezien?' vroeg de professor, geen antwoord gevend op de vraag.
De man kwam niet de gang op, maar bleef in de deuropening staan alsof hij op alles was voorbereid.
'Nee, ik heb haar vanavond niet gezien, en die krengen van kinderen van haar ook niet.'
'Heeft u vanavond iemand gehoord bij haar?'
'Nee, niemand.'
'Dank u,' zei de professor, die even glimlachte en zich nogmaals voor het ongemak verontschuldigde.
De man bleef ons nog een tijdje aankijken om te zien of we vertrokken, maar toen dat niet gebeurde deed hij de deur dicht.
De professor stond op het punt de deur in te trappen toen Hilde met haar twee kinderen op de trap verscheen.
'Jullie weer?' vroeg ze verwonderd.
'God zij geprezen,' verzuchtte de professor en hij ging haar snel tegemoet.
Tot ieders geluk wist Hilde niet wat voor vreselijke dingen er aan de hand waren nu de professor en ik voor de tweede keer in vierentwintig uur bij haar op de deur klopten. Ze was net zo verbaasd over ons bezoek die avond als ze gisteren was geweest. De kinderen drukten zich tegen hun moeder aan toen ze ons zagen en lieten haar niet los voordat we bij hen binnen in de keuken waren. We vertelden Hilde hoe de zaak ervoor stond, dat Glockner was vermoord, en over Färber, die ons naar hem had verwezen en die zwaargewond in het ziekenhuis lag, en dat een stel gewelddadige figuren vermoedelijk net als wij achter het Koningsboek aan zaten, dat Hilde in haar bezit had gehad. Ze zei dat niemand die avond bij haar was geweest en ze kon de gedachte niet verdragen dat ze vijanden had. Ze keek ons afwisselend aan alsof ze geen idee had waar wij over spraken.
De professor probeerde haar zorgen weg te nemen en tegelijkertijd ook die van ons. Hij zei haar dat ze waarschijnlijk geen gevaar liep. Het spoor van het boek liep verder en zou nu heel onverwachts naar IJsland voeren. Daarentegen wilde hij het zekere voor het onzekere nemen en hij vroeg of ze niet een vriendin of verwant kon opzoeken en twee of drie dagen wegblijven. Hilde zag dat de professor serieus meende wat hij zei, dat zijn bezorgdheid oprecht was en dat ze vermoedelijk gevaar liep vanwege het boek. Hoewel ze

niet helemaal begreep waar het om ging, gaf ze zonder verdere vragen toe. Ze zei dat ze een zuster vlak buiten Berlijn had. De professor gaf haar geld voor de reis, ze weigerde echter iets extra's aan te nemen.

'Gaat u er met de taxi heen?' vroeg hij.

'Ja,' zei Hilde.

'Kunnen we jullie begeleiden? Nu.'

Hilde keek hem aan.

'Jullie menen het serieus,' zei zij.

'Jammer genoeg wel,' zei de professor. 'We kunnen geen risico nemen.'

'Waarom nemen jullie geen contact op met de politie?' vroeg Hilde. 'Die kunnen jullie helpen.'

De professor trok een grimas.

'Dat zou ons ophouden in de zoektocht naar het boek,' zei hij. 'We kunnen dat niet laten gebeuren.'

'Maar de politie zou jullie ook bij de zoektocht kunnen helpen,' zei zij.

'Ik ben bang van niet,' zei de professor. 'De zaak ligt veel gecompliceerder.'

'Ze denken dat wij het hebben gedaan,' flapte ik er geëmotioneerd uit.

'Wat gedaan?'

De professor wierp mij een boosaardige blik toe.

'De politie verdenkt ons van de aanslag op Herr Färber,' zei hij zo kalm als hij kon. 'Dat is natuurlijk niet terecht,' voegde hij eraan toe. 'Maar als we naar de politie gaan, zou dat ons vreselijk ophouden, zelfs zo dat we er niet op hoeven hopen het boek ooit te vinden.'

'U moet hem geloven,' zei ik. 'We hebben niets gedaan.'

'En jullie komen hierheen omdat jullie je over mij zorgen maken?'

'Ja.'

'Weten jullie wie die aanslag heeft gepleegd?'

'Nee,' zei de professor, 'we weten niet zeker wie het zijn, maar we vermoeden dat ze ook Glockner hebben aangevallen en vermoord.'

Hilde stond op.

'We gaan bij mijn zuster logeren,' zei zij.

Ze deed wat kleren in een tas, samen met het eten dat ze in huis had, en binnen de kortste keren liepen we de gang uit en de trap omlaag. Ik zag dat de bolle buurman op de gang weer in de deuropening stond toen wij ons naar buiten spoedden.

Na wat gebakkelei met de chauffeur mocht Hilde mee met de taxi en met een omarming namen we afscheid van haar. De professor bedankte haar dat ze het Koningsboek had bewaard en ze zei te hopen dat het ons zou lukken het terug te vinden.

'Bedankt dat jullie aan mij gedacht hebben,' zei zij.

'Wees voorzichtig,' zei de professor.

We keken de taxi na, die de straat uit reed.

'Zo zo, Valdemar,' zei de professor toen de taxi was verdwenen. 'Nu moeten we die sufferd van een Sigmund vinden!'

De professor nam niet het risico nog een taxi te nemen. Hij zei dat een signalement van ons twee ongetwijfeld de media had bereikt. We gingen door stille straten die naar het logement van Frau Bauer leidden. Dat nam ruim twee uur in beslag. Toen het logement uiteindelijk in zicht kwam, zagen we dat het bij het huis een drukte van belang was. Politieauto's met rode zwaailichten waren ervoor geparkeerd en politieagenten, zowel in burger als geüniformeerd, stonden eromheen. De deuren van het huis stonden open en politieagenten liepen in en uit. Het leek me dat ik iets zag flitsen bij Frau Bauer achter de ramen, maar ik wist het niet zeker. We waren stokstijf blijven staan toen we op de hoek van de volgende straat bij het logement kwamen en zagen wat er gaande was. De politie was naar ons op zoek en was erachter gekomen waar we verbleven. Het had hen slechts één dag gekost.

'Ze zijn sneller dan ik had verwacht,' zei de professor terwijl we daar stonden en om de hoek gluurden.

'Frau Bauer heeft niet kunnen liegen,' zei ik.

'Nee, ik veronderstel van niet, ze maakt er geen gewoonte van om te liegen. Ze hebben onze koffers gevonden. Ik dacht dat we meer tijd hadden.'

'Weet je zeker dat je niet met ze wilt praten?'

'Ja, ik weet het zeker. Ik kan het jou natuurlijk niet verbieden. Als je naar ze toe wilt gaan, dan staat je dat vrij. Ik moet eerst Sigmund zien te vinden.'

Ik hoefde er niet lang over na te denken.

'Ik ga met je mee.'

'Goed.'

'Hoe wil je uit Duitsland en in Denemarken zien te komen?'

'Daar vinden we wel iets op,' zei hij.

'En Sigmund? Hoe wil je hem vinden?'

'Ik weet het niet zeker,' zei de professor, 'maar gewoonlijk gaat hij via Kopenhagen als hij door Europa reist. Als ik het bij het juiste eind heb, hebben we geen tijd te verliezen. Vermoedelijk kunnen we hem in Kopenhagen vinden. Indien niet, dan moeten we naar IJsland.'

'Naar IJsland?'

'We gaan het boek achterna. Als Sigmund het bij zich heeft, dan is het op weg naar IJsland.'

'Wat... hoe moeten we uit Duitsland zien te komen?' vroeg ik weer.

'Heb jij een rijbewijs?' vroeg hij daarop.

'Nee, ik heb nooit autogereden.'

'Ik heb ook niet veel ervaring,' zei de professor en hij haalde een autosleutel uit zijn zak. 'Maar Elsa zei dat ik het gauw weer onder de knie zou krijgen.'

'Elsa? Elsa Bauer?'

'Ze heeft haar auto een paar huizen verderop geparkeerd, voor als we in problemen zouden raken, zoals ze het uitdrukte. Ik kon hem nemen als ik in echte nood zou komen. Ze zei dat de tank vol zat.'

De auto van Frau Bauer was een zwarte Volkswagen. De professor had even tijd nodig om hem door te krijgen, maar toen hij de koppeling redelijk onder controle had ging het rijden soepeler.

'Ik heb geen auto meer gereden sinds Gitte stierf,' zei hij en de auto maakte zo'n bruuske schok dat ik dacht dat mijn hoofd van mijn romp zou worden gerukt.

Ik verwonderde me nog steeds hoe goed hij Berlijn kende. Hij vond zijn weg door stille straten tot we het westelijk gedeelte van de stad uit waren en we uiteindelijk op de rustige plattelandswegen van Oost-Duitsland kwamen. De nacht was pikzwart en de professor reed voorzichtig op de lichtbundels van de auto in noordelijke richting. Ik vroeg niet meer hoe hij van plan was ons over de grens naar Denemarken te krijgen. De politie moest weten dat we daarheen gingen en waarschijnlijk van daaruit verder zouden gaan, ze hadden dus de grensbewaking geïnformeerd. Ik probeerde er niet aan te denken dat het nieuws dat wij gezocht werden waarschijnlijk tot Denemarken en IJsland was doorgedrongen. Als de professor zich er zorgen over maakte, liet hij het niet merken. Het enige waar zijn hoofd naar leek te staan was het Koningsboek en het verloren kwarto.

'Als je erover nadenkt,' zei ik, 'is het dan niet het beste dat het Koningsboek weer op weg terug naar IJsland is?'

We hadden lang gereden over slechte grindwegen. We hadden geen landkaart meegenomen en ik wist niet zeker dat hij de juiste weg door heel Noord-Duitsland zou vinden alsof hij thuis was, maar ik durfde daar voor geen goud over te beginnen. Ik werd soezerig. De auto hobbelde aangenaam over de weg en het geluid dat de motor maakte was op een vreemde manier slaapverwekkend. De professor zei dat ik moest proberen een tukje te doen, maar ik kon niet slapen. Alles wat op onze reis was gebeurd – het opgezwollen lijk van Herr Glockner, de situaties waarin de professor en ik verzeild waren geraakt, onze vlucht – wilde niet uit mijn gedachten wijken.

'Ik maak me zorgen hoe er met het Koningsboek is omgesprongen,' zei de professor.

Hij vroeg me om zijn tabaksdoosje uit zijn jaszak te halen en het open te maken. Ik ging in zijn zak en vond het doosje. Toen ik mijn hand uit zijn jaszak trok, zag ik dat ik ook een tweede, veel kleiner doosje eruit had gehaald.

'Welke wil je hebben?' vroeg ik.

Hij keek vanuit zijn ooghoek naar de doosjes.
'Geef maar de snuiftabak,' zei hij.
Ik maakte het doosje open en reikte het hem aan. Hij strekte zijn hand uit, nam een behoorlijke hoeveelheid tabak tussen zijn vingers en snoof het op. Ik deed het doosje dicht.
'Je kunt geen aanspraak maken op het boek door koop en verkoop alsof je in vis handelt,' ging hij verder terwijl hij zijn neus fatsoeneerde. 'Het is geen privébezit van wie dan ook. Het is nationaal bezit, en dat is het geweest sinds bisschop Brynjólf het in handen kreeg. Het bezit van de IJslanders. Het zou niet mogen gebeuren dat iemand het steelt en doorverkoopt aan welk land dan ook, waar het weer wordt doorverkocht en weer wordt gestolen en zo maar door, steeds maar weer.'
'Als we de koper op IJsland vinden...'
'Ik mag hopen dat het niet naar IJsland geraakt,' onderbrak de professor mij. 'Het zal daar uiteindelijk terechtkomen, daar ben ik van overtuigd, op het juiste moment en via de juiste wegen. Maar niet op deze manier. Zo gaat het niet.'
We reden verder in het duister.
'Maak het kleinere doosje voor me open,' zei de professor.
Ik hield nog steeds het snuiftabaksdoosje in mijn hand en ook het andere dat meekwam toen ik het uit de jaszak van de professor opdiepte.
'Dit?' vroeg ik en ik hield het kleine doosje omhoog. Het was licht, van hout en beschilderd.
'Ja, maak het open.'
Ik schroefde het dekseltje eraf en een fijn, wit poeder was te zien.
'Doe een beetje ervan hier op de rug van mijn hand,' zei de professor terwijl hij zijn hand uitstak.
Ik deed zoals hij zei en hij snoof het poeder op.
'Wat is dat?' vroeg ik.
'Dat heet amfetamine,' zei de professor. 'Ik meng het soms door de snuiftabak. Het houdt je helder en wakker.'
'Amfetamine?' zei ik op vragende toon.
'Mijn apotheker verschaft het mij,' zei de professor. 'Het maakt de tabak heel krachtig.'
Ik was een beetje op de hoogte van het spul hoewel ik het zelf nooit had gebruikt. Ik wist van studenten op de universiteit op IJsland die het bij examens gebruikten en die het tijdens universiteitsuitstapjes graag bij zich hadden.
'Vele jaren geleden was ik in Parijs,' zei de professor. 'Daar bezocht ik het Louvre en ik stond voor de *Mona Lisa*, het bekendste en grootste kunstwerk van de Italiaanse renaissance en van alle tijden, en ik dacht erover na waar-

om dit schilderij beroemder dan andere schilderijen was. Natuurlijk, het is geschilderd door Leonardo da Vinci en er zijn niet zoveel schilderijen van zijn hand; het heeft een bijzondere geschiedenis, omdat het gestolen is geweest, enzovoorts. De glimlach van de *Mona Lisa* heeft eeuwenlang de mensen betoverd. Over haar hangt iets onbevreesds, iets volkomen evenwichtigs, en wij zien dat zij meer weet, een mysterie verbergt dat wij niet kennen. Ze heeft al die jaren in het aangezicht van de wereld over dat mysterie geglimlacht. Toen moest ik aan het Koningsboek denken en ik vroeg me af wat de Italianen ervan vonden dat de *Mona Lisa* het bezit van de Fransen was, en in feite het kostbaarste voorwerp was uit de kunstverzameling van Frankrijk.'

De professor zwenkte om de gaten in de weg heen.

'Je bedoelt dat je het Koningsboek niet in het Louvre zou willen zien?' vroeg ik terwijl ik in de auto heen en weer werd geslingerd.

'Noch daar, noch in de Koninklijke Bibliotheek in Kopenhagen, noch thuis bij de IJslandse kapitalist die op dit moment het geld heeft,' zei de professor, die wat was opgeknapt. 'Het hoort thuis in de IJslandse manuscriptenverzameling op IJsland. Het zal ervan komen dat de Denen ons het manuscript overhandigen. Ik ben daarvan overtuigd en het is een goed iets dat het Koningsboek daar zal worden bewaard. Het is onze plicht ervoor te zorgen en het boek onbeschadigd aan een nieuwe generatie over te dragen. Niemand mag op een dergelijke schat gaan zitten.'

'Maar de geschiedenis kan niet constant herschreven worden. De geschiedenis wil dat de *Mona Lisa* in een museum in Parijs is terechtgekomen. De geschiedenis wil dat het boek in de collectie van de Deense koning kwam. De geschiedenis is moeilijk terug te draaien. Ligt het in onze macht?'

'De geschiedenis wil dat het Koningsboek nu in privébezit is terechtgekomen. Vind je niet dat je daar iets aan moet doen?'

'Wat weten wij ervan? Misschien is de nieuwe eigenaar van plan het weer naar de collectie in Kopenhagen terug te brengen.'

'Waarschijnlijk, maar of dat ook zal gebeuren?'

'Is de hoofdzaak niet dat je bang bent dat je ontmaskerd wordt?' waagde ik te zeggen. 'Dat je tien jaar lang over het boek hebt gelogen? Draait daar niet alles om? Misschien was het mogelijk het boek te vinden door een gecoördineerde actie van de Duitsers, Denen en IJslanders, maar jij hebt nooit verteld dat het is verdwenen. Is dat in feite niet de reden dat wij hier als gezochte personen ergens in Duitsland in de auto van Frau Berger zitten?'

'Je moet proberen te slapen,' zei de professor. 'Je begint weer te zeveren. Man, wat kun jij zeveren als je moe bent, Valdemar.'

'Je weet dat je een excuus hebt,' zei ik. 'Niemand zal het jou verwijten. Dat weet je. Overal waar ze kwamen stalen de nazi's kunstwerken, soms de kostbaarste kunstwerken van Europa. Ze sloegen ze op in zoutmijnen in Zuid-Duitsland en Oostenrijk. Hitler droomde ervan het grootste museum ter wereld te stichten en hij was van plan het te vullen met gestolen kunstwerken. Het moest in Linz verrijzen. Je kent de hele geschiedenis. Bij al die waanzin legde het Koningsboek natuurlijk niet veel gewicht in de schaal.'

'Misschien wou ik corrigeren wat in de oorlog fout was gegaan en het boek weer op zijn plaats leggen zonder dat er al te veel ophef over werd gemaakt. Misschien dat ik wat dat betreft koppig ben dat ik het boek op zijn plek wil hebben, dat is dan maar zo.'

'Ik begrijp gewoon niet waarom jij jezelf van alles verwijt,' zei ik. 'Iedereen moet de situatie kunnen begrijpen waarin jij je bevond.'

De professor haalde diep adem.

'Heb je iets uit de gepubliceerde uitgave van het Koningsboek gelezen?' vroeg hij.

'Ja, natuurlijk,' antwoordde ik.

'Heb je een favoriet hoofdstuk, een favoriet gedeelte of verhaal uit het boek?'

Ik dacht na.

'Ik vraag me af of het er nou speciaal eentje is,' zei ik, want ik had meer belangstelling voor de saga's van de IJslanders. Ik aarzelde dat tegen hem te erkennen.

'*De ballade van Atli* is mijn favoriet,' zei de professor. 'Dat kern in de heldendichten van de *Edda*, de kern van alle heldendichten. Het zijn mannen die de dood hebben overwonnen. Gunnar en Högni. Dat zijn mijn mannen.'

'Gunnar en Högni?'

De professor glimlachte.

'Högni lachte toen zij zijn hart eruit sneden,
de kloeke wondensmid, klagen kwam niet in hem op;
bloedend legden ze het op een schaal, brachten het Gunnar.'

Ik probeerde me *De ballade van Atli* voor de geest te halen, maar het duurde niet lang eer hij het verhaal navertelde, daar op de weg naar Schleswig. Hij vertelde dat de meeste heldendichten in de *Edda* over het Rijngoud gingen dat Sigurd de Drakendoder op de draak Fafnir op de Keiheide veroverde. De Hunnenkoning Atli wou het goud in bezit krijgen dat de gebroeders Gunnar en Högni van Sigurd hadden afgenomen en in de rivier de Rijn hadden afgezonken. Atli nodigde ze uit voor een feest en ze namen de uitnodiging aan, ondanks de waarschuwingen van wijze mannen; ze waren bereid hun heldenlot te ondergaan, wat er ook zou gebeuren. Atli nam hen op het feest gevangen en eiste dat ze de bergplaats van het goud onthulden, maar de broers weigerden te vertellen waar het was. Toen Atli ze wou martelen om ze aan het praten te krijgen, vroeg Gunnar Atli om hem het hart van zijn broer Högni te brengen. Högni onderging zijn dood buitengewoon moedig en lachte toen zijn hart levend uit hem werd gesneden. Atli had niet door dat hij in de val was gelopen, want Gunnar was nu nog de enige die wist waar het goud was verborgen. Hij weigerde te vertellen waar zijn broer en hij het hadden verborgen en hij werd in een slangenkuil gezet, waar hij op de harp speelde terwijl zijn leven uit hem wegebde, en Atli over het goud niets wijzer was geworden.

'Het is het schitterendste heldendicht uit de *Edda*,' zei de professor, 'en misschien heb ik me erdoor laten beïnvloeden.'

Hij zweeg.

'Ik was niet van plan toe te geven,' zei hij. 'Ik dacht dat ik bereid was te sterven daar in het Shell-gebouw en ik wou mijn dood met open armen verwelkomen. Maar ik bleek een lafaard te zijn. Ik kon het niet toen het erop aankwam. Zodoende verloren we het Koningsboek. Ik doorstond de test niet toen ik op de proef werd gesteld.'

'Maar...'

'Zo was het en verder valt er niets over te vertellen.'

Ik viel stil. Hij had mij een zeldzaam inzicht in zijn gedachtewereld gegeven, hoe hij zich inleefde in de oude heldendichten en er een voorbeeld voor het leven in vond. Hij had gefaald. Hij had zijn helden in de steek gelaten. Het Koningsboek in de steek gelaten. Maar hij had op de eerste plaats zichzelf in de steek gelaten.

'Ik had ze eerder mijn hart moeten laten uitsnijden en ze uitlachen dan toegeven,' zei hij zo zachtjes dat ik het nauwelijks kon horen.

Maar toen het erop aankwam kon hij het niet. Hij had niet de kracht die ervoor nodig was en daarom liep het zoals het gelopen was.

'Daarna was ik mezelf niet meer,' zei hij. 'Weken-, maandenlang. De oorlog was voorbij en zo verstreek de tijd, en met het verstrijken van de tijd dacht ik dat niemand mij zou geloven. Dat iedereen zou denken dat ik het allemaal bij elkaar had verzonnen. Sommigen zouden denken dat ik een handlanger van de nazi's was geweest. Wat moest ik zeggen? Er zijn mensen die zich goed kunnen voorstellen dat ik het Koningsboek aan de nazi's op een presenteerblaadje heb gebracht. Dat ik een dubbelspel had gespeeld. Hun collaborateur was geweest! Hoe moest ik die mensen overtuigen? Wie zou mij geloven?'

De auto rammelde voort in de nacht. Ik wist niet wat ik hem moest antwoorden. Ik begreep niet echt de wereld waarin hij geloofde, de wereld waarin hij leefde en waarin hij zich bewoog.

'Bezit iemand de *Mona Lisa*?' vroeg ik na een lange stilte. 'Is ze niet het eigendom van de hele wereld? Ook al bewaren de Fransen haar.'

'Ik ben niet zo internationaal ingesteld als jij,' zei de professor. 'In mijn geest zal ze altijd in Italië thuishoren.'

'En het Koningsboek op IJsland.'

'En nergens anders. Het is uniek in de wereld, zoals het schilderij van Leonardo. De tekst bestaat in vele uitgaven zoals er ontelbare reproducties van de *Mona Lisa* zijn, maar er is slechts één manuscript van het Koningsboek, één origineel boek.'

De auto reed verder in de duisternis. Ik zag geen landschap, slechts de lichtbundels voor ons uit en de weg uit Duitsland die hij verlichtte.

'Wie is die Sigmund?' vroeg ik na een korte pauze. 'Hoe ken je hem?'

'Als Glockner vanwege het boek is vermoord, dan ben ik bang dat Sigmund zich in het grootste gevaar bevindt zonder dat hij er enig idee van heeft,' zei de professor. Hij reed sneller toen de weg beter werd en hij keek op zijn horloge.

Hij vertelde me dat Sigmund de zoon van een winkelier uit Reykjavik was die de winkel van zijn vader had geërfd, maar hem over de kop liet gaan. Hij had op de universiteit klassieke letteren gestudeerd, kende zowel Grieks als Latijn en beschouwde zichzelf als een specialist in Oudijslandse manuscripten, maar de professor had daar grote twijfels over. Hij was een groot boekenverzamelaar en erfde een grote verzameling van zijn grootvader, en toen het met de zaak slecht ging veranderde hij die in een antiquariaat. De professor zei dat Sigmund had geprobeerd een baan als docent op de universiteit te krijgen, maar steeds was afgewezen. Hij had in krantenartikelen mysterieuze theorieën gepubliceerd over de herkomst van de IJslanders die haaks stonden op de algemeen aanvaarde wetenschap en hij had zelfs een boek geschreven waarin hij zijn hypothesen uiteenzette, maar hij had er niet veel mensen mee kunnen bekoren. Hij stond erom bekend dat hij de Denen door en door haatte vanwege hun bejegening van de IJslanders door de eeuwen heen en hij vond dat de eeuw van de IJslandse vrijstaat het begin en einde was van de IJslandse bloeitijd. Zo'n glorietijd zou nooit terugkeren op IJsland.

'Het is zo'n excentriekeling,' voegde de professor eraan toe. 'Als er íémand is die denkt dat het amusant is om het Koningsboek naar IJsland te smokkelen, dan is hij het.'

'Zou hij het kennen?'

'Ja, hij heeft het in de Koninklijke Bibliotheek gezien.'

'Is die winkel in de Ingólfsstræti?' vroeg ik, want ik herinnerde me een antiquariaat waar ik af en toe kwam op mijn weg door de stad en een ouwe knakker met witte haren die constant in de weer was met stapels boeken en ruw de kinderen wegjaagde die bij hem binnen wilden komen.

'Sigmund zat het laatst daar, voor zover ik weet,' zei de professor. 'Af en toe ging hij naar Kopenhagen en reisde hij door Scandinavië, naar het zuiden naar Duitsland en verder om in boeken te snuffelen, maar volgens mij heeft hij nooit iets substantieels gevonden.'

Een nieuwe dag brak aan in het oosten. De professor was ongewoon fris achter het stuur, maar ik was doodmoe en dommelde weg in mijn stoel. Ik dacht aan alle tegenspoed die ik had meegemaakt sinds ik aan de studie begon, als je het een studie kon noemen, aan de universiteit van Kopenhagen en sinds ik de professor had leren kennen. Ik moest aan mijn tante denken. Hoewel ze had gevraagd de professor de groeten te doen, had ze het verder amper over hem. Tijdens mijn laatste bezoek aan haar in het westen, voordat ik voor mijn studie naar het buitenland voer, had ik haar gevraagd of ze elkaar kenden, maar daar was ze niet op ingegaan. Ze zei dat ze over hem had gehoord, dat hij een gerespecteerde man was en op zijn gebied ongetwijfeld een specialist en dat ik van hem heel veel kon leren. Mijn tante was het niet gewend aan zulk soort dingen veel woorden vuil te maken.

Ik zuchtte. De zon rees op boven de horizon. Wellicht had de professor gemerkt dat ik over thuis nadacht.

'Mis je IJsland?' vroeg hij.

'Nee, eigenlijk niet,' zei ik. 'Behalve nu, door al die problemen waar we in zijn beland.'

'Ik mis het soms,' zei de professor. 'Ik mis het door een land te reizen op zulke slechte wegen. Ik mis de frisse IJslandse lucht, ik mis het om in de verte de blauwe bergen te kunnen zien. Ik mis de winter die over het land gaat liggen, een echte winter met veel sneeuw en vorst en sneeuwstormen die dagen achtereen voortduren. Ik mis het kruiend ijs te zien. Ik mis ook de lange dagen in het begin van de zomer, als de zon niet ondergaat maar alleen zinkt en de zomernacht oplicht met dat vreemde koude licht.'

De professor zweeg. Ik had nog steeds geen idee hoe hij van plan was over de grens van Duitsland en Denemarken te komen en ik vermeed het daar veel aan te denken.

'Je hebt het bij je tante prettig gehad?' vroeg hij.

'Ja,' antwoordde ik.

'Wanneer heb je je moeder voor het laatst gezien?' vroeg hij, zoals gewoonlijk het onderwerp direct aanpakkend.

Ik aarzelde een moment en dacht na over de keer dat ik met haar in een koffiehuis zat en we niets tegen elkaar te zeggen hadden. Ze was zoals altijd smaakvol gekleed met glanzend rood geverfde lippen. Ik was een beetje verlegen bij deze onbekende vrouw die nochtans mijn moeder was.

'Ze was een of twee jaar geleden op IJsland,' zei ik bedachtzaam. 'Ik kwam haar in Reykjavik tegen. Ze had van mijn tante mijn adres gekregen en op een dag stond ze voor mijn kamer te wachten.'

Dat was in december, ze had een dikke bontjas aan en ze stond bij de deur van mijn kamer. Ik schrok. Ik had haar jaren niet gezien.

'Daar ben je dan, vriend,' zei zij toen ze mij zag. 'Kom je van school?'

'Ja,' zei ik aarzelend.

'Ontzettend koud hier op de gang bij jou. Ik hoop dat het bij jou in de kamer warmer is.'

Ik huurde een kleine kamer op het Frakkastígur. De kamer lag op driehoog en had een eigen ingang, een steile trap en een smalle gang, en mama was daar in haar chique kleren omhoog geklauterd.

'Ben je niet blij mij te zien?' vroeg ze.

'Ik wist niet dat je in het land was,' zei ik en ik merkte hoe ik onhandig probeerde te vermijden de vraag te beantwoorden.

'Kom mee,' zei ze, 'ik wil met je naar een koffiehuis.'

Ik knikte, zette mijn tas in de kamer en we liepen samen naar de Laugavegur. Ik vond het vreemd om voor ieders ogen naast haar te lopen. Ik weet dat het pure onzin van me was, maar het voelde alsof de mensen ons aangaapten en zelfs tegen elkaar fluisterden over die vrouw in haar mooie bontmantel met die tas over haar schouder en alles naar de nieuwste mode, samen met die onbeholpen knul van haar in een gerafelde jas met wie ze bijna zijn hele leven geen enkel contact had gehad. We liepen de Laugavegur af, het centrum in onder de kerstversiering die over de straten was gespannen en we gingen het koffiehuis Borg binnen. Mama bestelde een koffie met likeur. Toen ze dat op had riep ze de kelner en vroeg of hij zo vriendelijk wilde zijn haar een gin-tonic te brengen.

'Ben jij soms al met drinken begonnen, beste Valdemar?' vroeg ze.

Onderweg hadden we voornamelijk over mijn tante gepraat, over hoe ze daar in het westen rondscharrelde, en mama zei dat het je reinste tragedie was dat ze nooit een fatsoenlijke vent had leren kennen.

'Het is geen lolletje een oude vrijster te zijn,' zei ze glimlachend en ik moest steeds maar denken hoe de zussen totaal van elkaar verschilden.

'Nee,' zei ik en ik nam een heel klein slokje.

'Goed zo,' zei zij.

'Hoe lang blijf je?' vroeg ik. 'Hier in Reykjavik, bedoel ik?'

'We zijn net drie dagen geleden aangekomen,' zei zij. 'In Keflavík. Gerald, mijn nieuwe man, is op weg naar Korea. Ik weet amper waar het ligt, maar er woedt een oorlog daar, dat weet je, nietwaar, je hebt erover gehoord? Ze voeren altijd oorlog, die yankees.'

Ik knikte.

'Hij moet een of ander kantoor runnen. Ach, ik weet het niet... Vertel me liever over jezelf. Mijn zus zei dat je het goed doet op school.'

'Het gaat uitstekend,' zei ik.

'En wat ga je uiteindelijk worden? Professor, soms?'

Ze zei het alsof ze het niet bepaald bijzonder vond en ik herinner me dat ik me afvroeg wat ze dan wél bijzonder vond. Ik vroeg het haar niet.

'Ik denk erover naar Kopenhagen te gaan,' zei ik. 'Voor verdere studie.'

'Ik ben er geweest,' zei ze.

Ze begon te praten over hoe het in Kopenhagen was geweest en ze vertelde verhalen over mensen die ik niet kende. Ze vertelde over haar reizen naar andere steden en verhalen over zichzelf in Amerika en opeens werd het me duidelijk dat ze niet op bezoek kwam uit nieuwsgierigheid naar mij of om te weten hoe het mij verging. Zoals altijd had mijn tante gelijk. Mama dacht nooit aan iets anders dan zichzelf en als het gesprek niet om haar draaide, verveelde ze zich. Ik had dat pas goed door daar in het koffiehuis toen ze vertelde over een of andere tegenslag op een van haar reizen die ze met haar nieuwe man, Gerald, had gemaakt en wat ze van de wereld had gezien, de Eiffeltoren en meer van die dingen, die ik meteen vergat. Ik vond het pijnlijk dat ik geen enkele band had met die onbekende vrouw. Niets. Ik voelde me een buitenstaander zoals ik met haar aan de tafel zat op die vreemde namiddag toen ze mij met haar bezoek verraste en eventjes probeerde interesse te tonen voor mijn omstandigheden.

'Wat ben je ontzettend stil,' zei ze toen de kelner met een tweede gin-tonic voor haar kwam.

Ik vond niet dat ik beleefd tegen haar hoefde te zijn. Ik vond dat ik met deze vrouw niets gemeen had. Daarom zei ik wat me op dat moment inviel. Eerst moest ik mijn keel schrapen. Ik keek in het koffiehuis om me heen. Wij waren bijna de enigen daar.

'Ik heb je al lang één ding willen vragen,' zei ik. 'We hebben het er ooit eerder over gehad, of ik in ieder geval.'

'Wat is er, jongen?' zei ze terwijl ze van haar glas dronk. Misschien begon ze een beetje tipsy te worden.

'Wie is mijn vader?' vroeg ik direct.

Ze zette haar glas neer.

'Hebben we dit niet al vaker besproken?' zei zij.

'Eigenlijk niet,' zei ik. 'Je hebt me er nooit iets over verteld. Ik weet nog steeds niet wie hij is. Tante weet het ook niet.'

'Jongen,' zei zij. Het was alsof ze iets wilde zeggen, maar ze hield zich in.

'Ik heb het je eerder gevraagd,' zei ik. 'Ik heb geprobeerd er met jou over te praten.'

Ze keek me aan. De rode lippenstift had op het glas afgegeven en ze haalde een toilettasje uit haar tas en ze stiftte haar lippen.

'Je doet een beetje geprikkeld tegen je moeder,' zei zij terwijl ze zichzelf in een handspiegeltje bekeek.

'Ik ben niet geprikkeld,' zei ik. 'Weet je het? Weet je überhaupt wie mijn vader is?'

Ze keek me aan zonder er antwoord op te geven.

'Of kan het je niets schelen?' vroeg ik en ik voelde dat een onderdrukte woede mij te machtig werd.

'Ik had misschien beter voor je moeten zorgen,' zei ze en ze stopte het spiegeltje en toilettasje weer in haar tas.

'Je hebt nooit iets om mij gegeven,' zei ik. 'Je geeft nergens om, behalve jezelf. Je hebt nooit iets met mij te maken willen hebben en ik heb me daar allang mee verzoend. Ik wil gewoon weten wie mijn vader is, of ik hem kan ontmoeten, of hij weet dat ik besta. Ik wil weten of hij weet dat ik zijn zoon ben.'

Mijn moeder keek ongemakkelijk om zich heen. Er bestond geen gevaar dat iemand ons hoorde.

'Misschien was het een vergissing je op te zoeken,' zei zij. 'Je bent altijd zo boos.'

'Nee,' zei ik terwijl ik opstond. 'Het was een vergissing mij te krijgen. Dat was de enige vergissing.'

Kiezelstenen knalden zo hard onder tegen de auto dat ik opschrok en de professor aankeek.

'Verdomme, het zijn net de wegen op IJsland,' zei hij. 'Ik dacht dat je in slaap was gevallen.'

'Nee, ik dacht na.'

'Over je moeder?'

'Ja, ook over haar.'

Ik merkte dat de professor aarzelde en ik keek hem aan. Het was alsof hij me iets wilde zeggen maar zich inhield.

'Waar zijn we?' vroeg ik.

'Bijna bij Sassnitz. Van daaruit gaan we hopelijk over de Oostzee naar Denemarken.'

'Hoe?'

'Daar moeten we iets op zien te vinden.'

Toen we in Sassnitz kwamen reed de professor rechtstreeks omlaag naar de haven. Hij vond een parkeerplaats voor de auto die buiten de doorgaande wegen lag. We wisten niet of er soms een beschrijving van de auto was uitgegaan en de professor probeerde hem zo onopvallend mogelijk te parkeren. Tot nu toe was onze reis zonder grote beproevingen verlopen. We waren niet eens gestopt om benzine te tanken en hadden niet de aandacht getrokken. De professor wees me op een kroeg beneden bij het haventerrein en zei me daar op hem te wachten. Ik wist niet wat hij van plan was en ik was te moe het hem te vragen. We hadden de hele nacht tot de volgende ochtend gereden. We hadden het grootste gedeelte van de dag in Sassnitz de tijd gedood en nu was het weer begonnen te schemeren. De professor wilde wachten tot de avond inviel, wachten tot het donker werd. Zo was ons leven in een notendop geworden.

Ik plofte neer aan een tafel in de kroeg die de Bierstube heette, en toen de waard kwam bestelde ik een bier. Zo zat ik met mijn bierglas waar ik uit slurpte terwijl ik op de professor wachtte. Het was warm in het café en eer ik het in de gaten had sliep ik.

Ik schrok op omdat de professor mij wakker schudde. Hij zat aan de tafel en had een halve pint bier gedronken. Hij had zijn tabaksdoosje tevoorschijn gehaald en mengde de snuiftabak met amfetamine. Hij roerde het goed door elkaar met een klein zakmes dat hij bij zich had. Hij deed een beetje van het mengsel op de punt van het mes en snoof het in een van zijn neusgaten op. Toen deed hij weer wat op de mespunt en snoof het op in zijn andere neusgat.

'Ben je wakker?' vroeg hij toen ik in mijn stoel overeind kwam.

'Ik weet het niet,' zei ik. 'Is het al avond?'

'Ja.'

'Hoef jij nooit te slapen?' vroeg ik.

'Niet als ik dit heb,' zei hij en hij stak de snuiftabak in zijn zak. 'We moeten vertrekken. Ben je klaar?'

'Klaar voor wat?'

'Een beetje varen,' zei de professor.

Hij dronk zijn bierglas leeg.

'Niet je mond opendoen als we aan boord gaan.'

'Wat?'

'Ik heb iemand gevonden die ons misschien kan helpen. Ik praatte Duits met hem, hetgeen ik heel goed kan, zoals jij zei. Ik wou hem vertellen dat we Oost-Duitsers waren die naar Denemarken wilden gaan, maar hij zei dat hij geen uitleg hoefde te hebben waarom we niet legaal de grens konden oversteken als ik hem gewoon wat extra betaalde. Hij was meer dan bereid ons te helpen. Ik denk dat hij er een smokkelroute op na moet houden.'

'Wie? Over wie heb je het?'

'Die vent met zijn motorboot.'

Het was pikkeduister toen we beneden bij de haven kwamen waar een man van in de vijftig op ons wachtte. Hij had een spijkerbroek en laarzen aan, een gewatteerd windjack en hij had een pet op. Hij begroette de professor met een handdruk en hij gaf mij ook een hand. Ik had de woorden van de professor in mijn oren geknoopt en zei niets. De man leidde ons omlaag naar zijn motorboot, we sprongen aan boord en algauw voeren we kalm de haven uit. De man, wiens naam ik nooit te horen kreeg, leek heel goed te weten wat hij deed. Hij stuurde de motorboot zelfverzekerd door het duister en voer op zijn kompas en zijn polshorloge. Na een half uur varen stak hij het licht aan boord aan en voer snel in de richting van Gedser, een kleine havenstad in het zuidelijkste puntje van Denemarken.

Ik weet niet hoe lang we hadden gevaren toen we ergens op zee zwakke lichtstralen opmerkten en onze stuurman ontzettend nerveus werd. Hij vloekte en voerde de snelheid nog hoger op. Hij schreeuwde iets wat ik niet verstond. De professor riep naar hem dat het misschien de Duitse kustwacht was. De lichtbundels op zee kwamen dichterbij en de professor draaide zich naar mij om.

'Hij zegt dat we in zee moeten springen. We zijn vlak bij de kust.'

'Is dat de kustwacht?'

'Ja.'

Ik staarde in het duister.

'Ik zie geen land,' zei ik.

'Hij zegt dat we maar zo'n tien minuten hoeven te zwemmen. Kom!'

De stuurman schreeuwde iets tegen ons. De professor en ik keken elkaar aan. Ik zag dat de lichtbundels ons naderden.

'Spring!' riep de professor. Hij greep me vast en eer ik het in de gaten had zweefden we in de lucht en plonsden we in zee. Het was ijskoud en ik hapte naar adem toen ik boven water kwam. De professor schoot puffend en blazend naast mij naar de oppervlakte. We keken naar de motorboot en zagen dat de patrouilleboot voor haar in haar vaarwater voer. Er gingen meer lichten aan en we hoorden iemand naar de stuurman schreeuwen, die met zijn motorboot vaart minderde.

'Kom,' pufte de professor, 'voor we van de kou omkomen.'

We zwommen weg en keken niet meer achterom.

Ik weet niet hoe lang we in het water waren, maar we bereikten koud en uitgeput de kust. De professor had zijn leren jas uitgedaan voordat hij in het water dook, maar de stuurman had hem naar de professor toe gegooid zodat hij was bijna droog was. We probeerden het meeste vocht uit de andere kleren te wringen en we gingen meteen op weg om onszelf warm te houden. We liepen in de richting van Gedser. Tegen de ochtend begon de zon te schijnen en we kregen weer wat warmte in ons lijf. De professor had ons veilig en wel naar Denemarken gekregen.

Diezelfde dag 's avonds kwamen we uiteindelijk met de trein in Kopenhagen aan. Ik had onderweg wat gerust en de professor ook, toch waren we afgemat. Het was een windstille, warme avond hoewel het al de laatste week van oktober was. We liepen over het Rådhuspladsen toen de professor plotseling bleef staan.

'Wat was dat?' zei hij terwijl hij omhoog in de lucht staarde.

'Wat dan?' vroeg ik en ik begreep er niks van, bovendien was ik behoorlijk afwezig na die reis naar Duitsland. Het enige waar ik naar verlangde was een goed bed en slapen zo lang als ik kon. In mijn hart hoopte ik dat de professor alle problemen opgelost zou hebben die hij ons op de hals had gehaald voordat we Berlijn waren ontvlucht, maar ik vermoedde dat het niets anders dan ijdele hoop van een doodvermoeide man was.

'Wacht even,' zei hij. 'Ik weet niet of ik het goed heb meegekregen.'

'Wat?'

'Kijk naar de lichtreclame van *Politiken*. Het nieuws komt terug.'

Ik volgde zijn blik en zag het nieuws van het dagblad *Politiken* over de lichtreclame lopen tegen de muur van Politiken Hus. Ik was af en toe een paar minuten op het plein blijven staan om wat van het laatste wereldnieuws mee te krijgen, maar nu was ik niet in staat om aandacht aan het nieuws te besteden.

'Kom,' zei ik. 'Vergeet het.'

'Wacht even, vriend,' zei de professor. 'Het komt terug.'

Ik deed wat de professor zei en staarde naar de lichtkrant die als een lange streep over het bovenste gedeelte van het gebouw verscheen. Het nieuws ging van rechts naar links. Ik las het nieuws over Parijs en vervolgens kwam een advertentie voor een wasmiddel, maar toen kwam het terug. Het nieuws dat de professor op het Rådhuspladsen zo overdonderd had.

HALLDOR LAXNESS HAR FAAET NOBELPRISEN – Halldór Laxness heeft de Nobelprijs gekregen.

XXI

Het is niet makkelijk exact te vertellen wat er die dagen voorviel. Die vreemde gebeurtenissen die ik heb beschreven uit die lang vervlogen herfst toen ik de professor leerde kennen, zijn van het rumoer van het leven van alledag zo ver verwijderd en onwerkelijk geworden dat ik soms denk dat ik het grootste gedeelte ervan heb gedroomd. Gebeurde het zo, of heeft de tijd, mijn herinneringen, dromen en beschouwingen over datgene wat gebeurd was het zo veranderd, dingen toegevoegd aan de loop der gebeurtenissen en ze zelfs vervormd? Ik weet dat ik zolang als ik leef sommige dingen nooit zal vergeten en ze tot de dag van mijn dood dicht bij mijn hart koester, precies zoals ik ze heb beleefd. Niets zal daar verandering in brengen. Het zijn de kleine details die ik minder vertrouw. De tijd heeft er de deken van vergetelheid over uitgespreid of, wat erger is, ze heeft waarschijnlijk geknoeid met wat waar en juist is. Daarom is voorzichtigheid geboden om onvoorwaardelijk alles te geloven wat ik vertel, of – als ik heel eerlijk moet zijn – men moet misschien heel voorzichtig zijn om het verhaal van mijn eigen rol te geloven. Het is mogelijk dat ik probeer mijn aandeel belangrijker te maken dan het was en dat ik beschrijf hoe ik op bepaalde gebeurtenissen had willen reageren in plaats van hoe ik er in feite op reageerde. Misschien zit dat in de menselijke aard. Het is een dubieuze zaak alles te geloven wat ik vertel. Ikzelf vertrouw mijn geheugen niet. Het heeft mij altijd willen sparen.

Pas toen ik de bijzondere gebeurtenissen tijdens onze reis daadwerkelijk op een rijtje had, begreep ik de betekenis van alles wat er was voorgevallen. Pas toen de tijd afstand had geschapen tot onze avonturen stond ik helemaal open voor de pijn van de professor en begreep ik de noodzaak die in zijn daden besloten lag. Waarschijnlijk had ik hem meer steun kunnen geven. Hij zag in de manuscripten de waarde die ik later heb onderkend en ik realiseerde me ook dat hij wat dat betreft van grote invloed in mijn leven was. Ik had de studie Oudijslands doorlopen zonder de tijdloze waarde van de oude literatuur te beseffen. Hij slaagde erin mijn begrip op te wekken, de hartstocht aan te wakkeren die sindsdien altijd in mij heeft gebrand.

Daar stonden we sprakeloos op het plein en wachtten erop tot het nieuws weer op de muur van het dagblad *Politiken* verscheen. Voor ons stond dat historische nieuws waar anderen die over het plein liepen weinig aandacht aan schonken. Vlak bij ons stond echter een man die op hetzelfde leek te wachten als de professor en ik: dat het nieuws nogmaals dwars over het verlichte gebouw liep en dat het over de hele wereld werd uitgezonden. En daar kwam het. Halldór Laxness heeft de Nobelprijs voor literatuur gekregen.

'Fantastisch,' hoorde ik de professor halfluid zeggen toen de grootste verrassing voorbij was. 'Wat een triomf!'

De man, die zoals wij op een afstandje stond met het hoofd in de richting van de lichtkrant gerekt, hoorde de professor en kwam naar ons toe.

'Ja, is het niet groots?' zei hij in het IJslands.

Het was dus een IJslander. Hij bood ons een sigaret aan, die we afsloegen, en hij stak er zelf een op.

'Ik ben net terug van een verre reis,' zei hij, 'en dit is het eerste wat ik zie nu ik in Kopenhagen ben. Wat een nieuws!'

'Hij heeft het verdiend,' zei de professor.

Ik dacht dat ik de man ergens eerder had gezien en ik herinnerde me vaag een foto van hem in een IJslandse krant, maar ik kon hem onmogelijk helemaal plaatsen.

'Waarlijk,' zei de man, die zich niet voorstelde. Hij was rond de dertig, had een hoed op en een dunne overjas over zijn arm, hij was amper van gemiddelde lengte, een beetje aan de dikke kant, had vooruitstekende tanden en een glimlach waarbij zijn ogen oplichtten. Hij praatte met een Noord-IJslands accent.

'Waar kom je vandaan?' vroeg de professor.

'Van China,' zei de man. 'We waren met een aantal journalisten op reis en varen over twee dagen met de Gullfoss naar huis.'

'De Gullfoss? Vaart de Gullfoss over twee dagen uit?'

'Ja.'

'Valdemar, de hoeveelste is het vandaag?' vroeg de professor.

Ik peinsde me suf, maar ik kon er onmogelijk opkomen na al dat gereis. Ik was zowel het besef van tijd als richting kwijt.

'Het is 27 oktober,' zei de journalist.

'En dan is de negenentwintigste...?

De journalist glimlachte.

'Er schiet me iets te binnen,' fluisterde de professor. 'Sigmund reist altijd via dezelfde route.'

'Wat?' vroeg ik.

'Negenentwintig,' zei hij. 'De getallen op de brief bij Glockner thuis.'

'Ja.'

'De negenentwintigste is de dag dat de Gullfoss van Kopenhagen uitvaart.

Glockner heeft dat geweten en dat thuis neergekrabbeld.'

'De Gullfoss?'

'Ja, natuurlijk. De Gullfoss! Sigmund is van plan met de Gullfoss naar IJsland te varen. Daar ben ik van overtuigd.'

De journalist keek ons beurtelings aan.

'Je bent dus journalist?' zei de professor en hij glimlachte alsof er niets tussen was gekomen.

'Ik zit bij *De tijd*,' zei de man. Hij stak zijn hand uit, stelde zich voor en wij begroetten hem met een handdruk. Ik herinnerde me hem opeens van afgelopen lente op IJsland. Hij was de schrijver van een roman die behoorlijk de tongen had losgemaakt vanwege de aanpak van het onderwerp en het onverbloemde karakter. Het was een van de twee boeken die ik in Reykjavik had gekocht op de dag dat ik wegvoer en die ik naar Kopenhagen had meegenomen.

Het nieuws verscheen weer op de lichtkrant en ik zag het weerspiegeld in de ramen van de gebouwen eromheen.

'Fantastisch,' zei de professor weer.

De journalist liet zijn sigaret op straat vallen en drukte hem onder zijn schoen uit. Toen nam hij afscheid van ons.

'We moeten erachter zien te komen of Sigmund als passagier op de Gullfoss is geboekt,' zei de professor en hij kuierde weg met de stok in zijn hand en zijn tred was lichter dan eerst.

Op weg naar de hoofdstad hadden we het erover gehad dat we niet naar ons eigen huis konden gaan. De Duitse politie had ongetwijfeld haar Deense collega's geïnformeerd. We zouden ons een paar dagen schuil moeten houden. Ik had geen idee hoe de professor van plan was ons aan boord van de Gullfoss te krijgen als we daar achter Sigmund aan moesten gaan. Wij, als gezochte personen, konden niet eens naar het kantoor van Eimskip gaan om onze tickets te kopen. Ik liep over het Rådhuspladsen achter de professor en het getik van zijn stok aan. Hij ging voor over de Vestergade en algauw kwamen we op de Krystalgade.

De professor bleef staan voor een huis van drie verdiepingen en keek omhoog voordat hij op de bel drukte. Het duurde even voor de deur openging en een vrouw, zo'n tien jaar jonger dan de professor, zei ons goedendag. Ze kende hem overduidelijk goed, want ze begroetten elkaar hartelijk. Hij stelde me aan haar voor en we gaven elkaar een hand. Toen vroeg ze ons binnen te komen. Ze woonde op de eerste verdieping in een klein, smaakvol appartement. Het was laat in de avond en ze zette koffie en kwam ermee naar ons in de woonkamer. Enigszins tot mijn verwondering begon de professor haar het doel van ons bezoek uit te leggen en hij vertelde haar de hele waarheid. Ze moest van de verdwijning van het Koningsboek af weten, hoewel hij mij had verteld dat geen levende ziel behalve wij twee er vanaf wisten. Hij verhaalde over de zoektocht naar het boek, over onze reis en alles wat in Duitsland was gebeurd, dat we zonder enige grond werden gezocht en voor een paar dagen onderdak en hulp moesten hebben. De vrouw luisterde rustig naar het verhaal en ze schrok nergens van. Ze schonk koffie in onze kopjes en haalde brood en kaas. Ik was uitgehongerd en schrokte het eten op en toen ze dat zag glimlachte ze en haalde meer.

Toen we beneden bij de deur elkaar een hand gaven zei zij dat ze Vera heette. Ze was ontzettend kalm in haar manier van doen, had een vriendelijk gezicht en ik kreeg het gevoel dat de professor in haar een speciale vertrouwensvriendin had tot wie hij zich kon wenden als hij daar behoefte aan had. Hun omgang met elkaar getuigde daarvan en gaf blijk van wederzijdse waardering en vriendschap. Ik wilde ontzettend graag van de professor weten wie die vertrouwensvriendin van hem was. Andere gedachten bekropen mij die avond: de vriendinnen van de professor, of het nou in Duitsland of in Denemarken was, waren niet meer de jongste vrouwen en ze gingen voor hem door het vuur.

Toen de professor klaar was met zijn verhaal bleef Vera een moment stil zitten, alsof ze tijd nodig had om te laten bezinken wat ze had gehoord.

'Jullie zijn natuurlijk welkom om hier te logeren,' zei zij. 'Ik heb maar één logeerkamer zoals je weet, dus jullie moeten die delen. Ik hoop dat je die jongen er niet op de een of andere manier in verwikkelt.'

De professor keek naar mij.

'Hij redt zich. En excuus voor het ongemak, Vera, maar ik wist niet waar ik anders heen moest. We hebben een zware reis achter de rug.'

'En het boek?'

'Ik ben ervan overtuigd dat Sigmund van plan is de volgende overvaart naar IJsland met de Gullfoss te nemen. We moeten hem hier in Kopenhagen zien te vinden en proberen hem erover aan te spreken. Ik ben ervan overtuigd dat, als hij het boek heeft en ik hem slechts vijf minuten krijg te spreken, hij het mij zal geven, hoe krankzinnig het ook klinkt.'

'Ik heb niets over jullie of over die aanval hier in de kranten gelezen,' zei Vera. 'Maar het is juist van je voorzichtig te werk te gaan en ik ben blij dat je je tot mij hebt gewend.'

Ze stond op.

'Jullie zijn doodop,' zei zij. 'Ik zal jullie de slaapkamer laten zien. Een van jullie moet op de vloer slapen, de sofa hier in de kamer is te klein en ik heb jammer genoeg geen extra matras.'

'Hij kan daar makkelijk tegen,' zei de professor en hij bedoelde mij daarmee.

Vera glimlachte.

‘Jullie hebben geen bagage?’

‘Die is in Duitsland achtergebleven,’ zei ik.

Ze wenste ons goedenacht en liet ons achter in de slaapkamer. De professor ging meteen op bed liggen.

‘Je weet dat je tegenwoordig ook makkelijk van Kopenhagen kunt vliegen,’ zei ik.

‘Ik zie de oude Sigmund niet voor me in de hogere luchtlagen,’ zei de professor, en daarmee was dat afgedaan.

Ik begon me in de krappe ruimte in te richten. Vera had twee spreien op de vloer gelegd en me een derde gegeven om over me heen te leggen. Ik sliep in m’n kleren, die er vreselijk uitzagen. Hetzelfde kon je over het uiterlijk van de professor zeggen. We zagen eruit als een stel zwervers.

‘Wie is die vrouw?’ vroeg ik.

‘Vind je haar niet uniek?’ zei de professor.

‘Hoe ken je haar?’

‘Vera en ik kennen elkaar al lang. Ze heeft me door de jaren vaak geholpen.’

‘Ze weet van het boek af,’ zei ik. ‘Ik dacht dat niemand van het boek af wist, behalve jij en ik.’

‘Vera weet alles,’ zei de professor.

‘Dat moet een goed contact zijn tussen jullie,’ zei ik.

‘Ja. Altijd.’

‘Hoe ken je haar?’ vroeg ik nogmaals.

De professor kwam op een elleboog overeind van het bed.

‘Ze is de zuster van Gitte,’ zei hij. ‘Het waren tweelingzussen.’

Toen ik de volgende ochtend laat wakker werd, stijf over heel mijn lichaam en met pijn in mijn rug na op de harde vloer te hebben gelegen, was de professor niet in de kamer. Ik deed mijn colbert aan, ging de kamer uit en riep de professor en Vera, maar ik kwam er algauw achter dat er niemand in het appartement was. Ik ging naar de keuken, vond de koffie en maakte het klaar. Ik vond brood en sinaasappelsap en at in alle rust, nog steeds half groggy na de vreemde gebeurtenissen in Duitsland en het nachtelijk verblijf op de harde vloer. Ik zat lang voor me uit te staren en wist eigenlijk niet wat voor of achter was toen ik iemand bij de deur hoorde. Ik stond op. Vera was met een boodschappentas thuisgekomen.

Ze zei me goedemorgen alsof ik altijd bij haar had gewoond en ik vroeg of zij wist waar de professor heen was. Ze zei dat hij probeerde erachter te komen of Sigmund in de stad was en om duidelijkheid te krijgen of hij op de Gullfoss had geboekt.

‘Hij wilde je niet wekken,’ zei zij. ‘Hij dacht dat slapen je goed zou doen.’

'Aardig van hem,' zei ik.
'Het is zo'n kwaaie niet,' zei zij terwijl ze haar jas uitdeed. 'Wil je nog koffie?'
'Ja, graag, de koffie die ik heb gezet was slap en niet lekker.'
Ik ging bij haar in de keuken zitten en keek hoe ze verse koffie zette. Ze had suikerbrood gekocht en zette het naast me op tafel. Ik dacht na over wat de professor had gezegd over zijn vrouw, Gitte, en dat ze tweelingzussen waren. Ik wilde graag meer weten, maar ik zette me er niet toe het te vragen. Ze kon dat als opdringerig ervaren. Dus ik zat zwijgend in haar keuken, niet zo op mijn gemak en hopend dat de professor gauw terug zou komen.
'Hij was niet van plan lang weg te blijven,' zei Vera glimlachend. 'En hij zei dat je beter niet de deur uit kon gaan.'
'Dat is waarschijnlijk het beste,' zei ik triest.
'Dit komt allemaal goed,' zei ze troostend. 'Hij heeft zich zoveel jaren zo slecht gevoeld vanwege het boek. Ik hoop maar dat hij het weer in handen krijgt en recht kan zetten wat in de oorlog mis is gegaan.'
'Hij heeft u alles erover verteld.'
'Ja, natuurlijk.'
Ze kwam bij me zitten met een kop koffie die hemels was vergeleken bij het bocht dat ik had gebrouwen en ze begon naar mijn omstandigheden te vragen, of ik uit Reykjavik kwam en wat ik in Kopenhagen deed. Ik probeerde er beleefd antwoord op te geven. Ze merkte dat ik aarzelde en ze glimlachte.
'Verbleef hij hier op het einde van de oorlog?' vroeg ik aarzelend. 'Bij u?'
Vera glimlachte.
'Heeft hij je daarover verteld?'
'Hij vertelde me wat hem in het Shell-gebouw was overkomen.'
'Hij was een paar weken hier bij mij tot de nazi's Denemarken ontvluchtten. Wat in het Shell-gebouw gebeurde en hoe ze hem het boek afhandig maakten, heeft diepe sporen bij hem achtergelaten. Ik geloof dat hij daarna niet meer dezelfde is geweest. Dat boek is alles voor hem.'
'Hij vertelde mij dat u en zijn vrouw Gitte tweeling zijn geweest,' zei ik.
'Dat klopt, ik kwam zeven minuten na haar ter wereld. Ze ging tien jaar geleden weg van deze wereld. Tbc is een vreselijke ziekte. Het aftakelingsproces duurde heel lang en het maakte hem helemaal kapot. Hij had het er zo moeilijk mee Gitte te zien sterven.'
'Ze hadden geen kinderen,' zei ik om iets te zeggen.
'Nee.'
Ze dronk haar koffie. Het verkeersrumoer van de stad drong door tot de Krystalgade en tot ons.
'Ze waren tegen hem,' zei Vera.
'Tegen hem? Wie zijn "ze"?'

'Mijn familie. Mijn vader probeerde te verhinderen dat ze trouwden. Hij wou het niet hebben dat een IJslander zijn dochter huwde. Mijn moeder was woedend toen ze hoorde dat Gitte met hem ging trouwen. Ze smeekten haar met de verhouding te kappen.'

'Het moet moeilijk voor haar zijn geweest.'

'Na het huwelijk wilden ze niets meer met haar te maken hebben,' zei Vera. 'Hij kwam het huis van onze ouders niet binnen. Mijn vader en moeder verbraken alle banden met Gitte. Ik bleef natuurlijk contact houden. Ik weet dat als ze het zichzelf gewoon hadden toegestaan hem te leren kennen, dat ze zich met hem en Gitte verzoend hadden, maar daar is nooit sprake van geweest.'

'Was het vanwege het feit dat hij IJslander was?'

'Hij was voor hen een compleet vreemde, hij was wat ouder dan Gitte en ja, hij was een buitenlander. Een IJslander die niets bezat en geen familie had. Men heeft IJslanders hier nooit als een echte aanwinst gezien. Het betekende niets als je hun vertelde dat hij universitair geschoold was en op zijn vakgebied in hoog aanzien stond. Ze zagen hem als een bohemien.'

Ik vroeg me af of het waar was wat zij zei over de opinie van de Denen over de IJslanders en ik herinnerde me dat in vroeger tijden grote aantallen belangrijke IJslanders waren ontheven van verantwoordelijke posities aan het Deense hof en andere waardige functies.

'Mijn familie was ontzettend snobistisch,' zei Vera. 'Mijn vader was de koninklijke kleermaker. Dat was voor hem genoeg om zichzelf als belangrijker dan vele anderen te beschouwen.'

Ik kon me er niet toe zetten haar te vragen of zij zelf ooit was getrouwd. Ik zag geen aanwijzingen daarvoor. Er was niets in het appartement dat aan een gezinsleven deed denken.

'Maar Gitte hield van hem en ze liet zich gelukkig door niets weerhouden met hem te trouwen,' ging ze verder. 'Wij gingen heel nauw met elkaar om zoals gebruikelijk bij tweelingen en ik was heel goed op de hoogte van haar gevoelens jegens hem. En ik leerde hem ook kennen en wist heel goed wat Gitte in hem zag. Ik wist heel goed waar ze naar op zoek was en waarom ze zich niets liet gezeggen. Het was niet louter opstandigheid van een jong meisje.'

Vera glimlachte bij de gedachte.

'Het moet voor hem ook moeilijk zijn geweest,' zei ik.

'Hij voelde zich er natuurlijk niet prettig bij. Hij vond dat hij Gitte van haar familie afsneed. Hij vond dat hij nooit goed genoeg voor haar kon zorgen, hetgeen niet zo was. Hij was heel gelukkig met haar.'

Vera pakte de koffie en schonk nog een kop in.

'Hij heeft erg om haar gerouwd.'

'Leken jullie veel op elkaar?' vroeg ik.

'Qua uiterlijk wel. Gitte was misschien wat kalmer. Maar ze wist hoe ze van het leven moest genieten. Soms was ik daar jaloers op. Jaloers op het geluk dat altijd om haar heen was, soms zelfs tijdens haar ziekte. Het enige wat ze betreurde was dat ze geen kinderen van hem kon krijgen.'

Op dat moment ging de voordeur open en de professor kwam met veel tamtam de keuken binnen.

'Hij vaart met de Gullfoss!' zei hij. 'Zoals ik vermoedde. De oude Sigmund vaart morgen met de Gullfoss naar IJsland.'

XXII

Het nieuws uit Duitsland dat wij verdacht werden van de aanval op de kunsthandelaar Färber en bovendien van de moord op de zakenman Glockner, had Denemarken en IJsland bereikt. De professor leek er alleszins rekening mee te hebben gehouden dat we verdacht zouden worden van de moord op Glockner; zijn secretaresse moest ons herkend hebben van het signalement van de politie. Volgens mij maakte de professor zich er geen zorgen over, afgezien van het feit dat het onze overtocht met de Gullfoss bemoeilijkte. We konden op de gebruikelijke manier moeilijk aan boord komen en we zouden ons op het schip verborgen moeten houden. We hadden het erover om beneden bij de kade te staan en Sigmund te pakken zien te krijgen voor hij zich inscheepte en hem tot rede te brengen, maar de professor overwoog ook hoe we onszelf aan boord konden smokkelen als alle middelen waren uitgeput.

Ik opperde toen het idee dat we ons zouden aangeven, de hele waarheid vertellen en Sigmund en het boek door de politie laten opsporen. Het was in de oorlog gestolen, onrechtmatig van zijn eigenaar afgepakt, en hij zou het terug moeten geven. We moesten de wet aan onze zijde hebben en de koper van het boek op IJsland kon er niet op staan het te houden als wij publiek zouden maken wie hij was. De professor zou zijn boek krijgen en wij zouden verschoond worden van de aanval op Färber en Glockner.

'Dat klinkt allemaal heel goed,' zei de professor terwijl we bij Vera in de woonkamer zaten de avond voordat de Gullfoss de haven uit voer. Zij was even voor een boodschap weg en wij waren de enigen in het appartement.

'Ik denk daarentegen dat, als wij onszelf aangeven, we onherroepelijk naar Duitsland worden gestuurd,' ging hij verder. 'Niemand luistert naar wat wij te zeggen hebben, misschien pas nadat het grootste kabaal is verstomd en dan is het te laat. Ik denk dat het beter is de zaak op te lossen en ons dan aan te geven. Het boek is binnen handbereik. We kunnen het niet door onze vingers laten glippen. Dat mogen we niet laten gebeuren. De nieuwe eigenaar kan een speculant zijn die het meteen aan iemand anders heeft verkocht. Daar weten we niets van. We weten dat Sigmund het bij zich heeft en we kunnen hem stoppen.'

'Hoe zit het met degenen die Färber en Glockner hebben aangevallen?'

'Ze zitten niet achter ons aan,' zei de professor. 'Zij moeten weten dat wij het boek niet hebben.'

'Wat als zij Sigmund vinden?'

'We moeten proberen optimistisch te blijven,' zei de professor.

Ik durfde hem niet te vragen over wat Vera mij in de keuken had verteld, over de vijandigheid van de familie tegenover hem en zijn toewijding naar Gitte. Zelfs al hadden we zoveel meegemaakt dat je er een heel leven mee toe kon, vond ik dat ik hem niet goed genoeg kende om over zijn privéleven te praten. Misschien had ik daarvoor een te groot respect voor hem. Ik was ook niet toegerust met dat ontembare, constant onderzoekende enthousiasme dat hij voor alle mogelijke zaken had. Het leeftijdsverschil was voor mij ook onvoordelig. Hij kon mij zijn aanmatigende gedrag laten zien, noemde mij 'arme jongen' en zulk soort dingen. Ik was opgegroeid met het tonen van respect voor oudere mensen en dat was absoluut vanzelfsprekend als het om de professor ging. Hij had het in zich dat hij overal en altijd serieus werd genomen en boven alles dwong hij respect af. Toegegeven, er waren vlekken – en sommigen beweren zelfs behoorlijke – op de glans van zijn zelfrespect, maar niemand die ik kende bezat meer moed dan hij, zelfs toen het leven voor hem nauwelijks draaglijk was, in de tijd dat ik hem leerde kennen.

Ik had niet het lef gehad hem iets noemenswaardigs over zijn privéleven te vragen. Dat werd simpelweg niet aangeroerd. Daarom was ik nogal verbaasd, toen we daar in de kamer bij Vera zaten, dat hij ongevraagd over Gitte begon te vertellen. De professor had goed geslapen, want hij was dodelijk vermoeid na de gebeurtenissen van de laatste dagen. Hij at het middageten met mij en Vera en ik merkte weer hoe nauw bevriend ze met elkaar waren, ik zag het aan hun gebaren en merkte het aan hetgeen ze tegen elkaar zeiden.

Hij haalde de snuiftabak en het witte poeder tevoorschijn.

'Denk je dat het je goeddoet, wat je in de tabak stopt?' vroeg ik.

'Het is voortreffelijk,' zei hij. 'Het geeft je energie en maakt je scherper, maar je krijgt ook een knallende kater als het effect afneemt, duivelse angsten en depressies. Ik kan het je nauwelijks aanbevelen, Valdemar. Wil je het proberen?'

'Nee, dank je. Is het niet gevaarlijk?'

De professor haalde de schouders op.

'Wat is niet gevaarlijk?' zei hij achteloos.

Hij deed het tabaksdoosje dicht en draaide het tussen zijn vingers zoals hij zo vaak deed. Ik zag dat hij in diep gepeins was verzonken. Er kwam een rust over me heen na het eten. Ik was zo vrij met onze situatie de draak te steken en zei dat ik me niet had kunnen voorstellen dat het zo leuk zou zijn de politie te ontlopen. Ik zag dat hij glimlachte.

'Heb je iets met Vera besproken?' vroeg hij na een lange stilte.

'Nee, niet veel,' zei ik en ik was meteen op mijn hoede.

'Ze zei mij dat jullie een beetje over Gitte hadden gepraat,' zei hij.

'Ja, ze had het over haar.'

'Ze kwamen niet eens op de begrafenis, haar familie,' zei hij. 'Niemand, behalve Vera. Kun je je voorstellen dat zulke wrede mensen bestaan?'

Ik wist niet wat ik daarop moest antwoorden.

'Ze vertelde mij dat je niet beter voor Gitte kon zorgen dan jij hebt gedaan,' zei ik ten slotte.

'Heb jij ooit een geliefde verloren, Valdemar?' vroeg hij.

'Nee,' zei ik en ik bedacht dat ik niet veel had wat ik kon verliezen.

'Het is moeilijk te beschrijven. Moeilijk te beschrijven hoe eenzaam je wordt en hoe pijnlijk het is als iemand in zijn beste jaren sterft. Het verlies achtervolgt je elke dag die je nog rest in je leven.'

'Ik kan me dat goed voorstellen.'

'Het is niet precies pijn. Een deel van jezelf sterft, maar dat deel is niet in de aarde begraven maar constant dichtbij. Het achtervolgt je waar je maar heen gaat en ook de herinnering blijft levend. De dood zit in jezelf. En ook al weet je heel goed dat je in het leven niets op krediet krijgt, dat je er niets van kunt verwachten, je neemt nooit afstand van het verdriet en het verlies.'

De professor zweeg.

'Ik mis soms mijn moeder,' zei ik na een lange stilte. 'Niet degene die ik heb, maar degene die ik altijd had willen hebben. Alsof ik droomde dat zij bestond.'

De professor keek mij aan en het leek me alsof zijn ogen vochtig waren geworden.

'Het was pijnlijk haar te verliezen,' zei hij.

We zaten lange tijd in stilte, die geen van tweeën wilde verbreken. Ik moest aan Vera denken. Het moest heel ongewoon zijn in een tweeling je verdwenen geliefde te kunnen zien. De professor kon tot op zekere hoogte Gitte in haar zien, zien hoe ze met de jaren ouder en volwassener werd.

'Het moet een steun voor je zijn geweest Vera te hebben,' zei ik ten slotte.

'Een onmetelijke steun,' zei hij.

'Lijken ze op elkaar?'

'Ja. Veel, qua uiterlijk.'

We zwegen.

'Ze begrijpt het volkomen,' zei de professor opeens alsof hij mijn gedachten kon lezen. 'Vera ziet dat telkens als ik naar haar kijk. We hebben erover gepraat. We zijn goede vrienden. Ze is nooit getrouwd. Het is net alsof sommige mensen het niet gegeven is een gezin te krijgen.'

'Heeft ze nog contact met haar familie?'

'Nee, helemaal niet. Haar ouders zijn beiden gestorven, maar ze heeft het contact verbroken nadat Gitte stierf. Ze heeft twee broers, die ze nooit ziet en niet wil tegenkomen. Een van hen is kleermaker voor de koninklijke familie, het is een familietraditie die vele generaties teruggaat. Groot snobisme allemaal. Onverdraaglijk, een hoge dunk van zichzelf, zonder iets te hebben om jezelf voor op de borst te kloppen.'

Hij zweeg.

'Ik zou niet graag weer met zo'n verlies willen leven,' zei hij toen.

'Nee,' zei ik. 'Dat begrijp ik goed.'

Hij keek mij aan.

'Weet je het zeker?'

'Wat?'

'Als de lui die Färber en Glockner hebben aangevallen degenen zijn die ik denk dat ze zijn, dan weet ik niet of je met de Gullfos mee moet gaan,' zei hij. 'Je bent veel te jong om in hun klauwen te vallen.'

'Hoe bedoel je?'

'Zoals ik het zeg. We weten niet wat ons wacht. Ik kan niet langer de verantwoordelijkheid voor je op me nemen. Ik denk dat het het beste is dat je hier bij Vera blijft.'

'Bij Vera blijf?' bauwde ik hem na.

'Als mij iets overkomt, dan ga je naar de politie en je vertelt hun de waarheid. Vera zal je verhaal ondersteunen en ook Frau Bauer in Berlijn.'

'Jou iets overkomen? Wat denk je dat je zou kunnen overkomen?'

'Ik weet het niet, maar ik vind het niet raadzaam dat je meegaat. Dit is een veel gevaarlijker zaak geworden dan ik me ooit had voorgesteld. Die lui deinzen voor niets terug. Ik wil niet dat je onder hun handen hebt te lijden.'

'Je vond het eerder allemaal in orde. Wat is er veranderd? Waar heb je het over?'

'Ik wil niet dat jou iets overkomt, Valdemar.'

'Ik word in Duitsland voor moord gezocht! Wat kan mij nog meer overkomen? Ik ga met je mee,' zei ik en ik klonk heldhaftiger dan me lief was.

Ooit was ik blij geweest om die gevaarlijke reis die voor ons lag te ontlopen, maar het kwam niet bij me op de professor alleen te laten om met Von Orlepp het gevecht aan te gaan. Daar stak geen bijzondere moed achter, slechts gezond verstand. Met z'n tweeën stonden we sterker in de strijd.

'Ik heb je nooit hierin willen betrekken,' zei de professor. 'Ik had dit alleen moeten doen.'

'Je kunt dit niet in je eentje afhandelen,' zei ik.

'Toch denk ik dat het beter is.'

‘Hoe kan het beter zijn? We staan hier samen in.’

‘Wil je mij hierover laten beslissen? Ik kan niet op je letten en tegelijkertijd met die mensen van doen hebben.’

‘Op mij letten? Heb je soms op mij moeten letten?’

‘Valdemar...’

‘Ik ga met je mee,’ zei ik.

We hoorden de deur van het appartement opengaan. Vera was thuisgekomen. We stonden beiden op. De professor gaf mij een teken kalm aan te doen, we zouden dit op ons gemak bespreken.

‘Er is meer nieuws over jullie in de *Berlingske*,’ zei ze terwijl ze de professor de krant aanreikte die ze had gekocht. ‘Ze zeggen dat de Duitse politie verschillende factoren onderzoekt die de twee zaken met elkaar in verband kunnen brengen.’

De professor pakte de krant aan. Het bericht stond op de tweede pagina. Er werd in gezegd dat twee IJslanders werden gezocht voor geweldpleging en moord in Berlijn, en onze namen werden onthuld. In kort bestek werd beschreven waarom de Duitse politie ons wilde verhoren en er werd gezegd dat wij waarschijnlijk naar Denemarken waren gegaan.

‘Dit verschijnt ook overal op IJsland,’ zei de professor zachtjes tegen zichzelf.

‘Halldór is in Kopenhagen,’ zei Vera.

‘Wie?’ vroeg de professor.

‘Halldór Laxness,’ zei Vera. ‘Hij is vanuit Zweden naar Denemarken gekomen en hij is op weg naar huis naar IJsland. Er staat een verhaal in de krant over een persconferentie die hij hier in de stad heeft gehouden.’

De professor bladerde door de krant.

‘Ja, hier is het,’ zei hij. ‘Ongeëvenaard. Absoluut ongeëvenaard.’

‘Ik ga met je mee,’ zei ik, ‘wat je er ook van zegt.’

Vera keek ons aan. Ze merkte dat we onenigheid hadden gehad.

‘In orde, Valdemar,’ zei de professor, die van de krant opkeek. ‘Maar je doet precies wat ik zeg en niets anders.’

De dag daarop gingen we naar buiten de Amager Boulevard op, hij liep honderd meter voor me uit. We durfden niet rechtstreeks naar de Strandgade te gaan waar de Gullfoss voor anker lag, maar gingen over paden en stille straten omlaag naar het Asiastik Plads. We stelden ons zo onopvallend mogelijk op en we konden de passagiers zien die naar het schip gingen, sommigen traag lopend in het milde herfstweer, anderen in een auto zwaarbeladen met spullen uit de metropool. We zagen Sigmund niet, maar ik ontdekte de gezette journalist die met ons op het Rådhuspladsen had gepraat. Hij stond bij de loopplank te roken alsof hij op iemand wachtte. Hij keek de Strandgade af en maakte een praatje met de wachter die de loopplank bewaakte. De wachter leek op dit uur van de dag niet zo'n bewakende taak te hebben. De mensen gingen de loopplank op zonder dat hij enig commentaar gaf, want er was beslist bijna honderd man bij het schip en het was nogal rumoerig; handelaren brachten eten aan boord, grossiers erachteraan met hun goederen in bulk, bezoekers en wandelaars vermengden zich met de passagiers, een leger arbeiders zorgde voor vracht van allerlei soorten zakken en stukgoederen. Koffers en pakketten van de reizigers werden aan boord gedragen. Geroep en geschreeuw weerklonk overal rondom het schip. Sommige reizigers leunden op hun gemak over de reling boven op de eerste klasse en volgden het tumult beneden.

Voordat we van Vera vertrokken vertelde de professor mij dat hij met de Gullfoss had gevaren en dat hij soms naar het Asiastik Plads ging om het schip te verwelkomen, zoals zoveel IJslanders in Kopenhagen deden. Het schip was een soort klein-IJsland: de sfeer aan boord, de passagiers en het eten, de kranten van thuis, de taal. Voor degenen die in Kopenhagen woonden of er lang verbleven was het, als ze even aan boord gingen, alsof ze thuiskwamen, ze wilden de verre geur van IJsland ruiken en het nieuws van het thuisfront horen.

'Daar!' zei de professor opeens terwijl hij wees. 'Daar heb je de vent!'

Ik keek naar de plek waar hij heen wees en zag een kleine man van middelbare leeftijd in een zwarte overjas met een kleine koffertje in zijn hand de loopplank naderen en aan boord van het schip gaan.

'Dat is hem!' zei de professor. 'Kom, Valdemar. We moeten gaan.'

'Weet je wanneer het schip afvaart?' vroeg ik.

'Ja, het vertrek duurt niet lang meer. We hebben geen tijd te verliezen.'

Eer ik het in de gaten had stonden we in de menigte rondom de Gullfoss. De professor ging de loopplank op en op hetzelfde moment hoorde ik de wachter opgewonden zeggen: 'Daar is hij!'

Mijn hart sloeg over. Ik keek naar de professor, die met de stok in zijn hand stil bleef staan alsof hij door de bliksem was getroffen. Ze hadden ons ontdekt. Ik draaide me om naar de wachter.

'We hoeven maar een paar minuutjes op het schip,' fluisterde ik smekend.

'Daar!' riep de wachter en hij keek niet naar mij, maar wees naar de Strandgade.

Ik keek die richting op en zag twee mannen verdiept in gesprek de straat af wandelen en ik herkende een van hen meteen. Het was Halldór Laxness.

Toen ik de professor wilde zeggen dat de wachter niet ons bedoeld had, was hij al aan boord van de Gullfoss verdwenen. Ik keek naar waar Halldór Laxness was en zag hoe hij de loopplank naderde.

De passagiers begonnen automatisch te klappen toen hij bij het schip kwam. Ik was toen al aan boord en werd een groep studenten gewaar die zich op de kade hadden verzameld en enthousiast de Nobelprijswinnaar huldigden. De kapitein stond op het einde van de loopplank en verwelkomde Laxness. Ik liet me daar op het dek helemaal meeslepen en zag hoe er handen werden geschud. Ik had nog nooit eerder de schrijver in levenden lijve gezien. Hij was onberispelijk gekleed in een lange overjas met een hoed op en hij begroette de kapitein met een handdruk en een kleine buiging. Mijn tante had het soms met aanbidding over hem. Het maakte indruk hoe hij over de underdog schreef en hij had begrip voor diens situatie. Ik had zelf het meeste gelezen van wat hij had geschreven en vond het allemaal hoogstaand proza.

Ik kwam pas weer bij zinnen toen een krachtige hand mij in mijn nekvel greep en mij van de plek wegtrok. Het was de professor.

'We hebben geen tijd te verliezen,' siste hij.

We wisten niet waar aan boord Sigmunds kajuit was, maar de professor ging ervan uit dat het in de eerste klasse was. Een aangename etensgeur kwam ons tegemoet toen we erheen gingen. De professor struinde door de passagiersgang en klopte op alle kajuitdeuren. Als niemand antwoord gaf rukte hij ze open, de een na de ander. De meeste zaten niet op slot. In sommige kajuiten waren passagiers die zichzelf installeerden en de professor verontschuldigde zich en zei dat hij zich in het kajuitnummer had vergist. Ik merkte een trilling toen de scheepmachines gestart werden. Het schip zou binnen de kortste keren vertrekken.

We vonden Sigmund nergens.

Er was niemand in de eetzaal en slechts twee mensen zaten in de rooksalon die daarnaast lag. Hij was in de tweede klasse nergens te vinden en ook niet in de derde.

'Waar kan die idioot wezen?' brabbelde de professor terwijl we bij de kooien in de derde klasse stonden. De meesten daarbinnen waren jongelui die een slaapplaats uitkozen en zich installeerden, gebruinde reizigers uit Europa die vrolijk en opgeruimd waren.

'Denk je dat Joachim von Orlepp aan boord is?' vroeg ik.

'Wacht hier en laat je zo min mogelijk zien,' zei de professor, geen antwoord op mijn vraag gevend. 'Ik ga erachter zien te komen waar Sigmund is geboekt.'

Toen was hij verdwenen. Ik stond als een kat in een vreemd pakhuis in de derde klasse. Het schip kon elk moment van wal steken en ik was dan een verstekeling geworden. Ik ging weer omhoog naar het dek en zag hoe de passagiers zich aan de reling opstelden om afscheid te nemen en te zien hoe het schip de haven uit voer. De laatste pakketten werden aan boord gegooid. De havenarbeiders die het schip hadden geladen stonden op een afstandje te roken. Gauw zou de loopplank worden opgetrokken. De scheepsmachines dreunden. Ik keek uit naar de professor maar zag hem nergens.

Ten slotte kwam er beweging in het schip en het ging langzaam van de kade af.

Ik ging stilletjes weer omlaag naar de derde klasse. Daar was niemand. De jonge passagiers waren allemaal aan dek gegaan om het uitvaren van de haven te bekijken. In de derde klasse lag bij het voordek de vracht. Ik maakte het net los dat de lading scheidde van de derde klasse en ik verborg me in het duister, omgeven door zakken en kisten.

Algauw merkte ik dat de Gullfoss aan haar vaart begon en uit de haven koers zette op weg naar IJsland.

XXIII

Ik weet niet hoeveel tijd verstreek eer ik me uit mijn schuilplek waagde. Ik geloof dat ik had geslapen op de plek waar ik boven op vijftigkilozakken suiker was gaan liggen. De professor kwam niet terug en de angstaanjagende gedachte bekroop me dat hij misschien Sigmund was tegengekomen en aan land was gegaan voordat de Gullfoss uitvoer en mij alleen achter aan boord had gelaten. Het was een constant komen en gaan in de derde klasse nadat het schip van de kade was afgemeerd, zodat het voor mij moeilijk was de gelegenheid te baat te nemen weg te komen zonder al te veel aandacht te trekken. Uiteindelijk lukte het me toch toen een jong stel dat van plan was van de rust te genieten het vrachtruim binnenglipte waar ik lag; ze begonnen elkaar vlak voor mijn neus enthousiast te kussen. Ik schraapte mijn keel toen hun spel hartstochtelijker leek te worden en ze schrokken zich lam toen ze die schaduw boven op de suikerlading zagen. Ik glimlachte en glipte langs hen heen en ik gaf hun een teken dat ik niet langer daar zou blijven. Toen gingen ze verder met hun liefdesspel en ik kuierde door de derde klasse en ging omhoog naar het dek.

Ik moest de professor vinden. Ik had geen idee wat er van hem was geworden en waarom hij mij zo aan mijn lot overliet. Had hij Sigmund gevonden? Was hij misschien niet meer aan boord? Was hij misschien Von Orlepp en zijn mannen tegen het lijf gelopen, met alle tragische gevolgen van dien?

Ik probeerde me zo onopvallend mogelijk te gedragen toen ik weer de tweede klasse binnenglipte, waar ik van plan was mijn zoektocht naar de professor te beginnen. Ik durfde eerlijk gezegd niet meteen naar de eerste klasse, want ik had gehoord dat er speciaal op werd gelet dat de passagiers van de tweede en derde klasse daar niet onuitgenodigd zouden rondhangen en het ergste was in de klauwen van de bemanning te vallen, de laagste klasse van iedereen aan boord als ongewenste verstekeling. Ik had zoals iedereen verhalen over de eerste klasse op de Gullfoss gehoord, over het buffet 's middags en het diner als de passagiers zich opdoften en de kapitein de voornaamste en belangrijkste gast bij zich aan tafel uitnodigde, ik had gehoord over de rooksalon en de soirees met piano en dans die soms werden gegeven in avondjapon en jacket. Ik had een ontzettende honger gekregen nadat ik me in het ruim had verborgen en de gedachte aan de delicatessen aan boord deed mijn maag samenkrimpen en verergerde het hongergevoel.

Ik liep langzaam over het dek en plotseling hoorde ik stemmen en twee mannen kwamen naderbij, in een druk gesprek verwikkeld. Ik verborg me snel onder de trap naar het hogere dek. De mannen liepen naar de reling. Ze rookten allebei en ik hoorde dat ze het hadden over een of andere bespreking wanneer de Gullfoss in Leith in Schotland aanlegde.

'Ik ben zo vrij geweest de consul in Edinburgh te bellen,' zei een van de mannen.

Ik meende de stem te herkennen en ik rekte me zo ver uit als ik durfde en zag dat het de journalist van het Rådhuspladsen was. Ik keek naar de andere man en zag in het schijnsel van de avond dat het Halldór Laxness was. Ze maakten samen een kalme wandeling na het avondeten.

'...dus we kunnen een groot aantal persmensen verwachten,' hoorde ik de journalist zeggen. 'Ik heb met de kapitein gepraat, die denkt dat de bijeenkomst in de rooksalon zal worden gehouden, misschien zo'n uur lang, meteen als het schip in Leith aankomt.'

Halldór Laxness knikte.

'Hebben ze ergens belangstelling voor, behalve voor politiek?' hoorde ik hem zeggen voordat ze in een rookwolk verdwenen.

Ik dook onder de trap uit en liep recht in de armen van de professor, die vlakbij stond en hen nakeek.

'Daar ben je eindelijk, stuk idioot!' fluisterde hij.

'Waar heb je gezeten?' siste ik daarop.

'Ik heb het over Sigmund uitgezocht.'

'Heb je hem gevonden?'

'Kom mee, ik denk dat ik weet waar hij is.'

Ik was zo dolblij de professor weer te zien en te merken dat hij mij niet alleen aan boord had achtergelaten, dat ik hem wel had willen omarmen. Ik deed het natuurlijk niet. Hij had me waarschijnlijk met zijn stok geslagen. Maar mijn hart klopte lichter toen ik hem achternaliep omhoog naar de eerste klasse en de gang met de kajuiten in. Hij liep rechtstreeks naar kajuit nummer 14 en klopte op de deur.

'Ik heb begrepen dat hij altijd in dezelfde kajuit reist,' fluisterde hij.

Hij klopte weer op de deur.

'Hij was er zonet niet,' fluisterde hij weer en hij keek de gang af. 'Als hij nu niet antwoordt, breken we in.'

Hij klopte nogmaals op de deur en legde zijn oor ertegenaan. Vanuit de kajuit was gestommel te horen en algauw ging de deur open. Een kleine man met grijze haren, dezelfde die ik in een zwarte jas aan boord had zien gaan, gaapte ons aan. Hij droeg een zwarte smokingbroek met bretels over een wit T-shirt en hij hield een cognacglas in zijn hand.

'Jij?!' zei hij verwonderd toen hij de professor zag. Toen was het alsof hij zich iets realiseerde en hij wilde de kajuitdeur weer dichtsmijten, maar het was te laat. De professor sloeg zijn stok ertussen en we duwden de deur open.

'Welkom aan boord, Sigmund,' zei de professor terwijl hij zijn kajuit in stormde. Ik ging hem achterna, maakte de kajuitdeur dicht, deed hem zorgvuldig op slot en stelde me met de rug ertegen op. Het was een kleine, krappe eenpersoonskajuit. Twee cognacflessen stonden op een tafeltje onder de patrijspoort. Sigmund leek van plan te zijn geweest privé van de zeereis te genieten.

De blik van de professor viel op Sigmunds reiskoffertje, en zonder er een woord aan vuil te maken kieperde hij het om op de vloer. Hij gooide het kussen voor de voeten van Sigmund op de grond en tilde het dekbed van zijn bed op.

'Waar is het?' zei hij met een kwaaie blik. 'Waar is het boek?'

'Wat moet dit betekenen?' vroeg Sigmund, die zich had hersteld na deze onverwachte invasie. 'Wat is dit eigenlijk voor onbeschoft gedag? Wat wil je?'

'Het Koningsboek, Sigmund, ik wil het Koningsboek hebben en verder geen gelazer.'

'Het Koningsboek? Waar heb je het over?'

'Ik weet dat je het bij je hebt,' zei de professor.

'Ik dacht dat jij het had, ik dacht dat jij het aan het onderzoeken was,' zei Sigmund.

De professor keek hem aan.

'We zijn naar je vriend in Berlijn gegaan, die Glockner. We weten waar jullie mee bezig zijn en je moest je schamen.'

'Ik ken geen Glockner,' zei Sigmund en hij keek ons om beurten aan.

'Dat is dan prima, want hij is dood. We vonden hem bij hem thuis op de vloer. Het was geen fraai gezicht.'

'Dood?' kreunde Sigmund en hij kon zijn verwondering niet verhelen. Zijn ogen werden twee keer zo groot en op zijn gezicht verscheen een verontruste blik.

'Heb je de kranten niet gelezen?' zei de professor. 'Ze denken dat wij het hebben gedaan. Ken je een man met de naam Färber?'

Sigmund schudde zijn hoofd.

'Hij is meer dood dan levend,' zei de professor. 'En de volgende die ze vermoorden ben jij, Sigmund! Dus je mag blij zijn dat wij jou het eerst hebben gevonden.'

'Mij! Mij vermoorden?! Waarom? Wie?'

'Ze zitten achter het boek aan en ik verwacht niet dat jij voor hen een grote hindernis zult zijn.'

Sigmund gaapte de professor aan en toen mij terwijl ik nog steeds bij de deur stond. Hij keek omlaag in zijn cognacglas en ongetwijfeld betreurde hij het dat hij niet de kans kreeg er op dat moment van te genieten. Aan de andere kant gaf hij zich niet gewonnen. Hij keek de professor aan.

'Ik heb geen idee waarover je zit te zeveren,' zei hij obstinaat. 'Ik ken geen Glockner en al helemaal niet ene Färber en ik heb geen idee waar het Koningsboek is – als het niet in jouw bewaring is. Dus ik zou graag zien dat je mij met rust laat en hier weggaat voor ik iemand erbij haal die je eruit gooit.'

De professor keek hem lang aan. Sigmund deed alsof er niets aan de hand was en nam een slokje van zijn cognac.

'Ik weet nog steeds niet wat ze met Färber hebben uitgevoerd,' zei de professor, 'maar ze hebben Glockner met een dunne staaldraad gewurgd.'

Sigmund verslikte zich in zijn cognac en begon te hoesten.

'Het is aannemelijk dat ze hier aan boord zijn,' zei de professor. 'En ze zijn naar niemand anders op zoek dan naar jou.'

'D'r uit,' zei Sigmund en hij veegde zijn mond af. 'Ik heb met jullie niets te bespreken. Eruit, voor ik hulp erbij haal. Ik weet niet waar je het over hebt. Ik heb het Koningsboek niet.'

'Wat was je in Duitsland aan het doen?'

'Hoe weet jij of ik in Duitsland was?'

'Ik weet dat je een ontmoeting met Glockner hebt gehad.'

'Wat is dat voor geleuter?!'

'Ik probeer je te vertellen dat je in onmiddellijk levensgevaar bent! Ik probeer je te helpen!'

'Wie moeten dat dan wel zijn die mij willen vermoorden?' vroeg Sigmund en toen ik naar het kleine mannetje keek dat hard tegen de zeventig aan liep, met zijn witte baard en duidelijk aan de drank, zag ik er weinig heil in hem kwaad aan te doen. De professor gaf niet op. Hij greep Sigmund bij de kraag en trok hem naar zich toe.

'Je bent in levensgevaar,' siste hij tussen zijn opeengeklemde tanden. 'Glockner vertelde hun aan wie hij het boek had gegeven voor ze hem vermoordden. We vonden een brief van jou aan Glockner. Hij had foto's van het Koningsboek gemaakt om naar jou te sturen.'

'Ik weet niet waar je het over hebt.'

'Sigmund!'

'Ik ken Glockner niet,' zei Sigmund, die geen duimbreed toegaf.

'Wat heb je met het Koningsboek gedaan?'

'Ik heb het niet.'

De professor liet hem los.
'We weten dat jij het Koningsboek van Glockner hebt gekocht en dat jij de tussenpersoon bent voor de koper op IJsland.'
Sigmund zweeg. Hij keek naar mij en toen weer naar de professor. Hij nam een slokje van de cognac en ditmaal werkte hij het zonder problemen naar binnen. De professor haalde de brief en de foto's uit zijn zak die hij van Glockners bureau had meegenomen en gooide ze op het tafeltje met de cognacflessen.
'Dit is jouw brief aan Glockner.'
Sigmund pakte de brief op en bekeek de foto's.
'Gesteld bijvoorbeeld dat dit allemaal juist van jou is,' zei hij ten slotte, 'zou je het dan niet moeten verwelkomen dat het boek op weg is naar IJsland, waar het thuishoort?'
'Niet op deze manier,' zei de professor.
'De Denen zullen onze manuscripten nooit teruggeven,' zei Sigmund. 'Dat zijn hersenschimmen en dat weet je zelf het beste.'
'Op een dag doen ze het. Bedoel je dat de koper aan een zaak van nationaal belang meewerkt?'
'Als wij de manuscripten naar IJsland kunnen brengen, hoe het ook gedaan wordt, of wij het van speculanten kopen of niet, dan vind ik dat prachtig.'
'Wat heb je voor het boek betaald?'
'Ik heb het niet. Ik heb niks betaald. Probeer dat te snappen. Je krijgt mij niet zover dat ik iets anders zeg.'
De professor dacht na. De spanning was afgenomen. Sigmund nam weer een slokje van zijn cognac.
'Ik weet dat je het boek bij je hebt,' zei de professor.
Sigmund haalde de schouders op.
'Wat als ik het verloren kwarto zou hebben?' zei de professor.
'Het verloren kwarto?!' bauwde Sigmund hem na.
'We hebben het in Schwerin gevonden. In het graf van Ronald Jörgensen. Ik heb het bij me,' zei de professor terwijl hij op zijn borstzak klopte.
Sigmund staarde hem aan.
'Schwerin?'
De professor knikte.
'Laat het me zien,' zei Sigmund.
'Laat mij het Koningsboek zien.'
Sigmund schudde zijn hoofd.
'Ik weet dat je mij niet gelooft, maar ik wil het nog één keer proberen: ik heb het Koningsboek niet. Laat me het kwarto zien.'
'En als ik beter betaal?' zei de professor.
Sigmund gaf hem geen antwoord.

'Wat als wij het kwarto en het Koningsboek kunnen samenvoegen? Wij twee, jij en ik? Vind je niet dat dat het waard zou zijn?'

'Wat wil je ervoor hebben?' vroeg Sigmund.

'Ik ga het niet verkopen,' zei de professor.

Sigmund dronk van zijn cognac.

'Wat dan?' vroeg hij.

De professor, die zich tot dan toe had ingehouden, verloor uiteindelijk zijn geduld en zelfbeheersing.

'Verdomde stommeling die je bent!' schreeuwde hij. 'Wat kan mij het ook verdommen! Ik hoop dat ze jou te pakken krijgen en overboord smijten! Je verdient het vermoord te worden, verrekte gek die je bent.'

'Vertel me één ding, professor,' zei Sigmund, die de verwensingen compleet onverschillig lieten. 'Er is iets wat ik me steeds heb afgevraagd. Hoe komt het dat het Koningsboek opeens in Europa te koop en ter verkoop wordt aangeboden, zoals jij beweert? Is dat geen verdomd serieuze kwestie? Voor jou, bedoel ik?'

'Hou toch je mond!'

'Zou het geen schandaal voor jou worden als het opeens op IJsland boven water komt, in privébezit geraakt, hopsakee? Zou je daar geen vragen over krijgen?'

De professor staarde Sigmund aan en even dacht ik dat hij de man te lijf zou gaan.

'Wat ik bedoel is dit: is het niet het beste voor ons allemaal om te zwijgen? Op dit moment in ieder geval. Voor jou. Voor de jongen die bij je is. Voor mij, die jij van diefstal van boeken beschuldigt. Is het niet voor iedereen het beste te doen alsof er niets aan de hand is? Tenzij je natuurlijk iedereen wilt vertellen hoe je het bent kwijtgeraakt.'

De professor gaf hem geen antwoord.

'Er is namelijk één ding dat mijn nieuwsgierigheid opwekt, als het allemaal waar is wat je zegt.'

De professor wachtte tot Sigmund verderging.

'Hoe ben jij erin geslaagd de andere wetenschappers te belazeren? Heb jij ze echt weten voor te liegen? Velen moeten met spanning naar je onderzoek uitzien.'

De professor uitte een stel vloeken, duwde mij van de deur weg en struinde de gang op. Ik keek Sigmund aan.

'Heeft u het boek?' vroeg ik.

'Donder op, snotaap!' zei hij.

'U bent in groot gevaar, of u nou het boek heeft of niet. Glockner heeft hoogstwaarschijnlijk uw naam genoemd voor hij werd vermoord. De professor kan u helpen.'

'Ik heb van hem geen hulp nodig. Donder op en laat me je smoel nooit meer hoeven zien!'

Ik liep naar de professor op het einde van de gang en we gingen het dek op.

'Wat nu?' vroeg ik.

'Die idioot liegt natuurlijk,' zei de professor. 'Ik had me niet zo moeten laten opjuinen.'

'Hij denkt de overhand te hebben.'

'Hij kan niet erkennen dat hij het boek heeft, dan is ie het kwijt, is ie zijn commissie kwijt en krijgt de koper het boek nooit in handen. We zijn een stel kleuters, Valdemar. Kleuters om te denken dat wij bij die mensen aan hun gevoel kunnen appeleren. Er is slechts één ding dat hen drijft en dat is geld.'

'Maar hij is in groot gevaar als hij het boek heeft.'

'Dat is zijn zaak,' zei de professor. 'Onze taak is het te vinden. Sigmund kan naar de hel lopen.'

'Wat als hij de waarheid spreekt? Wat als hij het boek niet heeft?'

'Sigmund heeft het,' zei de professor. 'Hij tart ons. Het is wellicht niet in zijn kajuit. Hij was zo zeker van zichzelf met dat cognacglas in zijn hand. Hij moet het ergens anders aan boord hebben verborgen. Misschien is er iemand die het voor hem bewaart. Het boek is hier ergens en wij zullen het vinden.'

'Er is echter één positief iets bij dit alles,' zei ik.

'Wat dan?'

'We hebben Von Orlepp en zijn mannen niet gezien. Ze lijken de Gullfoss gemist te hebben. Dat is toch positief.'

'Wees niet al te zeker,' zei de professor. 'Ik heb er moeite mee te geloven dat ze zomaar de boot hebben gemist.'

'Wat nu? Wat moeten we doen?'

'We zullen Sigmund in de gaten houden,' zei de professor. 'Misschien kunnen we hem morgen tot rede brengen. Maar eerst moeten we iets te eten vinden en een plekje op het schip terwijl we onze gedachten ordenen. Ik ken een plek waar we kunnen uitrusten, maar ik weet niet of je het daar prettig vindt.'

'Waar dan?'

'Kun je tegen een beetje hitte?'

'Niet bepaald,' zei ik.

Het was tegen de avond behoorlijk aan het afkoelen en ik was blij dat we niet ergens buiten hoefden te hurken. De schuilplek die de professor in gedachten had, was het bagageruim dat – zoals hij mij zei – soms als gevangeniscel werd gebruikt. Daar kwam nooit iemand. De schoorsteen van het schip lag tegen de cel aan en daarom was het bijna ondraaglijk heet daarbinnen. De plek werd gebruikt voor probleemgevallen die moeilijk in toom waren te houden, in het algemeen gevallen van dronkenschap. Degenen die er het ergst aan toe waren liet men daar in de hitte bij de schoorsteen uitslapen. Het kwam bij me op de professor te vragen hoe hij van het bestaan van die cel af wist, maar ik liet het varen. We slopen erheen zonder de aandacht te trekken. De bergruimte was afgesloten met een inferieur hangslot. De professor vond vlakbij een stuk ijzer en sloeg het slot ermee kapot. De hitte erbinnen was extreem, bijna veertig graden. We konden de deur op een spleet houden, anders zouden we moeite hebben met ademhalen.

De professor zat er stil bij en peinsde over het reiskoffertje. Ik dacht na over alle tegenslagen die hij had moeten verduren en hoe dicht hij bij zijn doel was. Hij was ervan overtuigd dat Sigmund loog, want de brief aan Glockner getuigde daarvan en ongetwijfeld probeerde hij nu een manier te bedenken om Sigmund aan zijn kant te krijgen. Afgaande op hun eerste krachtmeting zou dat moeilijk blijken te zijn.

'Wat ben je van plan te doen als je het boek uiteindelijk in handen krijgt?' vroeg ik.

De professor keek mij aan.

'Je bedoelt, als ik het vind?'

'Ben je van plan jezelf aan te geven? Meteen hier aan boord?'

'Ja. Ik heb erover nagedacht. Dan gaat het boek meteen naar de juiste instantie en wordt het teruggebracht naar zijn plek in Kopenhagen.'

'En niemand kan jou iets verwijten, ook al was het in jouw bewaring, omdat jij de beste specialist ter wereld bent op het gebied van het Koningsboek?'

'Nee, het zou dan een kleine vergissing van mijn kant zijn dat ik het vanuit Kopenhagen had meegenomen. Vervolgens zal er slechts een paar jaar overheen gaan tot het boek en andere IJslandse manuscripten officieel aan IJsland worden teruggegeven.'

'Denk je dat dat gebeurt?'

'Ja. Dat zal gebeuren. Jij zult het meemaken, Valdemar. Van mezelf weet ik het niet. Toch denk ik dat het niet lang op zich zal laten wachten.'

'Maar de moordenaars? Je bent niet van hen af.'

'Ik heb nog geen wagnerianen aan boord gezien, als zij het waren die Glockner hebben vermoord.'

'Is dat niet het meest waarschijnlijke?'

'Het is mogelijk.'

'Ik ben bang ze weer tegen het lijf te lopen,' zei ik. 'Ik hoop ze nooit meer te hoeven zien.'

'Het is nooit makkelijk met zulk soort mensen van doen te hebben,' zei de professor.

'Nee, waarschijnlijk niet,' zei ik.

'Ze handelen niet overeenkomstig bepaalde regels, behalve die van henzelf, en ze geven niets om het leven van anderen. Dergelijke mensen zullen er altijd zijn en wij zullen hen altijd vrezen. Er is behoorlijk veel moed voor nodig om het gevecht niet uit de weg te gaan. Ze heersen met terreur en geweld en hun methodes berusten altijd op lafheid.'

'Nemen mensen in het algemeen dezelfde hut als ze telkens met de Gullfoss reizen?'

'Hoe bedoel je?'

'Je zei dat Sigmund altijd in dezelfde kajuit reist.'

De professor dacht na.

'Dat klopt,' zei hij. 'Ik heb begrepen dat hij altijd dezelfde kajuit heeft.'

'Is daar een speciale reden voor?' vroeg ik.

'Misschien,' zei de professor. 'Bedoel je dat hij iets in zijn hut verbergt?'

Ik haalde de schouders op. Hij stond op.

'Waar ga je heen?'

'Ik wil kijken of ik die vent niet tot rede kan brengen,' zei de professor. 'Jij wacht hier, dit kan niet zoveel tijd in beslag nemen.'

'Wat wil je gaan doen?'

'Er schoot me iets te binnen,' zei de professor.

En met die geheimzinnige woorden op zijn lippen was hij opnieuw ervandoor en ik bleef in m'n eentje achter en wist niet wat ik met mezelf moest aanvangen. De hitte in die nieuwe schuilplek was bijna verstikkend, dus ik trok mijn kleren uit en ging op een stapel bagage liggen. Eer ik het in de gaten had was ik in slaap gevallen.

Toen ik wakker werd was het al ver in de ochtend. Ik kroop eruit naar het dek met een droog gevoel in mijn buik na de overnachting in het bagageruim en nogal stijf in mijn benen na de hele nacht op koffers te hebben gelegen. De Gullfoss liep de haven van Leith in Schotland binnen en de professor was nergens te bekennen.

Ik stond aan de reling en keek hoe het schip bij de kade aanmeerde. De loopplank werd uitgelegd en degenen die van de paar uur in Edinburgh wilden genieten stroomden van boord. Een grote bus wachtte op de passagiers. Havenarbeiders begonnen meteen het schip te lossen, goederen werden aan land gebracht en andere aan boord genomen. Ik ontdekte een groep mensen met een overjas aan die wachtten tot ze aan boord konden komen. Sommigen hadden een fototoestel op hun buik en ik herinnerde me het gesprek dat ik hoorde toen ze over het dek liepen, de journalist van het Rådhuspladsen en Halldór Laxness. Ze hadden het over persmensen en een bijeenkomst in de rooksalon en het leek mij dat de persconferentie gauw zou plaatsvinden.

Ik rammelde van de honger en mijn keel stond in brand na de overnachting bij de schoorsteen en ik kreeg het idee met de persmensen mee te glippen omhoog naar de eerste klasse. In de rooksalon stond een piano, maar de ruimte werd soms ook de concertzaal van het schip genoemd. Op de tafels lagen belegde broodjes, en er stonden alcoholische dranken en vruchtensappen in kannen. Een grote menigte journalisten, reporters en fotografen vulde de kleine zaal en onder hen was de journalist van het Rådhuspladsen, die neerkrabbelde wat er gebeurde. Terwijl ik me te goed deed aan de broodjes en met grote teugen water dronk, werden Halldór Laxness vragen gesteld over van alles tussen hemel en aarde, maar het meeste ben ik alweer vergeten. Ik herinner me dat hij een licht, bruingespikkeld tweedpak aanhad en heel opgewekt was. Een gedrukte korte biografie werd uitgedeeld en algemene informatie over de schrijver, volgens mij opgesteld door de IJslandse ambassade voor de Britse pers.

Ik hoorde een vrouw de schrijver vragen of hij *a country gentleman* was, hetgeen ik niet helemaal begreep, en hem werd ook gevraagd waar het pak dat hij aanhad was gemaakt. Iemand wilde de schrijver voor een foto aan dek hebben en Laxness voldeed aan dat verzoek. Ik probeerde me zo onopvallend mogelijk te gedragen toen er meer ruimte in de zaal werd gemaakt.

Even later ging de persconferentie verder. Laxness was gevat en vrolijk tegen de journalisten en buitengewoon ontspannen. Men vroeg hem of hij iets over zichzelf wilde vertellen, maar hij zei dat dat allemaal in zijn paspoort stond. Iemand vroeg naar de kern van zijn werk en hij wees de mensen erop zijn boeken te lezen.

Ik keek rustig om me heen en plotseling was het alsof het bloed in mijn aderen snel afkoelde toen ik ontdekte dat daarbinnen in de rooksalon zich een man onder valse voorwendsels bevond. Ik had aanvankelijk aan hem geen aandacht geschonken, maar toen ik uiteindelijk besefte wie hij was kon ik het wel uitschreeuwen. Hij had mij niet opgemerkt en ik probeerde me niet te laten zien, maar ik observeerde hem vanuit de hoek waar ik stond. Ik dacht aan de professor; waar was hij nu hij het meest nodig was? De man droeg een lange overjas en een hoed en op het eerste gezicht leek hij helemaal niet bij de groep uit de toon te vallen. Hij was waarschijnlijk met de Britse journalisten aan boord gekomen en hij leek hen als dekmantel te gebruiken. Hij deed alsof hij opschreef wat de schrijver zei, maar ik merkte ook dat hij een beetje onrustiger dan de journalisten was, alsof hij naar de uitgang keek voordat de persconferentie was afgelopen.

Ik merkte dat hij gauw de rooksalon uit glipte en dwars door de eetzaal ging. De lunch was op dat moment begonnen en de honger kwam bij mij opnieuw opzetten toen ik het geprezen buffet van de Gullfoss zag, met koude ham, gerookt lams- en varkensvlees, zalm in mayonaise en vele soorten andere delicatessen. De gasten van de eerste klasse verzamelden zich in de zaal, sommigen waren al naar het buffet gegaan. De kelners en koks waren druk in de weer.

De man die ik achtervolgde schonk hier geen aandacht aan, maar stormde dwars door de geurige eetzaal de trap op en ik zag hem de gang met de hutten in verdwijnen waar Sigmund verbleef. De man klopte op een deur aan het einde van de gang. Ik hoorde hem iets zeggen. De deur ging open en hij verdween in de kajuit.

Mijn hart pompte in mijn borst.

Ik had het liefst willen roepen om hulp, om de professor, om wie dan ook, laten weten wat voor vreselijks hier aan de hand was, maar ik deed niets. Ik wist niet wat voor oplossing ik moest vinden.

Ik had de man die ik uit de rooksalon achtervolgde niet meer gezien sinds de professor en ik in Schwerin waren gearresteerd. Het was de man die het verloren kwarto uit het Koningsboek van ons had afgepakt.

Joachim von Orlepp.

XXIV

De Gullfos voer langzaam uit de haven van Leith en ik had de professor nog steeds niet gevonden. De persconferentie met Halldór Laxness was afgelopen en de mensen die in Edinburgh even waren gaan winkelen of op kroegentocht waren gegaan, zaten allemaal weer aan boord. We hadden een paar dagen varen voor de boeg naar IJsland, hetgeen ik meer vreesde dan woorden kunnen uitdrukken.

Ik wist niet hoe ik de professor weer moest vinden en langzamerhand begon ik te denken dat hem iets was overkomen. Ik hield de kajuit van Von Orlepp in de gaten en ondertussen ging ik snel omlaag naar het bagageruim om erachter te komen of de professor naar mij op zoek was. Ik hield me vooral buiten op het dek op want ik rekende erop dat de bemanning mij als een passagier beschouwde en geen aandacht aan mij zou schenken. Dat bleek zo te zijn.

Tegen de avond ging de kajuitdeur bij Von Orlepp open en ik zag de man die op het kerkhof in Schwerin bij hem was – hij heette Helmut, herinnerde ik me – de gang op lopen en in de richting van de eetzaal gaan. Even later kwam hij terug met een dienblad met erop borden voor drie personen. Ze moesten dus met z'n drieën in de hut zitten en ik vroeg me af wie die derde man was.

Ik spoedde me omlaag naar het bagageruim. De lampen aan boord werden aangestoken. De passagiers van de eerste klasse kwamen chic gekleed uit hun hut en hielden zich op in de rooksalon om een drankje te nemen voor het diner. Het pianospel klonk door in de schemering en de etensgeur vermengde zich met de zeelucht. Ik benijdde het geluk van die mensen. Ze leken zich nergens zorgen over te maken en genoten van elk uur aan boord, rustten uit tot in de namiddag en verschenen vervolgens met juwelen behangen om deel te nemen aan een copieus diner. Als ze wilden, konden ze vervolgens ontspannen bij een glas wijn of na het eten een kaartje leggen.

Zouden ze wellicht de professor in hun kajuit hebben?

Was het derde bord voor hem?

Ik wist niet wat ik moest denken. Naarmate het langer duurde voor ik de professor weer zag, werd ik steeds bezorgder en ik voelde me bang en eenzaam. Hij had het er slechts over gehad Sigmund tot rede te brengen toen hij het bagageruim uit ging, maar ik had geen idee wat hij bedoelde. Ik had Helmut niet met Von Orlepp aan boord zien komen. Was het mogelijk dat hij in Kopenhagen aan boord was gegaan en de professor had gezien? Hem zelfs overboord had gegooid? Niemand zou hem missen behalve ik, en ik kon aan niemand vertellen dat ik me zorgen maakte.

Moest ik me bij de kapitein aangeven en hem vertellen hoe alles in elkaar zat? Was onze tijd op? Of moest ik de professor meer respijt geven? Was het mogelijk dat ze hem daarbinnen hadden? Wie anders kon de derde man in de hut zijn?

Ik zag Sigmund nergens onder de passagiers. Ik ging naar zijn hut, klopte op de deur, maar niemand antwoordde. Ik probeerde hem open te maken, maar hij zat op slot. Ik fluisterde de naam van de professor, maar kreeg geen reactie.

In mijn wanhoop ging ik het hele schip af en omhoog naar het bovenste dek in de hoop Sigmund of de professor tegen het lijf te lopen. Het pianospel uit de rooksalon werd steeds steeds duidelijker naarmate ik de eetzaal naderde en het geroezemoes van de passagiers drong tot me door.

Ik viel bijna over een bundel kabels die bij de reling lag. Toen ik het beter bekeek, zag ik dat het een touwladder was en ik kreeg een raar, gewaagd idee. Ik nam de touwladder mee, bond hem vast boven de kajuit van Von Orlepp en Helmut, en voordat ik de zaak helemaal tot het einde had overdacht, had ik hem over de reling geworpen en begon ik langzaam aan de zijkant van de Gullfoss af te dalen. Gelukkig was de zee rustig, het was mooi, kalm weer en het schip kliefde de golven zonder veel gerol. Anders zou ik niet weten hoe het zou aflopen. Ik had altijd behoorlijk hoogtevrees gehad en het zou een nogal hoge val in zee zijn, maar ik paste ervoor op daar niet te veel aan te denken en hoedde me ervoor omlaag te kijken naar de golfbreker van het schip.

Ik ging langzaam omlaag naar de hut waarvan ik dacht dat Von Orlepp er zich ophield. Tot mijn pijnlijke teleurstelling was het gordijntje voor de patrijspoort getrokken, zodat ik niet naar binnen kon kijken. Het was niet eenvoudig voor een ongeoefend iemand als ik om aan een onhandelbare touwladder daar aan de scheepswand te hangen. Ik had ontzettende pijn in mijn armen en ik had kramp in een been gekregen. Ik rustte uit op mijn andere voet en overwoog hoe ik dit moest oplossen toen ik zag dat het gordijntje werd weggetrokken, de patrijspoort openging en een asbak in zee werd leeggegooid.

Ik liet een tijdje voorbijgaan voor ik me centimeter voor centimeter voortbewoog naar de patrijspoort en ik rekte me zo ver mogelijk uit om in de hut te kijken. Eerst zag ik een bed met een grote koffer erbovenop. Ernaast zat een man die Helmut leek te zijn. Ik rekte me een beetje verder uit en zag Joachim von Orlepp die bij de deur van de hut stond en zijn zij naar me toe draaide. Hij praatte tegen de derde man, die ik niet zag. Ik kon geen woord verstaan, maar het gesprek leek heel broederlijk te verlopen. Naast Joachim hing een spiegel en ik zag een gedeelte van hem en van de hut erin weerspiegeld.

Ik hapte naar adem toen ik op het tafeltje waar de derde man zat het verloren kwarto uit het Koningsboek zag liggen.

Ze hadden het mee aan boord genomen!

Ik was ervan overtuigd dat dat het kwarto was. Het lag daarbinnen bij hen op tafel als een of ander stuk speelgoed en ik herkende het meteen, ook al had ik het slechts één keer gezien in het flauwe licht op het kerkhof in Schwerin.

Ik tuurde in de spiegel om het kwarto beter te zien toen er een hand op werd gelegd. Ik zag niet wie het was, alleen dat de hand oud en gerimpeld was, spierwit en benig met lange nagels, en ik wist meteen dat de derde man in de hut bij Von Orlepp niet de professor was. Het profiel van de man verscheen in de spiegel terwijl hij over het tafeltje heen reikte. Het was een oude man die ik nog nooit eerder had gezien, met plukjes haar op zijn hoofd, bruine vlekken op zijn schedel en een grote haviksneus die ver vooruitstak in zijn bleke gezicht met ingevallen wangen.

Hij keek in de spiegel en even zag ik zijn ogen, zwart en kwaadaardig.

Hij zag mij.

Hij wees naar mij in de spiegel en hij stiet een kreet uit.

Ik schrok me lam en zonder een moment te aarzelen haastte ik me langszij omhoog via de touwladder. Toen ik omlaag keek, zag ik het hoofd van Joachim von Orlepp de patrijspoort uit komen en omhoog naar mij draaien. Joachim verdween weer naar binnen en ik hoorde zijn geschreeuw. Ik klom de ladder op en voor ik het wist was ik weer op het dek gekomen. Ik liet de touwladder voor wat hij was en rende de trap af van het dek, een deur door, weer een trap omlaag en weer een deur door, en eer ik het in de gaten had was ik in de rooksalon beland waar die ochtend de persconferentie was gehouden.

Ik liep er kalm doorheen en probeerde niet de aandacht op me te vestigen. Ik versnelde mijn pas door de eetzaal en kwam bij de ingang. De kelners merkten mij op. Ik hoorde daarbinnen duidelijk niet thuis. Ik rende – of eerder gezegd sprong – de trappen weer omlaag en ik kwam steeds dieper en dieper in het schip tot ik de bagageruimte met de schoorsteen vond. Daar verborg ik me doodsbenauwd en ik durfde me op geen enkele manier te verroeren.

Ze waren samen aan boord: Joachim, Helmut en de oude man die ik niet kende, maar die het verloren kwarto vasthield alsof het van hem was. Ik had nog nooit van mijn leven zo'n kwaadaardige blik gezien als daar in de spiegel toen hij mij in de gaten had, en de rillingen liepen over mijn rug toen ik dacht aan de ijzige kreet die hij uitstiet toen hij mij zag.

Ik weet niet hoeveel tijd er verstreek. Ik wist werkelijk niet wat ik moest doen. De professor was degene die altijd de baas was op reis en nu, nu hij niet meer bij mij was, was ik totaal onzeker wat mijn taak moest zijn. Ik speelde weer met de gedachte de kapitein van alles op de hoogte te stellen, maar ik aarzelde. De professor wilde de zaak oplossen zonder tussenkomst van de autoriteiten, in ieder geval tot het Koningsboek in ons bezit was geraakt. Hij was van plan geweest met Sigmund te praten. Ik wist niet wat hij bedoelde toen hij zei dat hij hem tot rede wilde brengen. Niemand had gereageerd toen ik bij Sigmund op de deur klopte. Het enige wat bij mij opkwam was het weer proberen.

Met dat in gedachten sloop ik uit het bagageruim. De kajuit van Sigmund en die van Joachim lagen op dezelfde gang en ik stond op het dek te aarzelen voor ik besloot bij Sigmund aan te kloppen. Ik wilde hoe dan ook voorkomen weer Joachims en Helmuts pad te kruisen.

Ik klopte zachtjes op de deur, maar er gebeurde niets meer dan eerder op die dag.

Ik besloot harder te kloppen, pakte de deurklink en rammelde er stevig aan. Ik legde mijn oor tegen de deur en ik meende gestommel te horen. Ik klopte nogmaals en fluisterde de naam van Sigmund.

Ik hoorde weer gestommel en ook iets als een zwaar gekreun en ten slotte werd van binnenuit op de deur geklopt.

Ik zette me schrap, nam een aanloop naar de deur en gooide heel mijn gewicht ertegenaan. Hij gaf meteen mee en ik viel de kajuit binnen. Toen ik overeind kwam zag ik Sigmund, vastgebonden aan handen en voeten, op zijn bed liggen. Het was hem gelukt met een van zijn handen tegen de deur aan te slaan en dat was het geklop dat ik had gehoord. Sigmund staarde mij aan en hij uitte vanzelfsprekend een paar krachtige vloeken, die ik half verstond, omdat zijn mond met een prop was gesnoerd en dichtgebonden en er slechts een fluitend geluid uit kwam.

Ik maakte zijn mond vrij en hij hapte naar adem.

'Die vervloekte professor,' riep hij. 'Waar is hij?! Waar is hij, verdomme?!'

Sigmunds hut was een puinhoop. Het was alsof daarbinnen een kleine bom was ontploft. Een cognacfles was op de vloer gevallen en gebroken en de hut was gevuld met de lucht van alcohol. Het bed was verschoven en erachter bleek een valse wand te zitten die open was gemaakt. Flessen alcohol en sigarendoosjes lagen als sprokkelhout op de vloer.

'Wat is dit?' vroeg ik en ik wees op de spullen.

'Wat gaat jou dat verdomme aan!' zei Sigmund woest. 'Waar is de professor?'

'Is dit smokkelwaar?' vroeg ik. 'Is dat een valse wand? Wat is er gebeurd?'

'Gebeurd?! Hij heeft me hierbinnen aangevallen. Me vastgebonden! Dreigde me met van alles en nog wat als ik hem niet over het boek vertelde.'

'Was het hier dat je het verborgen had?' vroeg ik en ik schudde het hoofd over de afgescheiden ruimte in de wand.

'Weet je waar hij is?' vroeg Sigmund, mijn vraag negerend.

'Nee, ik ben hem aan het zoeken. Ik heb hem de hele dag niet gezien. Weet jij waar hij is?'

'Hij viel me aan.'

'En?'

'En hij pakte het boek af,' zei Sigmund. 'Hij heeft het boek van me afgepakt, verdomme! Hij bond me vast en stal het boek van mij!'

Ik maakte de boeien van zijn voeten los en toen bevrijdde ik zijn handen. Hij wreef over zijn polsen.

'Waar is de professor?' vroeg hij, een beetje gekalmeerd.

'Heb je smokkelwaar hier in de hut verstopt?' vroeg ik.

Hij keek me met een onderdanige blik aan.

'Ik ken iemand van de bemanning,' zei hij. 'Ik krijg af en toe deze hut als ik er iets in moet bewaren. Ik betaal er extra voor. De kelner. Hij pakt zijn accijns.'

'En het boek was hier?'

'Ja, het zat hierbinnen in de wand.'

'En de professor heeft het in zijn bezit?'

'Ja.'

'Waar is hij?'

'Weet je dat niet?'

'Nee, ik ben hem aan het zoeken. Zei hij iets tegen je? Wat hij van plan was te doen?'

'Nee, alleen maar dat dit nu voorbij was.'

'Voorbij wat?'

'De zoektocht, de zoektocht was voorbij. Hij heeft het boek in zijn bezit. Hij was klaar met zijn zoektocht. Volgens mij wou hij hier bij mij huilen van blijdschap. Toen vloog hij naar buiten en deed de deur achter zich op slot. Zei dat hij later hier bij mij zou komen kijken, als ik tot kalmte was gekomen. Is er iets van de cognac daar over?'

Ik gaf hem de fles en hij dronk ervan.

'Ik weet niet wat de koper hiervan zal zeggen,' kreunde hij. 'Hij zal niet blij zijn dat het boek hem is ontstolen. Hij heeft ervoor betaald.'

'Wanneer was dat? Wanneer viel hij je aan?'

'Ik denk dat het ergens vannacht is geweest.'

'Vannacht?!'

'Ja, ik heb hier de hele tijd gebonden en gemuilkorfd gelegen.'

Ik ging de gang op en keek in de richting van Joachims hut. Ik kon niet bedenken wat er van de professor was geworden en ik vreesde het ergste. Hij leek zich niet bij de kapitein te hebben aangegeven zoals hij van plan was zodra hij het boek in handen had gekregen. Dan waren Joachim en Helmut onmiddellijk gearresteerd en bij de schoorsteen gezet. Toen de professor afgelopen nacht Sigmund had aangevallen, was Joachim nog niet aan boord. Daarentegen was het niet uitgesloten dat hij in handen van Helmut was gevallen.

'Wat wil je gaan doen?' vroeg Sigmund toen ik weer zijn hut binnenkwam.

'Ik weet het niet,' zei ik.

'Wat met die lui die achter mij aan zitten?' vroeg hij en hij klonk nu hoorbaar angstiger dan toen de professor over hen vertelde.

'Hebben ze geen contact met jou gehad?'

'Nee.'

'Ze zijn hier aan boord,' zei ik. 'Je moet voorzichtig te werk gaan, maar ik ben bang dat ze algauw de interesse in jou verliezen als ze weten dat de professor het boek heeft.'

'Zijn ze zo gevaarlijk als jullie vertelden?'

'Ja, ze zijn gevaarlijk. Moordenaars.'

'Hebben ze Glockner vermoord?'

'Ja. En ze probeerden een andere Duitser ook te vermoorden, Färber.'

'Om het boek in bezit te krijgen?'

'Ja.'

'Is het hen zoveel waard?'

'Ja,' zei ik. 'De grote baas roofde het boek van de professor in de oorlog, raakte het weer kwijt en zijn zoon wil het terug hebben. Hij lijkt al het mogelijke te doen om het weer terug te krijgen. Hij ziet het als zijn eigendom. In dit verband doet een mensenleven er niet toe.'

'Wie zijn die lui?'

'Vervloekte wagnerianen,' fluisterde ik.

Sigmund keek mij niet-begrijpend aan en wilde iets zeggen toen ik hem het zwijgen oplegde. Ik hoorde voetstappen verder op de gang en deed de deur dicht. De voetstappen gingen langs onze hut en toen ik weer opendeed zag ik Helmut de trap omlaaggaan naar het dek. Het schemerde. Ik vroeg Sigmund om in godsnaam alles wat ik had verteld voor zich te houden, ten minste tot ik wist wat er gaande was. Ik drukte hem op het hart voorzichtig te zijn en dat hij zich het beste tussen grote groepen mensen op kon houden. Toen ging ik op een afstandje achter Helmut aan.

Hij was omlaag naar het dek gegaan, leunde op zijn gemak over de reling en staarde naar de zee. Er waren weinig mensen op het dek en hij glipte langs het achterruim in de richting van de achterplecht, waar de tweede klasse was gelegen. Ik zorgde ervoor dat hij mij niet zag en ik was alert of Joachim niet in Helmuts kielzog zou volgen en zelfs de oude man die die ijzige kreet uitstiet toen ik in de spiegel keek.

Toen Helmut zich zeker waande dat niemand hem zag, schoot hij tot mijn verrassing een dekhut binnen en deed de deur achter zich dicht. Het duurde ongeveer tien minuten tot Joachim vanaf de trap van de eerste klasse verscheen en het spelletje herhaalde. Hij leunde in alle rust over de reling, keek een tijdje uit over zee en ging heel langzaam over de achterplecht tot hij bij de dekhut was gekomen. Toen hij dacht dat niemand hem zag schoot hij daar naar binnen, precies zoals Helmut.

Ik wachtte erop dat ze zich weer lieten zien en brak me het hoofd wat ze aan het doen waren. Ik nam niet het risico ze achterna te gaan, maar wachtte geduldig af wat er ging gebeuren. Ik had geen idee waar ze mee bezig konden zijn in dat hutje dat achter op het dek van de Gullfoss stond. Het was niet groter dan een buiten-wc en het mat amper twee bij een.

Ruim een uur verstreek voordat er weer enig teken van hen kwam. De gasten van de eerste klasse kwamen van de eetzaal terug. Geroezemoes drong door in de avondschemer. Iemand speelde de nieuwste popsong op de piano. De mensen druppelden vanuit de eetzaal het dek op en ze stonden daar te proosten en met een zwaai naar achteren gooiden ze hun glazen in zee. De deur van de kleine dekhut ging open en Joachim verscheen in de opening. Hij liep rechtstreeks omhoog naar de gang van de eerste klasse. Tien minuten later kwam Helmut eruit, die dezelfde weg op ging.

Ik liet geruime tijd verstrijken voor ik me naar de dekhut waagde. Ik maakte voorzichtig de deur open. Het eerste wat ik duidelijk zag was allerlei troep op de vloer, verroeste kettingen en verfspullen, emmers en kwasten. Ik deed de deur achter me dicht en raakte met de punt van mijn voet een deksel dat op de vloer lag. Ik tilde het op en zag een mangat naar beneden in het ruim. Ik klauterde voorzichtig de ladder af en legde het deksel weer op zijn plek. Een kaal peertje verlichtte een gedeelte van het ruim. Ik fluisterde de naam van de professor en legde mijn oor te luisteren. Er was niets te horen.

Ik ging voetje voor voetje vooruit langs kisten met conservenblikken en zakken meel en suiker tot ik in het binnenste van het ruim kwam. Het was bijna stikdonker.

Ik legde mijn oor te luisteren en hoorde een zwak gekreun.

'Ben je daar?' fluisterde ik.

Het gekreun werd luider.

Ik kwam dichterbij en werd een vormeloze hoop op de grond gewaar en ik onderscheidde de onduidelijke contouren van een man. Ik boog me voorover. Ik had de professor gevonden. Hij lag tegen een stapel zakken met een lap voor zijn mond en was aan handen en voeten gebonden, bijna zoals hijzelf Sigmund had vastgebonden.

Ik nam zijn muilband af.

'God zij geprezen!' kreunde hij, happend naar adem. 'Maak me los voordat ze komen. We moeten weg zien te komen. Joachim is aan boord! En Helmut!'

'Ik weet het. Ik heb ze gezien. Heb je het boek?'

'Snel. Maak me los.'

Ik worstelde met de knopen. Ze waren stevig aangetrokken en ik kreeg er nergens greep op om ze los te maken. Het hielp ook niet dat ik nog nooit van mijn leven zo wanhopig en nerveus was geweest. Ik stuitte op iets in het donker en ik ging bijna onderuit. Het was de stok van de professor.

'Waar ben je geweest?' vroeg de professor.

'Geweest? Ik heb je de hele dag lopen zoeken! Wat heb jij uitgespookt?'

'Ik had Sigmund onder handen genomen toen ze mij te pakken kregen,' zei de professor. 'Sigmund had het boek in zijn hut verstopt. Vlak voor onze neus. Ik was op weg naar de kapitein.'

'Joachim kwam in Schotland aan boord,' zei ik heel snel. 'Ze zitten samen in één hut, hij en Helmut. En er is ook een man bij ze, een walgelijke vent met zwarte ogen. Hij zag mij! Ze zaten me achterna en...'

'Wacht even, Valdemar, niet zo snel. Wat zag je?'

'Wie is die oude man bij hen?' vroeg ik. 'Ze zitten met z'n drieën samen in één hut. Ik had maar twee van hen gezien, maar ze hadden drie borden en ik dacht dat ze jou bij zich in hun hut hadden, dus ik ging langs de scheepswand omlaag naar de patrijspoort...'

'Kalm aan, Valdemar. Naar de patrijspoort?'

'En toen zag ik dat ze niet met jou waren, maar dat een oude vent bij ze was.'

Ik vertelde hem hijgend en puffend wat ik had gedaan, hoe ik aan de buitenkant van het schip had gebungeld en bij hen naar binnen in de hut had gekeken.

'Ze hebben het kwarto!' zei ik, me opeens het allerbelangrijkste herinnerend. 'Hier aan boord! Ze hebben het verloren kwarto bij zich.'

De professor staarde mij aan.

'Wat zeg je?!'

'Ik zag het bij hen in de hut. Het verloren kwarto. Het lag bij de oude man. Hij hield het vast. Het was het verloren kwarto!'

'Is het mogelijk?' kreunde de professor.

'Het was het verloren kwarto,' herhaalde ik. 'Ze hebben het bij zich.'
'We moeten het zien te krijgen, Valdemar. Kun je het niet losmaken?'
'Nee, het gaat niet. Verrekte knopen zijn het!'
'Heb je geen mes bij je?'
'Nee.'
'Wie was die derde man bij hen? Wat bedoel je? Wie was dat?'
'Hij had een grote haviksneus, ingevallen wangen en zwarte ogen. Ik zweer dat ze zwart waren. Ik heb nog nooit zoiets griezeligs gezien, en toen keek hij naar mij in de spiegel.'
Ik merkte dat de professor verstijfde.
'Wie is het?' vroeg ik.
'Zou het waar kunnen zijn...'
De professor zweeg.
'Wat? Wie?'
'De oude Von Orlepp,' fluisterde hij.
'Von Orlepp... Joachims vader? Moet hij niet dood zijn?'
'Niet als hij aan boord van dit schip is.'
'Joachim kwam mee met een groep journalisten, maar ik had Helmut of de oude man niet gezien.'
'Ze kunnen in Kopenhagen of in Leith aan boord zijn gekomen en wij hebben het niet in de gaten gehad. Ze hebben ontdekt dat Sigmund van plan was naar IJsland te varen en hebben geweten van de stop in Leith. Ze zijn vermoedelijk naar Edinburgh gevlogen en hebben daar op het schip gewacht.'
'Denk je dat de oude Von Orlepp vanwege het boek uit zijn schuilplaats is gekomen?'
'Ik weet het niet, maar naar je beschrijving te oordelen kan het niemand anders dan hij zijn. We moeten het kwarto van ze af zien te pakken. Ik ben bang dat...'
De professor zweeg. Ik was aan het duister gewend geraakt en zag zijn bezorgde blik. Hij was in het gezicht geslagen, zijn lippen waren gesprongen en hij had uit zijn neus gebloed.
'Wat hebben ze met je gedaan?' vroeg ik.
'Ze weten dat ik het boek heb.'
'Je hebt ze niets verteld?'
'Ik weet niet hoe dit afloopt, Valdemar,' zei de professor bezorgd. 'We kunnen niet meer naar de kapitein gaan. We moeten eerst het kwarto van hen te pakken krijgen. Ze kunnen het vernietigen als ze weten dat de bemanning achter hen aan zit.'
'Ik ben zeker dat het allemaal goed afloopt,' zei ik geruststellend, maar ik geloofde mijn eigen woorden niet. Ik ging als een gek tekeer met de knopen. De blik van de oude man bleef op mijn netvlies gebrand. De zwarte ogen in

de spiegel en de hand die naar mij wees alsof ik ter dood veroordeeld was.
'Wat is er gebeurd?' vroeg ik. 'Hoe kregen ze je te pakken?'
'Ze pakten me volkomen onverwacht.'
'Hoe?'
'Het was Helmut. Hierboven op het dek. Hij is gewapend. Pas op voor hem, Valdemar. Ze moeten van dit ruim af geweten hebben. Ik was op weg naar de kapitein. Ik wilde hem alles vertellen en hem dan het boek overhandigen, zoals we hadden besproken.'
'Zijn ze meteen met je naar beneden gegaan?'
'Ja, het was alsof ze het goed hadden voorbereid. Ik kon niets doen.'
'Waar is het boek?'
Ik merkte dat het me uiteindelijk was gelukt greep op de knopen te krijgen.
'Stop!' fluisterde de professor.
Ik stopte met wat ik aan het doen was.
We legden beiden ons oor te luisteren. Iemand kwam beneden in het ruim.
'Verberg je!' siste de professor. 'Doe mijn muilband weer voor! Snel, snel!'
Ik deed wat hij zei en dook vlug achter een stapel kisten juist op het moment dat Joachim en Helmut bij de professor verschenen. Ik probeerde me zo min mogelijk te verroeren, durfde nauwelijks adem te halen, durfde me niet te bewegen.
'Zo, dat zit erop,' hoorde ik Joachim zeggen.
Ik verschoof een klein stukje naar de hoek van de stapel kisten en tuurde naar de plek waar de professor tegen een meelzak lag. Joachim en Helmut stonden voor hem. Helmut boog zich voorover en haalde de lap van de mond van de professor. Er glom iets in zijn hand. Ik dacht dat het een pistool was. Joachim had een zaklamp in zijn hand.
'Mijn vader zegt dat je liegt,' zei Joachim. 'Hij zegt dat we alle mogelijke middelen moeten gebruiken om jou zover te krijgen ons te vertellen waar je het Koningsboek hebt verborgen. We weten dat het hier aan boord is.'
De professor zweeg.
'Helmut is ooit timmerman geweest,' ging Joachim verder. 'Hij weet met allerlei gereedschap om te gaan.'
Helmut glimlachte.
'Hij is vooral handig met de knijptang,' zei Joachim.
Ik keek weer naar wat Helmut in zijn hand had. Het was geen pistool maar een knijptang die hij vasthad, en ik vroeg me af wat hij in hemelsnaam daarbeneden in het ruim met een knijptang van plan was.
'Je maakt mij niet bang,' zei de professor.
'We zullen zien,' zei Joachim. 'Zien hoe hard je bent.'
De professor keek hen beurtelings aan en vervolgens naar de knijptang in Helmuts hand.

'Kun je tegen hevige pijn?' vroeg Joachim.

De professor gaf hem geen antwoord.

'Wat denk je dat een deskundig timmerman als Helmut met zo'n stuk gereedschap kan doen?'

'Hij kan het in zijn reet steken,' zei de professor.

Helmut schopte hem uit alle macht in zijn zij. Ik hoorde de professor kreunen.

'Ik denk niet dat het verstandig is Helmut kwaad te maken,' zei Joachim kalm alsof er niets aan de hand was. 'Vooral niet als je aan handen en voeten gebonden bent.'

Hij knielde naast de professor neer.

'Ik kan weer je muilband voordoen, maar ik hoor je graag schreeuwen,' zei hij en zijn stem klonk ondraaglijk onverschillig.

Helmut greep de handen van de professor en rukte aan het touw dat ik zonder succes had geprobeerd los te maken. De professor wentelde op de vloer van het ruim tot zijn rug de Duitsers was toegewend. Ik begreep niet wat Helmut wilde en aanvankelijk dacht ik dat hij de handen van de gevangene wilde losmaken. De professor balde zijn vuisten, maar Helmut sloeg er met zijn knijptang op. Ik realiseerde me dat de professor probeerde zijn vingers te sparen door ze in zijn vuisten te verbergen. Opeens begreep ik wat hier gaande was. Het lukte Helmut de pink van de professor los te krijgen en hij klemde de knijptang eromheen. Toen keek hij op naar Joachim.

'Zeg me wat je met het Koningsboek hebt gedaan!' beval Joachim.

'Ik heb het niet,' zei de professor.

'Waarschijnlijk heb je het wel,' zei Joachim.

Hij trok de professor aan de haren.

'Zeg me waar het is.'

'Sigmund heeft het boek nog steeds,' zei de professor.

'Dat heb je al geprobeerd,' zei Joachim. 'We komen van hem vandaan. Hij zegt dat je bij hem in zijn hut bent geweest, de valse wand hebt gevonden en het boek hebt meegenomen. Het lijkt mij dat hij de waarheid vertelt. Zijn hut zag er bepaald niet fantastisch uit.'

'Hij liegt.'

De professor probeerde tijd te winnen. Ik zou geprobeerd hebben uit het ruim te geraken om hulp te halen als dat op de een of andere manier mogelijk was geweest zonder dat ze mij ontdekten.

Joachim knikte naar Helmut.

Helmut verstevigde zijn greep op de knijptang. Ik zag dat de vinger begon te bloeden.

De professor schreeuwde het uit. Ik dwong mezelf stil te zijn.

'Waar is het boek?' vroeg Joachim.

Helmut keek hem aan. Het was alsof hij niet kon wachten om de vinger eraf te knippen.

Joachim glimlachte tegen de professor.

'Waar is het boek?'

De professor kon vanwege de helse pijn nauwelijks uit zijn woorden komen.

'Waar is het boek?' vroeg Joachim nogmaals.

'Krijg de kolere!' siste de professor.

Joachim knikte naar Helmut, die weer zijn greep op de knijptang verstevigde.

De professor schreeuwde.

Ik hield het niet meer uit en stond op van achter de stapel kisten.

Helmut stond op het punt de vinger eraf te knippen toen ik schreeuwend op hem afrende en hem uit alle macht in zijn gezicht trapte. Joachim sprong op. Helmut gaf geen krimp. Hij schudde zich los en kwam overeind. Ik stond als verlamd vlak voor hem.

'Valdemar!' riep de professor.

Helmut hief zijn hand op en sloeg met de rug van zijn hand zo hard in mijn gezicht dat ik in de stapel kisten belandde. Hij kwam naar me toe en ramde uit alle macht zijn vuist in mijn gezicht.

De pijn was ondraaglijk. Het werd zwart voor mijn ogen. Toen viel ik flauw.

XXV

Hadden we iets anders kunnen doen? Tot op heden knagen die twijfels nog steeds aan mij.

Onze situatie was hopeloos. De professor had in zijn leven vaker in ongelijke situaties verkeerd zonder toe te geven, maar hij kon moeilijk verwachten deze lui de baas te worden, die gewetenloze beulen. Toch zag ik hem nooit verbleken. Zelfs niet daarbeneden in het ruim van de Gullfoss, toen alle hoop vervlogen leek. Zijn wil om te leven en te vechten was bewonderenswaardig. Hij wist hoe het mij verging en hij probeerde mij moed in te spreken, probeerde mij de situatie te laten begrijpen waarin hij was beland en te laten merken dat hij een tweede keer voor deze lui niet zou opgeven, ongeacht hoe alles zou lopen.

Zelf was ik bijna verlamd van angst. Dit was allemaal zo vreemd en gevaarlijk. Ik had nog nooit in mijn leven een pistool gezien, laat staan aangeraakt, en ik had geen flauw idee wat je ermee moest doen. Ik merkte hoe rauw de angst in mijn bewustzijn sijpelde tot ik er bijna gek van werd.

Toen ik bij bewustzijn kwam, lag ik aan handen en voeten gebonden tegen de professor aan bij de meelzakken.

'Is alles in orde met je?' fluisterde hij. 'Ik zie niets in deze duisternis.'

Ik herinnerde me wat er gebeurd was, herinnerde me de klem van de knijptang om de vinger van de professor en de klap die ik kreeg.

'Zijn ze weg?' vroeg ik bang.

'Ja, maar ze komen gauw weer terug.'

'Heb je ze over het boek verteld?'

'Nee, nog steeds niet.'

'Hoe is het met je hand?'

'Met mij is alles in orde, beste Valdemar. Hoe is het met jou? Heb je geen hoofdpijn?'

Mijn gezicht gloeide na de klap.

'Waar zijn ze naartoe?'

'Ik heb geprobeerd tijd te winnen.'

'Wat heb je gedaan?'

'Ik heb ze op een dwaalspoor gebracht. Eerst naar Sigmund. Nu stuurde ik ze weer met een kluitje in het riet. Ze komen gauw weer terug en ik ben bang dat ze dan geen genade zullen tonen.'

'Je hebt het boek, nietwaar?'

'Jawel.'

'Je moet het hun geven.'

'Niet zolang ik leef, Valdemar. Dat is dan maar zo. Ze zullen dat boek niet van mij krijgen.'

Ik woog zijn woorden zorgvuldig. Ik heb altijd geloofd dat hij bereid was voor het Koningsboek te sterven.

'Wil je mij vertellen waar het is?'

'Het is het beste als je zo min mogelijk weet.'

Ik dacht na over wat hij zei. Hij had gelijk. Ik zou de verhoormethodes die Joachim en Helmut toepasten niet doorstaan.

'Maar maakt het soms iets uit?' vroeg ik bezorgd. 'Er is veel voor te zeggen dat ik iets weet.'

'Maak je niet zo'n zorgen, vriend.'

Mijn gezicht deed pijn. Ze zouden gauw weer komen en we hoefden niet op iets goeds te hopen. Ik zag de knijptang in Helmuts hand voor me.

'Misschien moet je ze vertellen waar het boek is,' zei ik aarzelend.

'Dat kan ik niet,' zei de professor.

'We kunnen het misschien later van ze afpakken.'

'Ik ben bang dat ze ons niet de kans geven later iets te doen.'

Ik peinsde over zijn woorden en het drong tot me door dat ons leven in de handen van die lui lag. Ik had onze situatie niet eerder zo ingeschat tot ik hoorde wat de professor zei. Hij deed alsof er niets aan de hand was. Alsof hij al een besluit had genomen.

'Bedoel je...'

'Ik denk dat ze niet van plan zijn getuigen achter te laten.'

'Maar...'

Ik zweeg en bedacht hoe hopeloos onze situatie was.

'Ik weet dat dit moeilijk is, beste Valdemar,' zei de professor.

'Je denkt dat het niets uitmaakt of je hun het boek geeft?' zei ik.

'Nee.'

'Wat kunnen we doen?'

'We kunnen proberen moedig te zijn.'

'Moedig? Ik denk niet dat ik zo moedig ben.'

'Je kwam mij te hulp.'

'Ze wilden je vinger afsnijden.'

'Desalniettemin, jij viel hen aan. Ik heb altijd geweten dat je lef had.'

'Lef,' herhaalde ik wanhopig.

'Denk aan *De ballade van Atli*,' zei de professor.

'*De ballade van Atli*?'

'Herinner je Gunnar en Högni. We moeten proberen net als zij te denken.'

Ik haalde me het verhaal van Gunnar en Högni voor de geest. De professor wilde dat wij hun voorbeeld zouden volgen en laten zien hoe onverschrokken wij waren. Geloofde hij werkelijk dat ik mijn dood met een glimlach op mijn lippen tegemoet zou zien? Was hij bereid mij de dood in te sturen? Was hij bereid mij op te offeren?

'Toch heb je het boek gevonden,' zei ik.

'Ja, ik heb het boek gevonden. Je had erbij moeten zijn, Valdemar. Er is een reden dat Sigmund altijd in dezelfde hut reist. Het was niet moeilijk de valse wand te vinden, en daar lag het boek. Ik hield het voor het eerst in tien jaar in mijn handen. Het was met geen pen te beschrijven. Het was heel. Het was in goede staat gebleven. Er was niets mis mee. Het was in al die tijd niet beschadigd geraakt. Het was alsof ik het gisteren op de plank had gezet.'

Ik feliciteerde hem. Ik wist niet wat ik anders moest doen. Het was hem ten slotte gelukt het Koningsboek te vinden. Of hij er ooit van kon genieten was een andere zaak. Hij moest het uiteindelijk aan Von Orlepp overhandigen. Onze situatie was hopeloos.

'Valdemar, ik...'

De professor aarzelde.

'Wat?'

Hij zweeg. Het was alsof hij overwoog of dit het juiste moment was om iets te vertellen of dat hij het nog een tijdje moest uitstellen.

'Er is iets wat ik je nog moet vertellen en ik wil het doen voor het te laat is,' zei hij.

'Wat dan?'

'Is alles in orde met je?'

'Nee... eigenlijk niet. Hoe is het met je vinger?'

'Die is in orde. Het bloedt niet zo erg meer.'

'Deed het geen pijn?'

'Jawel, behoorlijk.'

'Wat moest je me nog vertellen?'

'Ik... ik wil je graag bedanken. Je bedanken dat je aan mijn zijde hebt gestaan bij al deze beproevingen.'

Zijn stem klonk serieus.

'Je hoeft mij niet te bedanken,' zei ik.

'Jawel, Valdemar. Ik weet dat ik een beetje bruusk was toen je de eerste keer bij mij kwam. Ik hoop dat je het mij vergeeft. Ik had je misschien beter moeten ontvangen.'

'Ik hoef je niets te vergeven.'

'Ik had misschien niet je aanbevelingsbrief uit het raam moeten gooien.'

Ik glimlachte in mezelf.

'Het was misschien niet zo'n belangrijke brief. Je hoeft je niet te verontschuldigen. Het...'

'Ja?'

'Het is voor mij een bijzondere eer geweest je te mogen begeleiden,' zei ik.

Hij zweeg.

'Een heel bijzondere eer,' zei ik.

'Dank je, Valdemar. Het doet me plezier dat te horen. Je bent me goed van pas gekomen. Beter dan ik verwachtte.'

We zwegen een lange tijd.

'Ik hoop dat je verdergaat met je studie,' zei hij. 'Ik hoop dat ik je er niet van heb weggejaagd.'

'Nee, dat heb je niet gedaan.'

'Je weet hoe ik erover denk,' zei de professor. 'Er is niets belangrijkers dan onze manuscripten. Niets. Je zult je dat herinneren en het begrijpen.'

'Ik zal dat altijd beseffen.'

'Jij moet jouw deel doen om in de toekomst voor het Koningsboek te zorgen.'

'Ik zal mijn best doen.'

'Ik weet dat je dat doet.'

Het gedreun van ver weg uit de machinekamer van het schip en het rustige gerol kalmeerde me een beetje, maar toch was ik bang en bezorgd hoewel ik het niet tegen de professor zei.

'Wat moeten we doen?' vroeg ik na een lange stilte.

'Doen?' zei de professor en hoewel ik het niet duidelijk kon zien merkte ik dat hij glimlachte. 'We kunnen weinig doen. Het hangt van hen af. Maar dit is niet afgelopen, Valdemar. Dit is niet afgelopen. Verre van dat.'

'Waar is het boek?'

'Het is dichter bij ons dan je denkt,' zei de professor. 'Denk je wel eens na over de dood, Valdemar?'

'Niet zo vaak. Behalve nu misschien.'

'Ben je bang voor de dood?'

'Niet meer dan iemand anders, denk ik. Waarom vraag je me dat?'

'Je zag wat ze met Glockner hebben gedaan.'

'Ja.'

'Die lui deinzen voor niets terug.'

'Ja, ik weet het.'

'Je zou niet over de dood na hoeven denken. Hij komt gauw genoeg. Zelfs voor een ouwe knakker als ik die een lang leven heeft mogen leven. Voor je het weet ben je vertrokken, verdwenen, dood. De wereld blijft doordraaien.

Zij vergaat niet. Berlijn blijft op zijn plek. Kopenhagen ook. En IJsland. Maar jij en ik zullen allang zijn verdwenen en er zal op de wereld geen levende ziel zijn die zich herinnert dat wij ooit op deze aarde liepen. Je bent jong en ik weet dat je denkt dat het nooit gebeurt, maar ik kan je vertellen dat de dood op een gegeven moment komt, zelfs al heb je het geluk heel oud te worden. Eén moment, Valdemar! En een moment later is er vijfhonderd jaar verstreken vanaf het moment dat je op de wereld werd gezet. Het Koningsboek zal het overleven. Het overleeft ons allemaal. Wij zijn het niet die het levend houden. Het is het boek dat ons levend houdt. Het is ons vervolgleven. Het is ons verhaal en ons bestaan in het verleden, het heden en de toekomst. Het heeft de eeuwen overleefd en het zal vele eeuwen langer leven. Het heeft hele wereldrijken zien komen en gaan, wereldoorlogen die hebben gewoed, het heeft ellende en de technologische vooruitgang overleefd; in zijn tijd voer Columbus naar Amerika en nu zijn er mensen die erover praten het heelal in te gaan. Op een dag zullen ze op de maan landen en het Koningsboek zal ook daarvan getuige zijn, omdat het ons verhaal is, het verhaal van de aarde en het verhaal van de tijd.'

De professor haalde diep adem.

'Het is de tijd zelf, Valdemar. Ons arme aardse bestaan doet er niet toe in vergelijking met het Koningsboek. Wij zijn slechts zijn hoeders.'

Een lange stilte volgde op zijn woorden.

'Ik wil dat je dat in gedachten houdt, hoe alles ook verloopt,' zei hij.

'Je bent dus niet van plan ze het boek te geven?' vroeg ik.

'Dat kan ik niet,' zei de professor. 'Dat kan nooit gebeuren.'

'Maar als... als het leven ervan afhangt?'

De professor zweeg.

'Het spijt me, Valdemar,' fluisterde hij. 'Het gebeurt niet. Ik zal die lui nooit het Koningsboek in handen geven. Ik zal eerder sterven.'

'En ik ook.'

'Ik hoop dat je het begrijpt, Valdemar. Ze krijgen het Koningsboek niet.'

Het was toen dat ik me het college op de universiteit van IJsland over het Koningsboek herinnerde, toen het heldenlied van Gunnar en Högni uit de *Edda* werd besproken. De woorden van dr. Sigursvein bekropen me steels daarbeneden in het ruim, over de helden die altijd kerels waren en die in de situatie waren beland dat hun slechts twee keuzes restten, beide even slecht. Ik kan nauwelijks mijn ontzetting beschrijven toen ik besefte dat onder dergelijke omstandigheden de helden vaak dingen deden die hun ondraaglijk verdriet zouden bezorgen.

XXVI

Op dat moment hoorden we voetstappen en algauw stonden ze opnieuw voor ons, Joachim en Helmut. Een grijns speelde om de lippen van Joachim.

'Mijn vader zegt dat er maar één manier is om jullie te breken,' zei hij.

'Och,' zei de professor sarcastisch. 'Hebben jullie niets gevonden?'

'Het heeft er nooit gelegen,' zei Joachim grijnzend. 'En nu is dit spelletje van jou afgelopen.'

'Wat hebben jullie met Sigmund gedaan?'

Joachim haalde de schouders op.

'Misschien heeft ie een ongeluk gehad. Misschien viel hij overboord. Je weet nooit wat er op zee gebeurt.'

'Hebben jullie het kwarto mee aan boord genomen?' vroeg de professor.

'Mijn vader kan er niet van scheiden.'

'Hij is dus in leven?'

'Hij mist Europa,' zei Joachim. 'Kon niet tegen de ballingschap in Zuid-Amerika. Dus we haalden hem daarvandaan, eerst naar Italië en nu woont hij in Duitsland, aan de grens met Zwitserland.'

'De ouwe schijtzak,' zei de professor.

'Hij kijkt er ook naar uit jou weer te zien.'

'De knul heeft het kwarto bij ons gezien?' vroeg Joachim en hij knikte in mijn richting.

'Sta me toe met je vader te praten,' zei de professor.

'Vertel ons wat je met het boek hebt gedaan.'

'Zeg hem dat ik hem wil ontmoeten,' zei de professor.

'Dat heeft geen zin.'

'Wees daar niet zo zeker van.'

'Wat wij niet begrijpen is waarom dat joch niet naar de kapitein is gegaan,' zei Joachim terwijl hij mij aankeek. 'Hij had het meteen moeten doen toen hij zag dat wij aan boord waren. We zaten erop te wachten dat de mannen van de kapitein ons een bezoekje zouden brengen. Waarom hebben ze dat niet gedaan?'

Hij richtte zich tot mij, maar ik gaf hem geen antwoord.

'Waarom niet?' herhaalde hij. 'Waarom die besluiteloosheid? Je had makkelijk hulp kunnen krijgen. Je zou kunnen stellen dat we op IJsland zijn. Deze lekke schuit is IJsland!'

Joachim keek weer de professor aan.

'Wat was je van plan met het boek te doen?'

'Het weer naar Denemarken brengen. Op een dag gaat het dan naar IJsland.'

'Het was op weg naar IJsland.'

'Niet op de juiste manier,' zei de professor.

'Niet op de juiste manier,' kwaakte Joachim. 'Waarom zegt de knul niets tegen ons? Wat voor obstructie plegen jullie?'

De professor gaf hem geen antwoord.

'Jij hebt ook je geheimen, nietwaar?' zei Joachim.

De professor zweeg.

'Je wilt niemand iets over het boek vertellen,' zei Joachim verwonderd, alsof hij tot een opmerkelijke ontdekking was gekomen die vlak voor zijn neus lag maar die hem pas nu was opgevallen.

De professor gaf hem geen antwoord.

'Je staat hierin helemaal alleen! Je schaamt je op de een of andere manier voor dat boek. Omdat het van je is gestolen. Je hebt niemand erover verteld, nietwaar?'

De professor zweeg.

'Daarom hebben wij het met rust gelaten. Ik begreep pas waarom we niet onmiddellijk gearresteerd waren toen ik dat joch daar aan de buitenkant van het schip zag hangen. Hij wist van onze aanwezigheid aan boord af, maar hij liet het niemand weten.'

'Hoe zit het met Färber?' vroeg de professor, die Joachims gedachten probeerde af te leiden. 'Hoe heb je hem gevonden?'

Joachim fluisterde iets tegen Helmut, die mij vervolgens bij de schouders pakte en optilde. Ik kwam op mijn verstijfde voeten overeind en hij duwde me naar waar Joachim stond.

'Jullie twee zijn als Hans en Grietje,' zei Joachim. 'Laten overal waar jullie heen gaan broodkruimels achter. Natuurlijk zaten we jullie achterna. Precies zoals we jullie achternazaten naar Schwerin. Ik stond in contact met mijn vader en toen hij wist dat jullie uiteindelijk naar Herr Färber waren gegaan, zei hij mij met hem te gaan praten. Ze kenden elkaar van de oorlog. Helmut ging alleen te ver toen hij tegenstand bood.'

'Hij heeft jullie over Glockner verteld?'

'Wij boden hem aan te helpen nadat Helmut zijn zelfbeheersing verloor, als hij ons vertelde wat we wilden weten. We vroegen hem over jouw bezoek, en voor hij het bewustzijn verloor zei hij dat hij jullie naar Glockner had verwezen. Hij zei dat Herr Glockner waarschijnlijk het Koningsboek had en ermee speculeerde. We kwamen alleen te laat. En Herr Glockner was niet zo mak en coöperatief als Herr Färber. We moesten de informatie over de koper en hoe deze van plan was weer naar IJsland te reizen letterlijk uit hem wringen.'

'Heb jij ons uit de gevangenis in Schwerin vrij gekregen?'

'Ja. Wij wisten dat als er íémand was die het Koningsboek zou vinden, jij het was. Dat bleek ook zo te zijn. Je hebt ons een onschatbare dienst bewezen.'

'Hoe is Erich het kwijtgeraakt?'

'Ik weet waar jij mee bezig bent,' zei Joachim. 'Je probeert tijd te winnen. Je probeert een oplossing te vinden voor de problemen waarin je verzeild bent geraakt.'

'Ik ben alleen maar nieuwsgierig,' zei de professor. 'Ik ben nieuwsgierig naar alles wat met dat boek te maken heeft.'

'Hij wou het in Berlijn verkopen, maar slechts weinigen wilden met hem zakendoen. Mijn vader bewaarde het in zijn koffer en het werd van hem gestolen in een van de schuilkelders toen de bombardementen het hevigst waren. Hij heeft het bij antiquariaten in heel Berlijn gezocht. Hij had andere boeken bij zich die hij probeerde te verkopen, maar hij was op de vlucht en had veel dingen aan zijn hoofd. Toen grepen de Russen hem. Hoe is het in handen van Herr Glockner beland?'

'Het was een arbeider die het uiteindelijk heeft gevonden. In de ruïnes van een huis. Het lag een paar jaar bij hem thuis, het waardevolle boek. Hij stierf en zijn vrouw probeerde datgene wat ze bezat, onder andere het boek, te verkopen. Zij kende Glockner en wist dat hij boekenverzamelaar was.'

'Het heeft een zwerftocht gemaakt, dat boek.'

'Dat kan je wel stellen.'

'En waar is het nu?' vroeg Joachim.

'Sta me toe met je vader te praten,' vroeg de professor nogmaals.

Joachim keek naar Helmut en toen naar mij.

'Schiet hem neer,' beval hij Helmut totaal onverschillig.

'Nee!' schreeuwde de professor.

Helmut haalde het pistool tevoorschijn en richtte het op mijn hoofd.

'Mijn vader wist dat je hiervoor zou vallen,' zei Joachim glimlachend terwijl hij omlaag naar de professor keek.

'Laat hem met rust!' zei de professor.

'Zeg me waar het boek is.'

De professor keek mij in de ogen.

'Wees moedig,' zei hij.

Ik durfde me niet te verroeren. Ik keek tersluiks naar Helmut, die het pistool een paar centimeter van mijn hoofd hield. Zijn vinger kromde om de trekker. Ik keek weer naar de professor, die hulpeloos op de grond bij de meelzakken lag. Ik herinnerde me wat hij zei over Emma in het Shell-gebouw toen ze haar leven in zijn handen legden.

'Zeg me waar het boek is,' zei Joachim.

'Laat hem gaan,' zei de professor.

'Helmut,' zei Joachim.

Helmut ging een stap van mij af staan met het pistool opgeheven.

Joachim draaide zich naar mij toe.

'Schiet hem dan neer!' riep de professor. 'Maar wees zeker dat je maar één schot nodig hebt.'

Joachim keek omlaag naar hem.

'Zeg je mij hem neer te schieten?'

'Doe het niet,' fluisterde ik.

'Aarzel niet,' zei de professor. 'Ik wil dat je mij ook neerschiet. Precies zoals hem. In het hoofd!'

Joachim staarde de professor aan. De tranen liepen langs mijn wangen. Ik probeerde moedig te zijn zoals de professor wilde, maar dat is moeilijk met de loop van een pistool bij je hoofd. Ik trilde van angst en ik verwachtte elk moment dat mijn benen het zouden begeven. Het liefst wilde ik mezelf op de vloer werpen en om genade roepen.

'Wat bedoel je, man?' vroeg Joachim.

'Schiet hem neer!' riep de professor en hij kwam met veel krachtsinspanning overeind. 'Mij kan het namelijk geen bal schelen! Schiet die student neer!'

Ik zag dat de professor meende wat hij zei.

'Nee!' riep ik. 'Zeg dat niet!'

Helmut staarde naar de professor, toen naar Joachim, en wachtte op een bevel.

'Je krijgt het nooit over het boek te weten,' zei de professor. 'Nazituig! Schiet ons allebei neer! Snij ons hart eruit en we zullen je uitlachen!'

Joachim staarde hem aan. Het was de professor gelukt hem even uit zijn evenwicht te brengen. Helmut keek hen om beurten verbijsterd aan.

Op dat moment hoorden we het deksel over het trapgat schuiven en een paar mensen beneden in het ruim komen. Ik wilde om hulp schreeuwen, maar Helmut deed zijn hand voor mijn mond en trok me mee achter de stapel zakken. Joachim deed hetzelfde met de professor en hij maakte de zaklamp uit die hij in zijn hand had. We stonden zij aan zij en konden ons niet verroeren.

Ze waren met z'n tweeën, degenen die beneden in het ruim kwamen. Ik zag ze niet, maar hoorde ze tegen elkaar fluisteren. Ze tastten onze richting op en verdwenen toen tussen de meelzakken. Er verstreek een tijdje tot we gerammel van flessen hoorden. Ik vroeg me af of ze naar hun smokkelwaar kwamen kijken, misschien haalden ze een of twee flessen. Een van de twee bulderde van het lachen. Na een paar minuten waren ze klaar met hun klusje en ze gingen weer in de richting van de trap. Ik probeerde een manier te zoeken om me te bevrijden uit Helmuts wurgende greep en de aandacht op me te vestigen, maar hij was zo sterk als een os en ik kon me helemaal niet verroeren. We hoorden dat het deksel voor het trapgat werd getrokken.

Toen gebeurde het volgende.

Het was me gelukt de knopen die om de handen van de professor waren gebonden een beetje los te krijgen, en op de een of andere manier had hij ze verder los kunnen maken en ten slotte wist hij zijn handen te bevrijden. Het volgende dat ik merkte was dat hij Joachim in zijn nek had gegrepen, en ze vochten als leeuwen op de vloer van het ruim. Helmut lette even niet op en wilde Joachim te hulp komen, maar ik trapte hem uit alle macht in zijn maag. Helmut gaf absoluut geen krimp en draaide zich verbaasd naar me om. Joachim had een pistool weten te grijpen dat hij uit de zak van zijn jas had gehaald. Hij stond op het punt het op de professor te richten toen ik schreeuwde: 'Pas op! Hij heeft een pistool!'

De professor liet zijn nek los en greep op hetzelfde moment het wapen, dat plotseling op mij en Helmut was gericht.

Een schot ging af.

Ik zag tot mijn verwondering dat Helmut ineenzakte en op de grond viel.

Joachim staarde stomverbaasd naar hem. De professor griste het pistool van hem weg. Ik krabbelde overeind en de professor deed hetzelfde. Joachim lag nog steeds op de vloer en staarde naar Helmut alsof hij zijn eigen ogen niet geloofde.

'Is hij dood?' vroeg de professor.

'Ik geloof van wel,' zei ik.

Een bloedplas vormde zich onder Helmuts hoofd. Joachim stond rechtop zonder zijn blik van hem af te wenden. De professor had het pistool in zijn hand, maar richtte het nergens speciaal op.

Joachim boog zich voorover en voelde de hartslag in Helmuts hals.

'Hij is dood,' zei hij. 'Ik heb hem neergeschoten.'

De professor richtte het pistool op Joachim.

'Maak Valdemar los,' beval hij.

'Wat ben je van plan te doen?' vroeg Joachim.

'Ik ga je vader opzoeken,' zei de professor. 'Denk je dat hij bereid is jou voor het verloren kwarto te ruilen?'

Joachim begon mijn handen los te maken. Ik was erop bedacht dat hij zijn toevlucht tot een of andere truc zou nemen, maar het was alsof hij door het rampzalige schot uit balans was gebracht.

Toen ik van het touw was bevrijd begon ik de voeten van de professor los te maken. Dat ging me net zo beroerd af als eerder op de dag. Joachim stond ondertussen kalm bij het lijk van Helmut. Ten slotte lukte het me greep op de knopen te krijgen en de professor was los.

'Valdemar,' zei hij. 'Ga naar Erich en zeg hem dat ik hem wil spreken. Zeg hem dat we zijn zoon Joachim hebben en dat ik bereid ben met hem over het kwarto te onderhandelen.'

'Wat met jullie?'

'Zeg hem dat het zijn zoon niet al te best is vergaan en dat Helmut dood is.'

'Maar als hij weigert je te ontmoeten?'

'Hij weigert het niet,' zei de professor.

'En jullie?'

'Joachim en ik gaan naar het sloependek op de achterplecht. Zeg hem dat hij ons daar kan ontmoeten.'

'Ben je nog steeds van plan dit geheim te houden?' zei Joachim, die zich weer hersteld leek te hebben.

'Zwijg, miezerig ventje,' zei de professor.

'Ben je werkelijk van plan om te doen alsof dit allemaal niet gebeurd is?'

'We zullen zien,' zei de professor.

Een stapel jutezakken lag vlak bij ons op de vloer. Het oog van de professor viel erop en hij beval mij en Joachim om zakken om Helmut heen te wikkelen en hem naar het mangat te dragen.

'We laten hem zwemmen,' zei de professor.

'Ben je van plan hem overboord te gooien?' vroeg ik stomverbaasd.

'Iets dergelijks gaat gebeuren.'

'Allemaal om je geheim te verdoezelen,' zei Joachim.

'Jij bent degene die hem heeft neergeschoten,' zei de professor.

Het was middernacht geworden toen we uit het ruim kropen en het was echt winderig. Joachim en ik sleepten Helmut tussen ons in de trap op. Het was ongelooflijk moeilijk, maar uiteindelijk speelden we het klaar. Ik ging voorop. Daarachter kwam Joachim, die er moeite mee had Helmut met gebonden handen vast te houden. Als laatste kwam de professor, die Joachim niet uit het oog verloor en de hele tijd het pistool op hem gericht hield.

We trokken Helmut naar de reling en zonder er nog woorden aan vuil te maken tilden we hem overboord en lieten hem in zee vallen.

'Ga nu,' beval de professor, 'en zeg tegen Erich ons op het sloependek te ontmoeten.'

'Je hebt het boek in handen gekregen en wij zijn vrij. Waarom gaan we niet nu naar de kapitein en vertellen hem alles? Laten we hem Von Orlepp arresteren?'

‘Ik ben bang dat Erich het kwarto niet uit handen geeft tenzij we hem de gelegenheid ervoor geven,’ fluisterde hij. ‘Ik denk dat hij het kwarto zal vernietigen als hij wordt gezocht. We moeten hem een uitweg bieden en dan afwachten. Als hij weigert, gaan we naar de kapitein. We kunnen vanwege het kwarto geen risico’s nemen.’

‘Wat voor garantie heeft hij?’

‘Mijn woord,’ zei de professor. ‘Dat moet voor hem genoeg zijn.’

De professor vertelde me wat hij vader en zoon wilde aanbieden als ze het kwarto uit handen gaven en met die boodschap ging ik de gang met de hutten van de eerste klas in en klopte op de deur bij Erich von Orlepp. Ik hoorde een gestommel binnenin en toen ging de deur op een kier open.

‘De professor heeft me gestuurd,’ zei ik. ‘Hij wil met je onderhandelen.’

Von Orlepps ogen werden twee keer zo groot toen hij mij zag.

‘Waar is Joachim?’ vroeg hij.

‘Ze hebben een ongeluk gehad,’ zei ik. ‘Helmut is dood. Wij hebben nog steeds het Koningsboek. De professor wil het kwarto. Hij wil met je onderhandelen. Hij heeft niemand over jullie twee geïnformeerd. Niemand aan boord weet wie jullie zijn. Hij is bereid jullie twee dagen voorsprong te geven als we in Reykjavik aankomen. Dat moet voor jullie voldoende zijn om te ontsnappen.’

Erich von Orlepp staarde mij door de spleet van de deur aan.

‘Als je hier niet op ingaat, stapt de professor naar de kapitein. Jullie zullen gearresteerd worden. Hij zei me jou te vertellen dat het nieuws waarschijnlijk de hele wereld is rondgegaan als je in Reykjavik aan land gaat.’

Von Orlepp toonde geen reactie.

‘Wij zijn op het sloependek, je hebt vijf minuten,’ zei ik en ik nam afscheid.

XXVII

We stonden in een storm op het sloependek en wachtten. Ik keek hoe het kielzog van het schip in de duisternis verdween. De professor stopte het tabaksdoosje in zijn zak en leunde voorover op zijn stok. Hij had behoorlijk gesnoven en het leek mij dat het vooral het witte spul was. Hij had zijn vinger met een zakdoek verbonden en het verband was bloederig geworden.

'Denk je dat hij dit serieus neemt?' vroeg ik terwijl ik me van het kielzog afwendde. Ik moest hard praten om boven het gebulder van de wind uit te komen.

'Dat valt onmogelijk te zeggen. Hij heeft nog een paar minuten. We zullen zien.'

'Ben je dan van plan naar de kapitein te gaan?'

'Ja,' zei de professor. 'Dan valt er niets anders te doen. Ik wil niet meer met die lui hier aan boord in gevecht raken. Dat zie ik niet zitten. Je ziet hoe ver ze bereid zijn te gaan. God mag weten wat ze met Sigmund hebben gedaan.'

'Zou hij niet dezelfde weg als Helmut zijn gegaan?'

'Dat is mogelijk. Niemand stelt vragen over een verdwijning op zee.'

Joachim zat op het dek met zijn rug tegen de reling en hij verroerde zich niet. Hij keek afwisselend naar ons, maar het was alsof alle kracht uit hem was verdwenen.

'Daar,' zei de professor en hij keek in de richting van het dek van de eerste klasse. 'Komt daar niet iemand de trap af?'

Voor zover ik kon zien was het Erich die de trappen van de eerste klasse omlaag stommelde. Hij keek snel om zich heen voor hij beneden op het dek stapte en hij ging op zijn gemak de trap omhoog naar ons op het sloependek. Hij keek zorgvuldig om zich heen om zich ervan te verzekeren dat wij de enige twee waren om hem te ontvangen. Hij zag Joachim tegen de reling zitten.

'Fouilleer hem, Valdemar,' zei de professor. 'Hij kan iets onder zijn kleren hebben verborgen.'

Von Orlepp keek mij met een verachtelijke blik aan.

Ik gehoorzaamde.

'Ik kan niets vinden,' zei ik.
'Alles in orde met je?' vroeg hij aan zijn zoon.
Joachim knikte beschaamd het hoofd.
'Wat is er met Helmut gebeurd?'
'Je zoon heeft hem door het hoofd geschoten,' zei de professor. 'Ik kan me goed voorstellen dat het een van zijn weinige prestaties in het leven is.'
'Jij!' siste Von Orlepp.
'Heb je het kwarto bij je?' vroeg de professor.
'Hoe kan ik weten dat je niet je bek opendoet tegen de kapitein als je het uiteindelijk in handen hebt gekregen?'
'Je kunt mij vertrouwen. Als je mij nu het kwarto geeft. Anders onderhandelen we niet.'
'Dan krijg je het kwarto nooit.'
'Dat is dan maar zo.'
'Ik zei hem dat hij het niet mee moest nemen,' zei Joachim, die overeind kwam. 'Hij heeft nooit naar mij geluisterd.'
'Wat heb je met Helmut gedaan?' vroeg Von Orlepp.
'Hij is in zee gevallen,' zei de professor. 'Dat is dan één ellendeling minder op deze godvergeten wereld.'
De zwarte ogen van Von Orlepp schoten vuur.
'Heb je het Koningsboek?' siste hij.
'Ja,' zei de professor.
'Waar? Ik zie het niet.'
De professor gaf hem geen antwoord.
'Joachim heeft nog altijd het kwarto gevonden,' zei Von Orlepp.
'Hij heeft het uiteraard niet gevonden,' zei de professor. 'Hij heeft het gestolen zoals jij het Koningsboek hebt gestolen en überhaupt alles steelt wat anderen heilig is!'
'Je bent nog steeds het Shell-gebouw niet vergeten?' zei Von Orlepp. 'En het meisje. Hoe heette ze?'
'Emma,' zei de professor. 'Ze heette Emma. En ik ben haar niet vergeten.'
'De kleine Emma, dat klopt. De knappe studente die jou in de ondergrondse verwikkelde.'
'Waar heb je het boek bewaard?' vroeg Joachim.
'Maak je daar geen zorgen over.'
Ik keek naar de professor. Hij had de bruine kalfsleren jas aan die hij de hele reis had gedragen. Ik had hem nog nooit in een andere jas gezien vanaf het moment dat ik hem voor het eerst ontmoette.
'Je liegt dat je het hebt!' zei Joachim.
'Ik raakte het in Berlijn kwijt,' zei Von Orlepp. 'Ik probeerde het te gelde te maken, we hadden smeergeld nodig, snap je. Ik wou het terugkopen als het

grootste rumoer was gaan liggen. We kunnen stellen dat ik het wou verpanden. Het lag bij een antiquaar niet ver van de Goethestraße toen zijn huis werd opgeblazen. Hij wou met mij zakendoen, maar hij kwam om in de explosie. Ik vond het boek niet in de ruïne en toen kwamen de Russen. Je weet dat ongetwijfeld omdat je al zo ver bent gekomen.'

'Ik weet sommige dingen. De rest is een puzzel.'

'Je hebt je natuurlijk afgevraagd waarom Joachim en ik zo hard hebben gevochten om het Koningsboek te krijgen,' zei Von Orlepp.

'Daar heb ik zo mijn gedachten over,' zei de professor. 'Hoewel moordenaars zoals jij me dat niet hoeven uit te leggen. Het zal je ook niet meer van pas komen. Politiek gezien niet.'

'Ik hoor dat je nog steeds kwaad op me bent,' zei Von Orlepp.

'Niet zo'n hoge dunk van jezelf hebben,' zei de professor. 'Voor mij ben je niets waard en je bent het ook nooit geweest.'

'Het Koningsboek is een uniek kunstwerk van onschatbare waarde,' zei Von Orlepp. 'Zijn waarde voor ons die geloven in een nieuw Duitsland valt met geen woorden te beschrijven. Wij hebben een geïnteresseerde koper. Een uiterst machtig individu die onze idealen over een herrezen Duitsland zeer welgezind is. Het is een industrieel en hij heeft het boek een grote rol toebedeeld, later, als de aarde opnieuw rijp is voor het zaad. Hij begrijpt het grote belang ervan. Maar dat is natuurlijk puur formeel, Herr professor, de ideologische waarde ervan. Het is de artistieke waarde die ik...'

Von Orlepp laste een pauze in zijn verhaal in.

'Het Koningsboek als kunstwerk,' zei hij. 'Het kent geen gelijke in de wereldgeschiedenis.'

'Het Koningsboek staat in geen enkel verband met de waanzin waar jullie voor staan,' zei de professor. 'Juist helemaal niet.'

'Ben je Wagner vergeten? *Der Ring des Nibelun...*'

'Ik wil niets horen over jullie vervloekte wagnerianen! Jullie eigenen je onder valse voorwendsels verhalen en gedichten toe.'

'Wil je het zien?' vroeg Von Orlepp. 'Ik heb het bij me. Wij kunnen voor de eerste keer in eeuwen het kwarto en het Koningsboek samenvoegen.'

'Doe het niet!' zei Joachim. 'Zij zitten ook in de problemen. Niemand weet van de diefstal van het Koningsboek. Herr professor heeft het al die jaren geheim kunnen houden. Ik betwijfel of iemand weet dat zij aan boord zijn. Volgens mij zijn ze verstekelingen. En ze hebben het Koningsboek natuurlijk nog steeds niet in handen.'

Von Orlepp aarzelde.

De professor reikte me het pistool aan en zei me hen in de voeten te schieten als ik ze liever niet wilde vermoorden.

'Het is lang geleden dat ik dit in mijn jas heb vermaakt,' zei hij en hij reikte met zijn hand naar achteren. 'Voor als ik het ooit nodig mocht hebben.'

Ik zag niet wat hij binnen in zijn zware leren jas deed, maar toen hij zijn hand weer terughaalde hield hij het Koningsboek vast.

'Hier is het,' zei hij terwijl hij Joachim aankeek. 'Je had beter moeten zoeken.'

Erich von Orlepp keek naar het boek en stak zijn hand in zijn zak.

'Is het niet buitengewoon?' zei Joachim.

Von Orlepp haalde het verloren kwarto uit zijn zak en reikte het de professor aan.

'Ik vertrouw je,' zei hij.

'Jullie krijgen twee dagen,' zei de professor, die het kwarto aanpakte. 'Niet meer en niet minder.'

Hij keek gehypnotiseerd naar het boekje. Toen maakte hij het Koningsboek open en liet het kwarto erin glijden.

Het Koningsboek was weer heel.

Ik was met aanbidding vervuld. Het Koningsboek was opnieuw heel!

De professor haalde het kwarto weer uit het boek en nam de tijd om het nader te bekijken; hij leek een moment alles om zich heen te zijn vergeten. Ik zag de blijdschap in zijn ogen die hem zo lang was onthouden.

'Nu!' riep Erich von Orlepp naar zijn zoon, en voor ik het in de gaten had voelde ik een verlammende pijn toen Joachim mij met zijn samengebonden handen in het gezicht sloeg en het pistool uit mijn hand wrong.

'Schiet de knul eerst neer,' zei Erich tegen zijn zoon. 'We laten Herr professor eventjes lijden voor we hem de dood in sturen.'

De professor keek mij verbijsterd aan. Hij zag dat de rollen plotseling waren omgedraaid. Joachim stond triomfantelijk glimlachend tegenover ons met het pistool in zijn handen.

Ik keek de professor radeloos aan.

'Het spijt me,' was het enige wat ik kon stamelen. Ik had tijdens mijn wacht staan slapen.

'Zet dat maar uit je hoofd,' siste de professor tegen Joachim.

Joachim aarzelde niet. Hij hief het pistool en richtte het op mij. Mijn knieën begonnen te knikken.

'Doe het!' galmde Von Orlepp.

'Doe die jongen niets aan!' beval de professor.

'Geef mij het boek!' schreeuwde Von Orlepp.

'Je krijgt het boek nooit!' schreeuwde de professor, en zonder een ogenblik te aarzelen wierp hij het Koningsboek over de reling in het water.

'Herr professor!' schreeuwde Von Orlepp, die het boek nakeek in zee. Hij geloofde zijn eigen ogen niet. 'Ben je krankzinnig!' krijste hij.

Ik was net zo verbijsterd over de handelwijze van de professor. Hij had tenietgedaan wat hem het dierbaarst was. Hij had het Koningsboek vernietigd. Het was voor eeuwig verloren. Hij had definitief zijn beoordelingsvermogen verloren en het juweel overboord gegooid.

'Ga terug naar de hut,' siste Joachim tegen zijn vader terwijl hij even zijn blik van ons afwendde.

De professor zag dat. Het was hem gelukt ons allen uit het evenwicht te brengen.

Hij haalde met zijn stok uit naar het wapen en viel Von Orlepp aan. Er ging een schot af met een vreemde doffe knal. De kogel ging in zee. Ik reageerde en rende op Joachim af.. Hij herstelde zich meteen en richtte het pistool op mij. De professor had Erich Von Orlepp bij de reling in een wurgende greep. Joachim aarzelde en richtte toen het wapen op de professor.

Ik schreeuwde naar hem.

Een schot ging af dat in zijn rug belandde.

Er viel een tweede schot en ik zag dat de kogel achter in het hoofd van de professor ging.

Ik sprong op Joachim af en gooide hem op de grond.

De professor tuimelde overboord met Erich von Orlepp in zijn armen.

Ik greep Joachim bij zijn hals, drukte er uit alle macht op en sloeg zijn hoofd keer op keer tegen het dek tot het bloed uit zijn nek begon te druppen en hij het bewustzijn verloor. Ik had hem willen vermoorden.

Ik wilde de laatste adem uit hem persen.

Ik wilde hem zien sterven.

Op het laatste moment kwam ik bij zinnen. Ik was geen moordenaar. Ik verslapte de greep om zijn hals. Ik pakte het wapen op dat hij was kwijtgeraakt. Het kwarto zag ik nergens.

Joachim lag buiten westen op het dek. Een zekere rust kwam over me heen. Ik weet niet hoeveel tijd er verstreek eer ik het geluid waarnam dat aan de andere kant van de reling boven het gebulder van de wind uit kwam. Ik keek die kant op en zag hoe een hand het dek door een spuigat greep. Ik kwam langzaam overeind, keek over de reling en zag de professor buiten tegen de scheepswand hangen. Hij was zwaargewond, het bloed sijpelde uit zijn hoofd, maar hij wilde zijn houvast niet loslaten. Ik boog over de reling, zo ver omlaag als ik kon, en het lukte me hem bij zijn pols te grijpen op het moment dat hij zijn greep op het spuigat verloor.

Hij keek op en zag mij.

Zijn lippen vormden mijn naam.

Ik merkte dat hij te zwaar voor mij was en ik begon met heel mijn ziel en zaligheid om hulp te roepen.

'Ik ben... gewond,' hoorde ik hem kreunen. 'Ik heb... geen kracht...'

Zijn hand begon langzaam uit de mijne te glijden. Zijn andere hand hing

omlaag langs zijn zij en ik zag dat hij het kwarto vasthad.
'Dit is voorbij,' zei hij.
'Nee!!' schreeuwde ik. 'Grijp de reling met je andere hand!! Laat het kwarto vallen!'
'Ik kan... het niet...'
Zijn woorden verwaaiden in de wind.
Ik dacht dat hij elk moment het bewustzijn kon verliezen.
'Probeer het!' riep ik.
'Zorg voor... het boek,' hoorde ik hem kreunen. 'Zorg voor... het Koningsboek, Valdemar!'
'Niet doen!'
'Praat... met...'
'Niet loslaten!'
'Ga naar...'
Ik merkte dat ik mijn greep op hem verloor.
'...Halldór!' riep de professor met zijn laatste krachten.
Zijn hand glipte uit de mijne en ik zag hem in zee vallen en verdwijnen. In mijn verdriet en angst schreeuwde ik het uit; ik sloeg en trapte tegen de reling, maar er was niets dat ik kon doen. Hij was dood.
De duisternis en de zee hadden hem genomen.

Ik weet niet hoeveel tijd er verstreek tot ik de gang in ging met de kajuiten van de eerste klasse en zachtjes op de deur bij Halldór Laxness klopte. De professor had mij gezegd naar Halldór te gaan, maar ik wist niet waarom. Ik vroeg mij af of hij niet iemand anders bedoelde. Ik wachtte even en toen ging de deur open. De schrijver keek me met een ernstige blik aan. Ik had hem nog nooit eerder ontmoet, maar hij wist wie ik was.
'Jij moet Valdemar zijn,' zei hij.
Ik knikte.
'Dit is dus niet goed verlopen?' vroeg Laxness.
'De professor is dood,' zei ik. 'Hij is in zee gevallen.'
Laxness keek mij lang aan. Ik zag dat dit nieuws hem bedroefde hoewel hij probeerde niets te laten merken.
'Hij had het waarschijnlijk verwacht,' zei de schrijver. 'Ik heb met je te doen. Hij zocht hulp bij mij, snap je. Ik hoopte dat wij twee elkaar niet in deze omstandigheden zouden tegenkomen.'
'Nee, ik snap het,' zei ik. 'Het Koningsboek is ook verloren. Hij... heeft het in zee gegooid.'
'Kom binnen,' zei Halldór en hij leidde me de kajuit binnen en sloot de deur achter ons.
'De professor wilde mij niet verder in deze zaak betrekken,' zei hij.

'Nee,' zei ik, nog steeds half verlamd na de gebeurtenissen op het sloependek.

'Hij verbood het mij absoluut iets te doen. Ik kon hem er niet van afbrengen. Hij zei dat als jij hier aan de deur zou komen, er waarschijnlijk iets fout was gegaan. De professor was een uiterst koppige man.'

'Hij zei dat ik naar u moest gaan.'

'Ik heb hem aangespoord met de kapitein te praten.'

'Hij was op weg naar de kapitein toen ze hem te pakken kregen,' zei ik. 'Toen kwam hij erachter dat ze het verloren kwarto hier aan boord hadden en hij vreesde dat ze zich ervan zouden ontdoen als de kapitein zich erin mengde. Hij wou proberen het zelf van hen te krijgen.'

Laxness ging naar het bureau in de kajuit en hij kwam terug met een klein pakketje gewikkeld in bruin pakpapier, samengebonden met een wit touwtje.

'Hij zei me dit aan jou te geven. Dit zal het echte afschrift zijn. Zorg er goed voor.'

'Het echte afschrift?'

'Hij zei dat je het zou begrijpen. Hij zei dat als geen van jullie beiden bij mij zouden komen, ik het boek aan de juiste instanties in Reykjavik moest overhandigen.'

Ik nam het pakketje aan. Ik had even nodig om te laten bezinken wat Laxness zei en ik zuchtte opgelucht toen het uiteindelijk tot me doordrong. De professor had op het sloependek niet het Koningsboek bij zich gehad, maar de kopie, het valse perkamenten boek dat hij uit pure wanhoop zelf had gemaakt. Hij had het de hele tijd in zijn jas. Hij had het overboord gegooid om vader en zoon uit hun evenwicht te brengen. Zodoende had hij mijn leven gered.

'Dank u,' zei ik en ik had moeite mijn blijdschap te verbergen. 'Hij heeft dus niet...'

'Je hoeft mij niet te vousvoyeren,' zei Laxness. 'Het was voor hem uitgesloten het Koningsboek uit handen te geven.'

'Hij heeft vanwege het boek zoveel geleden.'

'Was het snel voorbij?'

'Ja, in feite wel,' zei ik.

'En het kwarto...?'

'Dat is met hem mee in zee gegaan.'

'En de Kletsmajoor?'

'Hij is ook verdronken. Zijn zoon leeft, maar die zal geen moeilijkheden meer maken. Ik bond hem aan de reling op het sloependek vast. Ik... ik moet met de kapitein gaan praten. Nogmaals dank voor je hulp. Bedankt dat je ervoor gezorgd hebt.'

'Het genoegen was aan mijn kant,' zei Laxness. 'Het genoegen was geheel aan mijn kant, Valdemar. Jammer dat dit zo moest lopen. Als het je blij kan maken: hij was vol lof over jou. Hij zei dat we van jou veel goeds konden verwachten.'

'Dank je. Je weet dat...'

'Wat?'

'Je weet dat hij niet wilde dat dit in de openbaarheid zou komen,' zei ik. 'Niets van dit alles.'

'Hij heeft me dat volstrekt duidelijk gemaakt,' zei Laxness.

'Ik zal mijn best doen het zo te houden.'

'Natuurlijk,' zei de schrijver en hij gaf mij een stevige handdruk. 'Ik weet dat jij je best zult doen.'

1971

Ik heb een foto van de professor die ik later in zijn bureau vond. Hij ligt hier op tafel voor me. Hij is pas afgestudeerd aan de universiteit en staat voor de Ronde Toren, buigt zich in de richting van het fototoestel met een hand op zijn heup. Het leven ligt duidelijk open voor een begaafde jongeman in de stad, maar hij ziet daarin geen reden om te glimlachen en kijkt met vragende, wakkere ogen de toekomst in. Het laat zich niet verhelen, de vastberadenheid en het sterke karakter in de blik van deze man. Hij is bereid de strijd met het leven aan te gaan, waar het hem uiteindelijk ook heen zal voeren.

Hij wist niet dat het zou eindigen op de bodem van de Atlantische Oceaan. De professor was de derde man in de wonderlijke saga van het kwarto die het met zich mee in het graf had genomen, en ditmaal verdween het voor eens en altijd in zee.

Ik bekijk soms de krantenfoto's die ik een paar jaar geleden heb verworven van de aankomst van de Gullfoss in Reykjavik op 4 november 1955. Het was een grote dag voor de IJslandse bevolking. Een grote menigte verwelkomde haar nationale schrijver in de haven van Reykjavik en er werden speeches ter ere van Halldór Laxness gehouden. Hij stond die hoopvolle ochtend op de brug van de Gullfoss, omringd door persmensen. Ik maakte van de gelegenheid gebruik, terwijl hij zijn dank overbracht aan het IJslandse volk en alle ogen op hem waren gericht. Op een persfoto kan ik zien hoe een jongeman tijdens de speech van de schrijver aan land glipt en in de mensenzee verdwijnt. Dat ben ik, met het Koningsboek in mijn zak. Ik herinner me nog steeds de woorden van Laxness die mij van bovenaf de brug begeleidden en ik weet nog hoe een warme golf door mij heen voer: 'Bedank mij niet voor deze gedichten, het was jij die ze al veel eerder aan mij hebt gegeven.'

Vorige week, op 21 april, herhaalde de saga zich toen op precies dezelfde plek weer een grote dag aanbrak voor het IJslandse volk. De Denen gaven uiteindelijk toe en gaven onze manuscripten terug. Ik vond het symbolisch dat de overhandiging zou plaatsvinden op de laatste dag van de winter. Ik was aan boord van het Deense oorlogsschip de Vædderen toen het naar IJsland kwam met IJslandse manuscripten, na de aangenaamste reis die ik ooit heb meegemaakt. Ik maakte me onderweg een beetje zorgen, ook al is de Vædderen een goed zeeschip. Wij hadden in de loop der eeuwen grote schatten bij de overtocht verloren. Maar de reis verliep naar wens en de emoties die door mijn borst gingen toen we de haven van Reykjavik binnenvoeren zijn met geen pen te beschrijven. De menigte had zich op de kade verzameld om de schat te verwelkomen. De minister-president hield een speech. De IJslandse televisie zond voor de eerste keer een gebeurtenis live uit. Ik volgde het vanaf het dek van de Vædderen en zag dat het Koningsboek na vele eeuwen van afwezigheid aan land werd gebracht. Het was voor het eerst op IJslandse bodem in de handen van een Deense matroos – gevolgd door het *Flateyarboek*.

Ik kon een glimlach niet onderdrukken toen ik me herinnerde hoe ik vele jaren geleden met het boek aan land glipte zonder dat iemand het wist of er vanaf mocht weten. Nu kwam het voor de tweede keer thuis, maar onder belangrijk andere omstandigheden. Later die dag zat ik in de universiteitsbioscoop toen de IJslandse minister van Onderwijs uit naam van het IJslandse volk het Koningsboek ontving. Ik dacht op dat moment aan de professor. 'Heb je ooit zoiets moois in je leven meegemaakt?' zou hij gezegd hebben.

We hadden een gesprek bij Vera thuis op de dag dat we stiekem aan boord van de Gullfoss gingen. Het verloren kwarto kwam ter sprake, zoals zo vaak nadat het in Schwerin uit onze handen geraakte. Ik vroeg hem wat hij zou doen als we het weer in handen kregen.

'Ik zou het terug in de *Edda* leggen,' zei hij.

'Je zou het niet willen houden?' vroeg ik.

'Niemand kan het in eigendom hebben,' antwoordde hij.

'Dus je zou het op zijn plaats leggen?' vroeg ik.

Hij gaf niet meteen antwoord.

'Er zijn genoeg leuke dingen mee te bedenken,' zei hij uiteindelijk.

'Wat dan?'

'Het mee in het graf nemen, zoals de oude Rósa Benediktsdóttir,' zei hij.

Ik weet niet of hij het serieus meende of een loopje met mij nam zoals hij soms deed, maar uiteindelijk nam hij het kwarto met zich mee de dood in. Het verdween met hem in zee. Ik betwijfel het of hij zichzelf had kunnen redden door het los te laten en ik geloof dat hij het heeft geweten, zwaargewond en uitgeput als hij was. Het was voor hem onmogelijk mij de bladen te geven. Het is ook bij me opgekomen dat zijn laatste gedachte was dat het kwarto hem in het natte graf moest volgen.

Nadat mijn studie was afgesloten, werd ik medewerker op de Árni Collectie in Kopenhagen en doceerde ik aan de universiteit. Ik ging met de manuscripten mee naar Reykjavik en was van plan hier in de toekomst te werken. Ik zou het Koningsboek elke dag begroeten op de plek waar het ligt aan de Suðurgata, zo oud maar altijd even jong. Jaren zijn verstreken en ik ben ouder geworden zoals mij is aan te zien, maar er zijn geen nieuwe rimpels in het Koningsboek gekomen, het is nog even tijdloos als toen het pas in het bezit van bisschop Brynjólf kwam, in 1643. En er wordt beter voor gezorgd dan ooit.

Ik heb niemand verteld over de vondst van het kwarto. Ik had toen het hele verhaal moeten vertellen, maar dat wilde ik niet. Joachim werd aan boord van de Gullfoss gearresteerd en opgesloten op de plek waar de professor en ik ons eerder hadden verborgen, in het bagageruim waarvan me later werd verteld dat het 'de uitlaatpijp' werd genoemd vanwege de schoorsteen die ertegenaan lag. Het bleek dat de Duitse politie aanwijzingen had gevonden die Helmut met de moord op Glockner in verband brachten, onder andere vingerafdrukken, bovendien dat Färber de aanval had overleefd en Joachim kon aanwijzen als de tweede geweldpleger. Sigmund werd levend gevonden en hij zei dat Joachim met een andere man hem in zijn hut had aangevallen en de hele boel kort en klein had geslagen. Hij zei niets over de valse wand, de drank en de sigaren te hebben af geweten en hij was eerder geneigd te denken dat die twee mannen hem met iemand hadden verward. Ik kreeg Sigmund te spreken nadat hij gekneveld in de machinekamer werd gevonden en hij begreep meteen waar ik het over had toen ik hem vertelde hoe gevoelig de zaak lag. Hij was er niet blij mee dat de professor de geweldplegers naar hem had verwezen, maar hij zei dat hij het met geen woord over het Koningsboek zou hebben. Het lukte mij hem in het complot te betrekken. Hij vond dat ik zowel hem als de koper van het boek op IJsland een dienst had bewezen door over alles te zwijgen.

Ik wilde de professor naar mijn beste kunnen beschermen. Ik vertelde het Joachim voor ik hem aan de kapitein uitleverde. Hij was er slecht aan toe nadat hij zijn vader had zien sterven, en alle weerstand was uit hem verdwenen. Helmut was niet als passagier geboekt en niemand zou hem missen, net zomin als de professor. De oude Von Orlepp was aan boord geboekt onder de naam van zijn zoon en Joachim, die in Leith heimelijk aan boord was gekomen, nam zijn plaats in. We kwamen tot een akkoord. Ik zei staande te houden dat Joachim in zijn eentje had geopereerd toen ik hem aan de kapitein uitleverde. Hij was van plan geweest de IJslandse cultuurschatten in Reykjavik te roven. De professor en ik hadden daar toevallig in Duitsland lucht van gekregen en wij waren Joachim naar Denemarken achternagegaan zonder ons te realiseren dat we gezocht werden. We hoorden het pas toen we in Kopenhagen aankwamen. De professor ging de politie van Joachims bedoelingen op de hoogste stellen, maar toen hij zijn tijd daarvoor nam en de Gullfoss op het punt stond uit te varen, zag ik geen andere mogelijkheid dan Joachim als verstekeling aan boord achterna te gaan. Hij had geweld tegen mij gepleegd toen hij ontdekte dat ik hem op de hielen zat.

Joachim bestreed deze versie van mij niet. Hij vond natuurlijk dat hij met de geweldpleging en moord in Duitsland genoeg had te stellen. Zodoende kwam het nooit aan het licht dat de professor aan boord was geweest. Het Koningsboek noemde ik maar niet in die korte rechtszaak die werd gehouden vanwege Joachims uitlevering aan de Duitse politie. Joachim zei nooit iets over de onverwachte thuiskomst van zijn vader. Hij noemde Erich von Orlepp niet, alsof hij nooit had bestaan. Ik deed het ook niet. Joachim werd weer discreet naar Duitsland overgebracht.

Ik deed alsof ik niets wist over het lot van de professor.

Ik hoorde dat de rectoren van de Árni Collectie en de Koninklijke Bibliotheek van Kopenhagen het Koningsboek hadden gevonden tussen datgene wat de professor voor zijn onderzoek gebruikte in de Árni Collectie. Toen was ik een paar dagen in de stad geweest om onder andere een bezoek aan Vera te brengen. Het boek werd gevonden tussen andere manuscripten die de professor in bewaring had en het werd niet opmerkelijk bevonden.

Ik vertelde Vera het relaas van wat er op die noodlottige nacht aan boord van de Gullfoss was gebeurd. Ze luisterde naar mijn verhaal zonder enige reactie te tonen en ze bedankte me voor mijn bezoek toen ik afscheid nam van haar, het rustige spiegelbeeld van Gitte.

Ze stierf twee jaar later. Ik was een van de weinigen die haar naar het graf begeleidde.

Op de dag dat de Gullfoss uitvoer stuurde de professor als vergoeding vijf maanden van zijn loon naar Hilde in Berlijn met de goede wensen voor een zonnige toekomst. Ik vond een bedankbrief in de post van de professor waarin ze het met veel lof over zijn goedheid had.

Zoals zo vaak bleek de tijd een goede kameraad voor het zwijgcomplot. Jaren na de dood van de professor hoorde ik een theorie over zijn plotselinge en onverklaarbare verdwijning van het wetenschappelijk genootschap in Kopenhagen. Het was slechts een van de vele die hij zelf leuk zou hebben gevonden en het was in overeenstemming met de verhalen uit vroeger tijden van vele IJslanders in de stad. Er werd gezegd dat zijn drankzucht en onnauwkeurige nieuwsberichten zowel in Duitsland als in Denemarken zo zwaar op hem gedrukt hadden dat hij uiteindelijk van de Lange Brug was afgesprongen, levensmoe.

Ik verzorgde mijn moeder op haar sterfbed, die stierf voor ze op leeftijd kwam. Ze was toen naar IJsland vertrokken, ze kwam nog één keer thuis en ze had kanker gekregen, die binnen een paar maanden tot haar dood leidde. Dat was in 1963 en ik nam vrij, voer naar IJsland en verpleegde haar, samen met Zus. Ik vroeg toen niet meer naar mijn vader. Mijn moeder hield mijn hand vast en zei dat ze altijd had geprobeerd ten volle van het leven te genieten, en ze had nergens spijt van. Mijn tante, zaliger gedachtenis, stierf vier jaar later.

De professor zei tegen mij dat hij het thuis bij Vera miste, voordat hij voor het laatst op reis ging. Pas toen hij in zee verdween begreep ik volledig wat hij mij had geprobeerd te vertellen. Er is geen dag verstreken dat ik de professor niet heb gemist, of aan hem heb gedacht of hem voor me heb gezien zoals ik en niemand anders hem kende. Ik heb met dat gemis geleefd en hoewel ik me er misschien mee heb verzoend doet het nog steeds pijn, ondanks dat het zo lang geleden is. Ik miste een vriend, een zielsgenoot en meester, alles in een en dezelfde man.

Hij leerde mij om te gaan met het kostbaarste nationale cultuurerfgoed, de manuscripten, en hij vergrootte mijn begrip voor datgene wat hij koesterde. Ik heb uit alle macht geprobeerd in zijn voetspoor te treden en ik heb gedoceerd, soms onderzoek gedaan en niet in de laatste plaats gezocht naar oude manuscripten – en ze soms ook gevonden, hele of fragmenten ervan, brieven en verschillende andere zaken. Niets ervan echter even bijzonder als het verloren kwarto.

Hij noemde ons de hoeders van de tijd. Ik begrijp nu beter wat hij bedoelde. Naar zijn idee was niets waardevollers dan het Koningsboek, en het moment dat 'ons aards bestaan' wordt genoemd gebruikte hij om ervoor te zorgen. Hij wist dat weinig kunstwerken van de wereld die bescheiden, zelfs nederige, donkerbruine, IJslandse dichtbundel overstegen. Het formaat is niet groter dan een gewone paperback, desondanks is zijn grootte oneindig. Ook al ziet het er haveloos en versleten uit, zijn levenskracht is grenzeloos. Zijn woorden in kleine letters zijn reuzen in de cultuurgeschiedenis. Het is bijna levend. Zijn perkament krimpt ineen en rekt uit met de vochtigheidsgraad, dus hoogstwaarschijnlijk haalt het adem.

Ik weet dat de professor niet voor niets stierf. Hij was een grotere held dan hij wilde laten doorschemeren en verzoend ontmoette hij zijn lot.

Högni lachte toen zij zijn hart eruit sneden, de kloeke wondensmid...

Zo wil ik me hem herinneren. Ik heb een tabaksdoosje bewaard. En zijn stok gaat met mij mee.

Voor onbepaalde tijd.

Uitgeverij Querido stelt alles in het werk om op milieuvriendelijke en duurzame wijze met natuurlijke bronnen om te gaan. Bij de productie van dit boek is gebruikgemaakt van papier dat het keurmerk van de Forest Stewardship Council (FSC) mag dragen. Bij dit papier is het zeker dat de productie niet tot bosvernietiging heeft geleid.

Mixed Sources
Productgroep uit goed beheerde bossen
en andere gecontroleerde bronnen
www.fsc.org Cert no. SCS-COC-001256